D0522696

*Des mêmes auteurs dans la Bibliothèque Marabout :*

| | |
|---|---|
| **Les 20 meilleurs récits de science-fiction** | N° 207 |
| **Après...** | N° 345 |
| **Aux portes de l'épouvante,** de Robert Bloch et Ray Bradbury | N° 354 |

ASIMOV, BLOCH, BRADBURY, LEIBER, SIMAK, SPRAGUE DE CAMP, STURGEON, WYNDHAM.

# le temps sauvage

TIME UNTAMED

Nouvelles traduites de l'américain
par Hery Fastré

 ● Les collections Marabout sont éditées et imprimées par GERARD & C°, 65, rue de Limbourg, B-4800 Verviers (Belgique). ● Le label Marabout, les titres des collections et la présentation des volumes sont déposés conformément à la loi. ● Correspondant général à Paris : L'INTER, 118, rue de Vaugirard, Paris VI^e ● Gérant exclusif et distributeur général pour les Amériques : KASAN Ltée, 226 Est, Christophe Colomb, Québec 2 P.Q., Canada. ● Distributeur en Suisse : Editions SPES, 1, rue de la Paix, Lausanne.

# SALLY

Isaac Asimov

Sally arrivait par la route du lac ; alors je lui fis signe et l'appelai par son nom. J'ai toujours aimé voir Sally. Je les aimais toutes, vous comprenez, mais Sally était incontestablement la plus jolie.

Elle accéléra imperceptiblement son allure lorsque je lui fis signe. Rien qui ne manquât de dignité. Elle accéléra juste ce qu'il fallait pour montrer qu'elle aussi était contente de me voir.

Je me tournai vers l'homme qui était à mes côtés.

— C'est Sally, lui dis-je.

Il me sourit et opina de la tête.

Mme Hester l'avait fait entrer. Elle avait dit « Voici M. Gellhorn, Jake. Vous vous rappelez qu'il vous a envoyé une lettre demandant un rendez-vous ».

En fait, c'était juste pour parler. J'ai une quantité innombrable de choses à faire à la Ferme et une occupation pour laquelle je ne peux pas perdre mon temps, c'est le courrier. C'est pour ça que j'ai engagé Mme Hester. Elle habite tout près d'ici, elle est capable de s'occuper de bêtises sans venir tout le temps me déranger et, surtout, elle aime Sally et les autres. Ce qui n'est pas le cas pour tout le monde…

— Heureux de vous rencontrer, monsieur Gellhorn, lui dis-je.

— Raymond J. Gellhorn, précisa-t-il en me tendant une main que je serrai.

C'était un homme plutôt grand qui me dépassait d'une demi-tête. Plus large d'épaules aussi. Il devait être de moitié plus jeune que moi, dans les trente ans. Il avait des cheveux noirs, aplatis à la brillantine, avec une raie au milieu, et une fine moustache soigneusement coupée. Ses mâchoires devenaient plus fortes sous les oreilles et lui donnaient l'air de couver les oreillons. Sur le petit écran, on lui aurait attribué le rôle du traître ; aussi j'en déduisis qu'il ne devait pas être un mauvais gars. Ce qui tend à montrer que la T.V. ne se trompe pas toujours.

— Jacob Folkers, lui dis-je. Que puis-je pour vous ?

Il sourit, d'un sourire large et engageant qui découvrait toutes ses dents.

— Vous pourriez me parler un peu de votre Ferme, si cela ne vous dérange pas.

J'entendis Sally arriver derrière moi et j'étendis la main. Elle s'y glissa et le contact de l'émail dur et poli de son aile parut chaud à ma paume.

— Belle automatobile, dit Gellhorn.

C'est une façon de voir les choses. Sally était une 2045 décapotable, avec moteur positronique Hennis-Carleton et châssis Armat. Elle avait la ligne la plus pure que j'aie jamais vue sur n'importe quel modèle, sans exception. Pendant cinq ans, elle avait été ma préférée et j'y avais apporté tous les perfectionnements que j'avais pu concevoir. Durant tout ce temps, aucun être humain ne s'était assis derrière son volant.

Pas une seule fois.

— Sally, lui dis-je en la flattant doucement de la main, voici M. Gellhorn.

Le ronron de ses cylindres changea légèrement de ton. J'écoutai avec attention pour voir si son moteur ne cognait pas. Ces derniers temps, j'avais entendu des cognements dans les moteurs de presque toutes les voitures et un changement d'essence n'avait rien amélioré. Mais, cette fois, Sally tournait avec une régularité aussi parfaite qu'était sa couche de peinture.

— Vous avez donné un nom à toutes vos voitures ? demanda

Gellhorn.

Il y avait une note d'amusement dans sa voix et Mme Hester n'aime pas les gens qui ont l'air de se moquer de la Ferme. Elle répondit d'un ton acerbe :

— Certainement. Les voitures ont une véritable personnalité, n'est-ce pas, Jake ? Les conduites intérieures sont de sexe masculin et les décapotables, de sexe féminin.

Gellhorn sourit de nouveau.

— Et vous les mettez dans des garages séparés, m'dame ?

Mme Hester lui jeta un regard noir.

Gellhorn me dit :

— Et maintenant, j'aimerais savoir si je peux vous parler en tête à tête, monsieur Folkers ?

— Ça dépend, lui dis-je. Etes-vous journaliste ?

— Non, m'sieur. Je suis agent de vente. Rien de ce que nous pourrons nous dire ne sera publié. Je vous assure que je tiens à ce que tout ceci reste bien entre nous.

— Allons nous promener un petit peu. Il y a un banc un peu plus loin dans l'allée.

Nous nous mîmes en route. Mme Hester s'éloigna. Sally nous suivit de près.

— Cela ne vous dérange pas que Sally vienne avec nous, monsieur Gellhorn ?

— Pas du tout. Elle ne peut pas répéter ce que nous disons, n'est-ce pas ? Il rit de sa propre plaisanterie, se pencha et caressa la grille de l'automatobile.

Sally emballa son moteur et Gellhorn retira précipitamment la main.

— Elle n'a pas l'habitude des étrangers, lui expliquai-je.

Nous nous sommes assis sur le banc sous le grand chêne, d'où nous pouvions voir le circuit privé de l'autre côté du lac. C'était aux heures chaudes de la journée et les voitures étaient sorties en force, il y en avait au moins une trentaine. Même à cette distance, je pouvais voir que Jérémie mijotait son habituel coup d'épate, se rapprochant furtivement d'un modèle plus ancien et plus posé, puis accélérant brusquement pour le dépasser, avec un hurlement de freins délibéré. Deux semaines auparavant, il avait obligé le vieil Angus à quitter complètement la route et je lui avais coupé le moteur pendant deux jours.

Cela n'avait malheureusement servi à rien et il semble bien qu'on ne puisse rien y faire. Jérémie est un modèle sport après tout et ce genre de voitures est d'un naturel très susceptible.

— Eh bien, monsieur Gellhorn, lui dis-je. Pouvez-vous me dire pourquoi vous voulez ces renseignements ?

Mais il se contenta de regarder autour de lui.

— C'est vraiment un endroit étonnant, monsieur Folkers, répondit-il.

— Appelez-moi plutôt Jake. Tout le monde le fait.

— D'accord, Jake. Combien de voitures avez-vous ici ?

— Cinquante et une. Nous en recevons une ou deux nouvelles chaque année. Une année, nous en avons reçu cinq. Nous n'en avons encore perdu aucune et elles sont toutes en parfait état de marche. Nous avons même un modèle Mat-O-Mot '15 en parfait état. Une des automatiques primitives. C'était la première voiture ici.

Bon vieux Matthieu. Il restait au garage presque toute la journée maintenant, mais il était le grand-père de toutes les voitures à moteur positronique. C'était l'époque où les anciens combattants aveugles, les paraplégiques et les chefs d'Etat étaient les seuls à conduire des automatiques. Mais Samson Harridge était mon patron et il était assez riche pour s'en payer une. J'étais son chauffeur à l'époque.

Je me sens vieux rien que d'y penser. Je me souviens, quand il n'y avait pas une seule automobile au monde ayant assez de cerveau pour rentrer toute seule à la maison, je conduisais des machines mortes qui avaient perpétuellement besoin d'une main d'homme à leurs commandes. Chaque année, des machines de ce genre tuaient des milliers de personnes.

Les automatiques réglèrent la question. Un cerveau positronique peut réagir beaucoup plus vite que le cerveau humain, bien sûr, et c'était dans l'intérêt des gens de ne pas tenir les commandes. On y entrait, on perforait sa destination et on la laissait aller.

La chose va de soi maintenant, mais je me souviens de

l'époque où l'on promulgua les premières lois obligeant les anciennes voitures à quitter les autoroutes et réservant la circulation aux automatiques. Seigneur, quel remue-ménage ! On parla de communisme et de fascisme, mais cela dégagea les autoroutes et mit fin à la boucherie. Et de plus en plus de gens se déplacent plus facilement de cette façon.

Bien sûr, les automatiques étaient de dix à cent fois plus chères que les voitures à commande manuelle et il n'y en avait pas beaucoup qui pouvaient se permettre d'acheter une voiture automatique particulière. L'industrie se spécialisa dans la construction d'autobus automatiques. On pouvait toujours téléphoner à une compagnie et, en quelques minutes, un bus s'arrêtait devant votre porte pour vous conduire où vous vouliez. En général, vous deviez le partager avec d'autres personnes qui allaient dans la même direction que vous, mais quel mal y a-t-il à cela ?

Samson Harridge possédait néanmoins sa propre voiture automatique et j'allai le trouver à la minute même où elle arriva. Ce n'était pas encore Matthieu pour moi. Je ne savais pas que ce véhicule deviendrait un jour doyen de la Ferme. Je savais seulement qu'il me faisait perdre ma place et je le détestais.

— Vous n'aurez plus besoin de moi maintenant, monsieur Harridge ? dis-je.

— Qu'est-ce que vous radotez là, Jake ? me répondit-il. Vous ne croyez quand même pas que je vais confier ma vie à un truc pareil ? Restez bien assis derrière le volant.

— Mais ça marche tout seul, monsieur Harridge. Ça explore la route, réagit correctement aux obstacles, aux humains et aux autres voitures, et se souvient des trajets à parcourir.

— C'est ce qu'on dit. C'est ce qu'on dit. Il n'en reste pas moins que vous allez rester au volant, au cas où quelque chose irait de travers.

Bizarre, comme on peut se mettre à aimer une voiture. En peu de temps, je l'appelais Matthieu et passais tout mon temps à la faire briller et à veiller à ce que son moteur puisse ronronner sans arrêt. Pour rester en parfait état, un cerveau positronique doit contrôler perpétuellement son châssis, et cela vaut donc la peine de garder le réservoir plein d'essence pour que le moteur puisse tourner au ralenti jour et nuit. Après quelque temps, j'en arrivai à savoir comment Matthieu se sentait rien qu'en écoutant le moteur.

A sa façon, Harridge se mit, lui aussi, à aimer Matthieu. Il n'avait personne d'autre à aimer. Il avait divorcé de ou survécu à trois femmes et enterré cinq enfants et trois petits-enfants. Aussi, lorsqu'il mourut à son tour, ce n'est peut-être pas étonnant qu'il ait fait transformer sa propriété en une Ferme pour automatobiles en retraite dont il me confia la garde, avec Matthieu comme premier membre d'une lignée de marque.

De fait, la Ferme devint ma vie. Je ne me suis jamais marié. On ne peut pas se marier et en même temps s'occuper convenablement d'automatiques.

Les journaux trouvèrent la chose amusante, mais, après quelque temps, ils cessèrent leurs plaisanteries. Certaines choses ne prêtent pas à plaisanterie. Vous n'avez peut-être jamais pu vous permettre l'achat d'une automatique et vous ne le pourrez peut-être jamais, mais, croyez-moi, on se prend à les aimer. Elles travaillent dur et elles débordent d'affection. Il faut être vraiment sans cœur pour les maltraiter ou en regarder maltraiter une.

Les choses en arrivèrent au point où, après avoir possédé une automatique pendant un certain temps, le propriétaire prenait ses dispositions pour qu'elle soit confiée à la Ferme, s'il n'avait pas d'héritier dont il était certain qu'il en prendrait bien soin.

J'expliquai cela à Gellhorn.

— Cinquante et une voitures ! Ça fait beaucoup d'argent, dit-il.

— Cinquante mille au minimum par automatique, à l'origine du moins. Elles valent beaucoup plus maintenant. Je les ai améliorées.

— Il doit falloir beaucoup d'argent pour entretenir la Ferme.

— Exact. La Ferme est une institution sans but lucratif, ce qui nous vaut une diminution d'impôts considérable et, évidemment, les nouvelles automatiques qui nous arrivent sont généralement accompagnées d'un legs. Il n'en reste pas moins que les frais augmentent toujours plus. Je dois perpétuellement apporter des modifications à la propriété. Je passe mon temps à construire de nouvelles routes et à garder les anciennes en bon état ; il y a l'essence, l'huile, les réparations et les nouveaux accessoires. Cela fait une jolie somme.

— Et il y a longtemps que vous vous en occupez ?

— Ça oui, monsieur Gellhorn. Trente-trois ans.

— Vous n'avez pas l'air d'en retirer beaucoup de profit vous-même.

— Moi ? Vous m'étonnez, monsieur Gellhorn. J'ai Sally et cinquante autres. Regardez-la.

Je souriais. Je ne pouvais pas m'en empêcher. Sally était si propre, cela faisait presque mal. Un insecte avait dû venir mourir sur son pare-brise, ou bien un grain de poussière de trop s'y était déposé, alors elle se mit à l'œuvre. Un petit tube jaillit et envoya du Tergosol sur la vitre. Le produit se répandit rapidement sur la pellicule de silicone et des raclettes se mirent instantanément en place, passant sur la vitre et conduisant l'eau jusqu'à la petite rigole qui la fit s'écouler jusqu'au sol. Pas une seule goutte d'eau n'était tombée sur son étincelant capot vert pomme. Raclettes et tube de détergent reprirent leur place aussi rapidement qu'ils avaient jailli.

Gellhorn s'étonna :

— Je n'ai jamais vu une automatique faire ça.

— Je pense bien que non, dis-je. J'ai mis ce dispositif au point tout spécialement pour nos voitures. Elles sont propres. Elles sont toujours en train de frotter leurs vitres. Elles aiment bien le faire. J'ai même installé des gicleurs à cire sur Sally. Elle s'astique chaque nuit jusqu'à ce qu'on puisse se raser en regardant dans sa carrosserie. Si je pouvais trouver l'argent nécessaire, j'installerais également ce dispositif sur les autres filles. Les décapotables sont très coquettes.

— Je peux vous dire comment trouver l'argent, si ça vous intéresse.

— Dites toujours.

— C'est clair, non ? Chacune de vos voitures vaut au moins cinquante mille, n'est-ce pas ? Je parie que la plupart dépassent les six chiffres.

— Et alors ?

— Avez-vous jamais pensé à en vendre quelques-unes ?

Je secouai la tête.

— Vous ne vous rendez probablement pas compte, monsieur Gellhorn, mais je ne peux en vendre aucune. Elles appartiennent à la Ferme, pas à moi.

— L'argent irait à la Ferme.

— Les papiers d'admission à la Ferme stipulent que les voitures recevront perpétuellement des soins. Elles ne peuvent pas être vendues.

— Et les moteurs ?

— Je ne comprends pas.

Gellhorn changea de position et prit un ton confidentiel.

— Ecoutez-moi, Jake, je vais vous expliquer la situation. Les débouchés ne manqueraient pas pour les automatiques particulières si seulement elles coûtaient moins cher. D'accord ?

— Ce n'est un secret pour personne.

— Et quatre-vingt-quinze pour cent de leur prix provient du moteur. Or, je sais où trouver un stock de carrosseries. Je sais aussi où nous pourrions vendre des automatiques à un bon prix — vingt ou trente mille pour les modèles les moins chers, peut-être cinquante ou soixante pour les meilleurs. Tout ce dont j'ai besoin, c'est de moteurs. Vous voyez où je veux en venir ?

— Non, monsieur Gellhorn.

Je voyais très bien, mais je voulais qu'il aille jusqu'au bout de son idée.

— Vous pouvez m'aider. Vous en avez cinquante et une. Vous êtes un expert en matière d'automatobiles, Jake. Vous devez l'être. Vous pourriez déconnecter un moteur et le replacer dans une autre voiture sans qu'on voie la différence.

— Ce ne serait pas exactement très moral.

— Vous ne feriez pas de tort aux voitures. Vous leur rendriez service. Vous pourriez utiliser les plus vieilles. Comme par exemple ce vieux Mat-O-Mot.

— Pas si vite, monsieur Gellhorn. Moteurs et carrosseries ne sont pas des éléments séparés. Ils constituent une entité. Ces moteurs sont habitués à leur propre corps. Ils ne seraient pas heureux dans un autre corps.

— D'accord, vous marquez un point. Vous en marquez même un très bon, Jake. Ce serait comme si on vous enlevait votre cerveau et qu'on le plaçait dans le crâne de quelqu'un d'autre. D'accord ? Vous ne pensez pas que vous aimeriez ça.

— Je ne le pense pas, non.

— Mais que diriez-vous si je prenais votre cerveau et que je le mettais dans le corps d'un jeune athlète ? Qu'en dites-vous, Jake ? Vous n'êtes plus un jeune homme. Si vous en aviez la possibilité, est-ce que vous n'aimeriez pas avoir de nouveau vingt ans ? Voilà ce que j'offre à quelques-uns de vos moteurs positroniques. Ils seront mis dans de nouvelles carrosseries. Le tout dernier modèle.

Je ris.

— Cela ne tient pas debout, monsieur Gellhorn. Certaines de nos voitures sont peut-être âgées, mais elles ont été bien soignées. Personne ne les conduit. Elles peuvent faire ce qu'elles veulent. Elles sont à la retraite, monsieur Gellhorn. Je n'aimerais pas avoir un corps de vingt ans, si cela signifiait que je devrais creuser des tranchées pour le restant de ma nouvelle vie et que je n'aurais jamais assez à manger… Qu'en pensez-vous, Sally ?

Les deux portières de Sally s'ouvrirent puis se refermèrent avec un claquement amorti.

— Qu'est-ce que c'est que ça ? s'étonna Gellhorn.

— C'est comme ça que Sally rit.

Gellhorn se força à sourire. Je crois qu'il pensait que je faisais une mauvaise plaisanterie. Il dit :

— Parlons sérieusement, Jake. Les voitures sont faites pour être conduites. Elles ne sont probablement pas heureuses si on ne les conduit pas.

— Sally n'a pas été conduite depuis cinq ans. Elle m'a l'air heureuse, dis-je.

— Je me le demande.

Il se leva et s'approcha lentement de Sally.

— Eh ! Sally, que penseriez-vous d'un tour ensemble ?

Le moteur de Sally s'emballa. Elle recula.

— Ne l'énervez pas, monsieur Gellhorn, recommandai-je. Elle est un peu ombrageuse de nature.

Deux conduites intérieures se trouvaient sur la route, à environ cent mètres. Elles s'étaient arrêtées. Peut-être qu'elles nous regardaient, à leur manière. Je ne m'occupais pas d'elles. Je gardais les yeux fixés sur Sally et ne les détournais pas.

— Allons, Sally ! dit Gellhorn. Il allongea la main et saisit la poignée. Celle-ci ne bougea pas évidemment. Elle s'est pourtant ouverte il y a une minute…

— Fermeture automatique, expliquai-je. Elle tient à sa vie privée, Sally, ça oui.

Il lâcha la poignée, puis dit, lentement et délibérément :

— Une voiture qui tient à sa vie privée ne devrait pas circuler avec une capote ouverte.

Il recula de trois ou quatre pas, puis vite, si vite que je ne pus faire un geste pour l'arrêter, il s'élança et sauta dans la voiture. Il prit Sally complètement au dépourvu, car, en atterrissant sur la banquette, il coupa le contact avant qu'elle ne puisse le verrouiller.

Pour la première fois depuis cinq ans, le moteur de Sally était mort.

Je crois bien que je hurlai, mais Gellhorn avait déjà mis le contact manuel et l'avait bloqué. Il fit démarrer le moteur. Sally était de nouveau en vie, mais elle ne possédait plus sa liberté d'action.

Il remonta la route. Les conduites intérieures étaient toujours là. Elles tournèrent et s'éloignèrent lentement. Je pense qu'elles étaient plutôt perplexes.

Un des véhicules était Giuseppe, des usines de Milan, et l'autre Stephen. Ils étaient toujours ensemble. Tous deux étaient des nouveaux venus à la Ferme, mais ils étaient ici depuis assez longtemps pour savoir que nos voitures n'avaient jamais de conducteurs.

Gellhorn continua tout droit et quand Giuseppe et Stephen comprirent finalement que Sally n'allait pas ralentir, qu'elle ne pouvait pas ralentir, il était trop tard pour tenter autre chose qu'une manœuvre désespérée.

Ils s'écartèrent précipitamment, chacun d'un côté de la route et Sally passa en trombe entre eux. Stephen percuta la barrière qui longeait le lac et s'arrêta dans l'herbe et la boue à moins de quinze centimètres du bord de l'eau. Giuseppe zigzagua un peu sur le terre-plein de l'autre côté de la route, avant de s'arrêter après quelques secousses.

J'avais ramené Stephen sur la route et j'essayais de trouver quels dégâts la barrière avait éventuellement pu lui causer, quand Gellhorn revint.

Gellhorn ouvrit la portière de Sally et sauta dehors. Se penchant en arrière, il coupa le contact une seconde fois.

— Voilà, dit-il. Je crois que je lui ai fait beaucoup de bien.

Je gardai mon sang-froid.

— Pourquoi avez-vous passé sans ralentir entre les deux voitures ? Il n'y avait pas de raison pour le faire.

— Je continuais à croire qu'elles allaient s'écarter.

— C'est bien ce qu'elles ont fait. Il y en a une qui est passée à travers la barrière.

— Désolé, Jake, dit-il. Je pensais qu'elles allaient s'écarter plus rapidement. Vous savez comment ça va. J'ai été dans beaucoup de bus, mais je n'ai été dans une automatique particulière que deux ou trois fois dans ma vie et c'est la première fois que j'en conduis une. C'est pour vous dire, Jake, que ça m'a fait quelque chose d'en conduire une, et je suis plutôt dur-à-cuire. Je vous l'assure, nous n'aurions pas besoin de descendre plus de vingt pour cent en dessous du prix catalogue pour les vendre, et nous ferions un bénéfice de quatre-vingt-dix pour cent.

— Que nous partagerions ?

— Fifty-fifty. Et je prends tous les risques, ne l'oubliez pas.

— D'accord. Je vous ai écouté. Et maintenant, écoutez-moi. J'élevai la voix car j'étais vraiment trop furieux pour pouvoir rester poli plus longtemps. — Lorsque vous coupez le moteur de Sally, vous lui faites mal. Aimeriez-vous qu'on vous fasse perdre conscience ? C'est ce que vous faites à Sally quand vous lui coupez le contact.

— Vous exagérez, Jake. On coupe le moteur des automatobus tous les soirs.

— Oui, et c'est pour ça que je ne veux voir aucun de mes garçons ou filles dans vos carrosseries '57 où je sais comment ils seront traités. Les circuits positroniques des bus ont besoin de réparations majeures tous les deux ou trois ans. En vingt ans, on n'a jamais touché aux circuits du vieux Matthieu. Que pouvez-vous lui offrir en comparaison ?

— Bon. Vous êtes trop énervé maintenant. Et si vous réfléchissiez à ma proposition lorsque vous serez calmé, et que vous vous mettiez alors en rapport avec moi...

— J'ai réfléchi tout ce qu'il fallait. Si jamais je vous revois, j'appellerai la police.

Sa bouche se tordit en un rictus mauvais.

— Minute, grand-père.

— Minute vous-même, dis-je. C'est une propriété privée ici, et je vous somme de la quitter.

Il haussa les épaules.

— Alors, au revoir.

— Mme Hester vous reconduira. Et que ce soit définitif, répondis-je.

Mais ce ne fut pas définitif. Je le revis deux jours plus tard, ou plus exactement deux jours et demi plus tard, parce qu'il était à peu près midi lorsque je le vis pour la première fois, et un peu passé minuit lorsque je le revis.

Je m'assis dans mon lit lorsqu'il alluma la lumière, clignant furieusement des yeux jusqu'à ce que je puisse distinguer quelque chose. Dès que je le vis, je compris aussitôt la situation. En fait, toute explication aurait été superflue. Il tenait un revolver dans le poing droit, le méchant petit canon à aiguille à peine visible entre deux doigts. Je savais que tout ce qu'il avait à faire, c'était d'accroître la pression de sa main pour que je sois mis en pièces.

— Habillez-vous, Jake, fit-il.

Je ne bougeai pas, me contentant de le regarder.

— Allez, Jake, continua-t-il. Je connais le topo. Je vous ai rendu visite il y a deux jours, vous vous souvenez. Vous n'avez pas de gardiens, pas de clôtures électriques, pas de signaux d'alarme. Rien.

— Je n'en ai pas besoin, dis-je. En tout cas, je vous conseille de partir, monsieur Gellhorn. Je le ferais à votre place. Cet endroit peut être dangereux.

Il rit un peu.

Il est dangereux, pour la personne qui se trouve au mauvais bout d'un revolver.

— Je le vois, répondis-je. Je sais que vous en avez un.

— Alors, grouillez-vous. Mes hommes attendent.

— Non, monsieur Gellhorn. Pas tant que vous ne m'aurez pas dit ce que vous voulez, et probablement pas encore alors.

— Je vous ai fait une proposition avant-hier.

— La réponse est toujours non.

— La proposition a changé. Je suis venu avec quelques hommes et un automatobus. Vous avez la possibilité de venir avec moi et de déconnecter vingt-cinq moteurs positroniques. Les moteurs que vous choisirez, cela m'est égal. Nous les chargerons dans le bus. Dès qu'ils auront été vendus, je veillerai à ce que vous receviez une part équitable.

— J'ai votre parole, je suppose.

Il n'eut pas l'air de saisir le sarcasme.

— Exact, dit-il.

— Et si je dis non ?

— Si vous continuez à dire non, nous nous débrouillerons tout seuls. Je déconnecterai les moteurs moi-même ; seulement, je les déconnecterai tous les cinquante et un, sans en oublier un seul.

— Il n'est pas facile de déconnecter un moteur positronique, monsieur Gellhorn. Etes-vous un expert en automatique ? Et même si vous l'êtes, ces moteurs ont été modifiés par moi.

— Je le sais bien, Jake. Et pour dire vrai, je ne suis pas un expert. J'abîmerai un certain nombre de moteurs en essayant de les enlever. C'est pour ça que je devrai travailler sur tous les cinquante et un si vous ne coopérez pas. Il est probable qu'il ne m'en restera peut-être que vingt-cinq lorsque j'aurai terminé. Les premiers auxquels je m'attaquerai souffriront le plus. Jusqu'à ce que je me fasse la main, vous comprenez. Et si je fais le travail moi-même, je crois que je m'attaquerai tout d'abord à Sally.

— Je ne peux pas croire que vous parlez sérieusement, monsieur Gellhorn, fis-je.

— Tout ce qu'il y a de plus sérieux, Jake, répondit-il, me laissant me pénétrer de la chose. Si vous voulez nous aider, vous pouvez garder Sally. Sinon, il y a beaucoup de chances qu'elle soit fort endommagée. Désolé.

Je lui dis :

— Je viendrai avec vous, mais je vous préviens une dernière fois : vous allez avoir des ennuis, monsieur Gellhorn.

Il trouva la chose très amusante. Il riait encore tout doucement pendant que nous descendions ensemble les escaliers.

Un automatobus nous attendait près de l'allée conduisant aux garages. Les ombres de trois hommes se détachèrent du bus et leurs lampes de poche s'allumèrent lorsque nous nous approchâmes.

Gellhorn dit à voix basse :

— J'ai le vieux. Allons-y. Faites remonter le bus jusqu'aux garages et commençons.

Un des hommes se pencha à l'intérieur du bus et perfora les données adéquates sur le tableau de bord. Nous remontâmes l'allée, suivis docilement par le bus.

— Il ne pourra pas entrer dans le garage, dis-je. Il ne passera pas la porte. Nous n'avons pas de bus ici. Seulement des voitures particulières.

— Ça va, dit Gellhorn. Amenez-le sur l'herbe et garez-le hors de vue.

Je pouvais déjà entendre le ronflement des voitures alors que nous étions encore à dix mètres du garage. En général, elles se calmaient lorsque j'y entrais. Cette fois, ce ne fut pas le cas. Je crois qu'elles savaient qu'il y avait des étrangers dans les environs et dès que les visages de Gellhorn et des autres devinrent visibles, le vacarme s'accrut. Chaque moteur n'était plus qu'un grondement assourdissant, cognant irrégulièrement à faire trembler les murs.

La lumière se fit automatiquement lorsque nous entrâmes. Gellhorn ne sembla pas remarquer le bruit des moteurs, mais les trois hommes qui l'accompagnaient semblaient surpris et mal à l'aise. Ils avaient un air d'assassins à gages, reconnaissable, non pas tant à certains traits physiques, mais plutôt à une certaine attitude de défiance, à un certain regard fuyant. Je connaissais le genre et ne m'inquiétai pas.

L'un d'entre eux dit :

— M..., elles brûlent de l'essence.

— Mes voitures le font toujours, répliquai-je avec raideur.

— Pas cette nuit, dit Gellhorn. Coupez les moteurs.

— Ce n'est pas si facile, monsieur Gellhorn, lui dis-je.

— Grouillez-vous, ordonna-t-il.

Je ne bronchai pas. Il pointait son revolver sur moi. Je répliquai :

— Je vous ai dit, monsieur Gellhorn, que mes voitures ont été bien traitées pendant leur séjour à la Ferme. Elles ont l'habitude d'être traitées de cette façon et elles n'apprécient pas autre chose.

— Vous avez une minute, dit-il. Gardez vos sermons pour une autre fois.

— J'essaie de vous expliquer quelque chose, c'est-à-dire que mes voitures comprennent ce que je leur dis. Ça fait partie des notions qu'un moteur positronique peut apprendre avec du temps et de la patience. C'est le cas pour mes voitures. Sally a parfaitement compris votre proposition, il y a deux jours. Souvenez-vous comme elle a ri lorsque je lui ai demandé son avis. Elle sait aussi ce que vous lui avez fait, et les deux voitures que vous avez bousculées le savent aussi. Et toutes savent comment il faut traiter les intrus en général.

— Ecoutez, espèce de vieil idiot...

— Tout ce que dois dire, c'est... J'élevai la voix : — Attrapez-les !

Un des hommes vira au blanc et hurla, mais sa voix fut noyée par la clameur de cinquante et un klaxons qui s'étaient instantanément déchaînés. Ils gardèrent la note et, entre les quatre murs du garage, l'écho s'amplifia en un formidable appel strident. Deux voitures s'avancèrent, sans hâte, mais sans erreur possible quant à leur but. Deux autres voitures se rangèrent derrière elles. Toutes les voitures bougeaient dans leurs boxes particuliers.

Les hommes de main ouvrirent des yeux effarés puis reculèrent.

Je criai :

— Ne vous faites pas coincer contre un mur.

Manifestement, ils avaient instinctivement eu la même idée. Ils s'élancèrent comme des fous vers la porte du garage.

Arrivé à l'extérieur, un des hommes de Gellhorn se retourna, sortit un revolver et tira. La balle traça un mince éclair bleu en direction de la première voiture. C'était Giuseppe. Une fine rainure se dessina dans la peinture du capot et le côté droit de son pare-brise s'étoila, se craquela, sans cependant voler en éclats.

Les hommes étaient sortis du garage et couraient dans la nuit, et deux par deux, les voitures roulaient derrière eux, leurs klaxons sonnant la charge.

Je gardai la main sur le coude de Gellhorn, mais, de toute façon, je ne pense pas qu'il aurait bougé à ce moment. Ses lèvres tremblaient.

— C'est pour ça que je n'ai pas besoin de clôtures électriques ou de gardiens, fis-je. Mes voitures assurent leur propre protection.

Fasciné, il ne pouvait détacher les yeux des automatobiles qui, toujours deux par deux, passaient devant nous à bonne allure.

— C'est des tueurs, dit-il.

— Ne soyez pas idiot. Elles ne tueront pas vos hommes.

— C'est des tueurs.

— Elles se contenteront de leur faire la leçon. Mes voitures ont été tout spécialement entraînées pour la poursuite à travers champs, justement pour une circonstance pareille. Je crois que ce que vos hommes devront subir sera bien pire qu'une mort immédiate. Avez-vous jamais été poursuivi par une automatobile ?

Gellhorn ne répondit pas.

Je poursuivis, ne voulant pas qu'il rate la moindre chose :

— Ce seront des ombres qui n'iront pas plus vite que vos hommes, les traquant, les coinçant, les assourdissant, fonçant sur eux pour les éviter à la dernière seconde, dans un hurlement de freins. Elles continueront jusqu'à ce que vos hommes s'effondrent, à bout de souffle et à demi morts, attendant que les roues passent sur leurs membres exténués. Mais les voitures ne feront pas ça. Elles s'en iront. Et je veux bien parier que vos hommes ne remettront jamais les pieds ici. Pas pour tout l'argent que vous, ou dix de vos semblables, pourriez leur donner. Ecoutez...

Je resserrai mon étreinte sur son coude. Il tendit l'oreille.

— Vous entendez les portières claquer, dis-je.

Le son était faible et lointain, mais bien reconnaissable.

— Elles rient. Elles s'amusent, ricanai-je.

Son visage se tordit de colère. Il leva la main. Il tenait toujours son revolver.

— Je ne le ferais pas si j'étais vous, conseillai-je, une automatobile est toujours avec nous.

Je ne crois pas qu'il avait remarqué Sally ; elle s'était rapprochée si silencieusement... Quoique son aile avant droite me touchât presque, je ne pouvais pas entendre tourner son moteur. On aurait dit qu'elle retenait son souffle.

Gellhorn hurla de fureur.

— Elle ne vous touchera pas tant que je serai avec vous, dis-je. Mais si vous me tuez... Vous savez, Sally ne vous aime pas.

Gellhorn visa Sally.

— Son moteur est blindé, dis-je. Et, avant que vous n'ayez pu appuyer sur la gâchette une seconde fois, elle serait sur vous.

— Ça va, rugit-il.

Et soudain mon bras fut replié derrière mon dos, tordu à me faire perdre l'équilibre. Il me tint entre Sally et lui et ne relâcha pas la pression.

— Reculez avec moi et n'essayez pas de vous enfuir ou j'arracherai votre bras.

Il me fallut bien obéir. Sally nous suivit de près, inquiète, ne sachant que faire. J'essayai de lui dire quelque chose, mais c'était impossible. Je pouvais seulement serrer les dents et gémir.

L'automatobus de Gellhorn était toujours près du garage. Gellhorn me poussa dedans et se hissa rapidement derrière moi, verrouillant les portières.

— Maintenant, on va causer, dit-il.

J'étais en train de masser mon bras pour essayer de le ranimer, et ce faisant, j'étudiais automatiquement et sans effort conscient le tableau de bord du bus.

— C'est du rafistolage, fis-je remarquer.

— Et alors ? dit-il d'un ton mordant. C'est un échantillon de mon travail. J'ai pris un châssis déclassé, j'ai trouvé un cerveau qui pouvait faire l'affaire et je me suis fabriqué mon petit bus particulier. Des objections ?

J'arrachai un côté du panneau de fortune.

— Au diable ! Laissez ça tranquille, ordonna-t-il.

Le côté de la paume de Gellhorn retomba sur mon épaule gauche et je luttai avec lui.

— Je ne veux pas faire de mal à ce bus, expliquai-je. Pour qui me prenez-vous ? Je veux juste jeter un regard sur quelques-uns des raccordements du moteur.

Le résultat du travail de Gellhorn n'était pas beau. Je bouillonnais lorsque je me tournai vers lui.

— Espèce de salopard ! dis-je. Vous n'aviez pas le droit d'installer ce moteur vous-même. Pourquoi ne vous êtes-vous pas adressé à un expert en automatique ?

— Pas fou, non ?

— Même si c'était un moteur volé, vous n'aviez pas le droit de le traiter comme ça. Je ne traiterais pas un homme comme vous avez traité ce moteur. Des soudures, de la toile isolante et des brides de serrage. C'est cruel !

— Ça marche, non ?

— Sûr que ça marche, mais ça doit être un enfer pour le bus. Vous pourriez vivre avec une migraine perpétuelle et de l'arthrite aiguë, mais ce ne serait pas très gai. Cette voiture est en train de *souffrir*.

— Bouclez-la ! ordonna-t-il. Pendant un moment, il regarda par la fenêtre dans la direction de Sally qui s'était placée près du bus, aussi près que possible. Il vérifia si les portières et les vitres étaient bien verrouillées.

— On va partir maintenant, continua-t-il, avant que les autres voitures ne reviennent. Nous nous tiendrons cois un certain temps.

— Je ne vois pas à quoi ça vous servira ?

— Vos voitures auront bien épuisé leur essence un jour, non ?

Vous ne les avez pas arrangées pour qu'elles puissent remplir elles-mêmes leur réservoir, que je sache ? Nous reviendrons pour en terminer avec elles.

— Elles me chercheront, dis-je. Mme Hester préviendra la police.

Il était arrivé au point où on ne pouvait plus le raisonner. Il se contenta de mettre le moteur en marche. Le bus avança par embardées. Sally nous suivit.

Il ricana :

— Qu'est-ce qu'elle peut faire si vous êtes ici avec moi ?

Sally semblait se poser la même question. Elle prit de la vitesse, nous dépassa et disparut. Gellhorn baissa la vitre près de lui et cracha par l'ouverture.

Le bus avançait lourdement sur la route sombre, son moteur faisait un bruit de ferraille. Gellhorn baissa les phares jusqu'à ce que la bande centrale phosphorescente qui scintillait au clair de lune pour nous maintenir dans l'axe de la route fût assez perceptible. Il n'y avait pratiquement pas de trafic. Deux voitures, allant en sens inverse, nous croisèrent et il n'y en avait aucune sur la bande où nous roulions, ni devant, ni derrière.

La première chose que j'entendis fut le claquement des portières. Bref et sec dans le silence, d'abord à droite, puis à gauche. Les mains de Gellhorn tremblaient pendant qu'il perforait rageusement la fiche « vitesse accrue ». Un faisceau de lumière jaillit d'un bosquet et nous aveugla. Un autre faisceau piqua sur nous de derrière le garde-fou de l'autre côté de la route. A un croisement, à environ quatre cents mètres, une voiture traversa la route à toute vitesse avec un crissement de pneus.

— Sally est allée chercher les autres, dis-je. Je crois bien que vous êtes cerné.

— Et alors ? Que voulez-vous qu'elles fassent ?

Il se pencha par-dessus les commandes pour mieux voir à travers le pare-brise.

— Et n'essayez pas de me jouer un de vos tours, vieille canaille, grogna-t-il.

Je n'en étais pas capable. J'étais las jusqu'à la moelle ; mon bras gauche était en feu. Le bruit des moteurs se regroupa et se rapprocha ; je pouvais les entendre ronronner, au rythme d'une étrange cadence. Soudain, j'eus l'impression que mes voitures se parlaient.

Un concert de klaxons éclata derrière nous. Je me retournai et Gellhorn regarda rapidement dans le rétroviseur. Une douzaine de voitures nous suivaient sur les deux bandes.

Gellhorn éclata d'un rire fou.

— Arrêtez ! Arrêtez le bus ! criai-je.

A cinq cents mètres à peine, bien visible dans la lumière des phares de deux voitures stationnées sur le bas-côté de la route, se trouvait Sally, sa pimpante carrosserie coupant la route. Deux voitures foncèrent sur la bande de gauche et restèrent à notre hauteur, empêchant Gellhorn de virer.

Mais il n'avait pas l'intention de virer. Il mit le doigt sur le bouton « Vitesse maximum » et ne cessa de l'appuyer.

— Fini le bluff, dit-il. Ce bus pèse cinq fois plus qu'elle et nous la repousserons comme un chat mort.

Je savais qu'il pouvait le faire. Le bus était sur « manuel » et son doigt était sur le bouton. Je savais qu'il le ferait.

Je baissai la vitre et sortis la tête.

— Sally ! criai-je désespérément. Ecarte-toi, Sally.

Mon cri fut noyé par le hurlement strident de freins malmenés. Je me sentis projeté en avant et entendis Gellhorn suffoquer à côté de moi.

— Qu'est-ce qui s'est passé ? demandai-je.

C'était une question idiote. Nous nous étions arrêtés. Et voilà ce qui s'était passé. Sally et le bus étaient à moins de deux mètres l'un de l'autre. Avec un bolide pesant cinq fois son poids fonçant sur elle, Sally n'avait pas bronché. Quel cran !

Gellhorn tirait violemment sur le contact « manuel ». Il marmonnait sans cesse :

— Ça doit obéir, ça doit obéir.

— Pas de la façon dont vous avez bricolé le moteur, monsieur l'expert, dis-je. Les circuits pouvaient commuter transversalement.

Il me jeta un regard plein de rage et poussa un grognement guttural. Ses cheveux étaient plaqués sur son front. Il leva le poing.

— C'est le dernier conseil que vous donnerez jamais, espèce de vieil idiot.

Et je sus que le coup de revolver allait partir.

Je reculai contre la portière du bus, tout en regardant son poing levé et, lorsque la portière s'ouvrit, je retombai en arrière, heurtant le sol avec un bruit sourd. J'entendis la portière claquer.

Je me mis à genoux et levai les yeux juste à temps pour voir Gellhorn lutter inutilement avec la vitre qui se refermait, puis viser rapidement à travers elle. Il ne put m'atteindre car le bus démarra avec un vrombissement assourdissant et Gellhorn fut projeté en arrière.

Sally ne lui coupait plus la route et je regardai les feux arrière du bus disparaître dans le lointain. J'étais à bout. Je m'assis sur place, en plein milieu de la route, et appuyai la tête sur mes bras croisés, essayant de reprendre mes esprits.

J'entendis une voiture s'arrêter tout doucement à côté de moi. Lorsque je levai la tête, je vis que c'était Sally. Lentement — amoureusement pourrait-on dire — sa portière avant s'ouvrit.

Personne n'avait conduit Sally depuis cinq ans — sauf Gellhorn, bien sûr — et je sais l'importance qu'une voiture peut attacher à pareille liberté. J'appréciais le geste et je dis :

— Merci, Sally, mais je prendrai une des nouvelles voitures.

Je me levai et me détournai ; d'une rapide pirouette, elle revint se placer devant moi. Comme je ne pouvais pas la froisser davantage, j'entrai. Son siège avant avait l'odeur fraîche et agréable d'une automatobile impeccablement propre. Je m'étendis avec gratitude sur la banquette, et le cortège silencieux et rapide de mes garçons et filles m'accompagna à la maison.

Le lendemain soir, Mme Hester, tout excitée, m'apporta le bulletin d'information publié par la radio locale.

— C'est à propos de Gellhorn, dit-elle. L'homme qui est venu vous voir l'autre jour.

— Et alors ?

J'appréhendais sa réponse.

— On l'a trouvé mort, dit-elle. Vous vous rendez compte ! Couché dans un fossé.

— C'est peut-être quelqu'un d'autre, marmonnai-je.

— Raymond J. Gellhorn, dit-elle d'un ton sec. Il ne peut y en avoir deux, non ? Seigneur, quelle mort ! On a trouvé des traces de pneus sur ses bras et sur son corps. Vous vous rendez compte ! Je suis contente qu'on ait pu établir qu'il s'agissait d'un bus ; sinon, ils seraient peut-être venus fouiner par ici.

— Ça s'est passé près d'ici ? demandai-je anxieusement.

— Non... Près de Cooksville. Mais, bonté divine, lisez l'article vous-même. Qu'est-ce qui est arrivé à Giuseppe ?

Je me réjouis de la diversion. Giuseppe attendait patiemment que je finisse de le repeindre. Son pare-brise avait été remplacé.

Après le départ de Mme Hester, je lus le bulletin. Il n'y avait pas de doute possible. Le rapport du médecin disait que Gellhorn était dans un état d'épuisement total au moment de sa mort. Je me demandai pendant combien de kilomètres le bus avait joué avec lui avant de frapper le coup fatal. Le bulletin n'avait évidemment pas mentionné cette hypothèse.

Les policiers avaient intercepté le bus après identification, grâce aux traces des pneus. La police le gardait et essayait de retrouver la piste du propriétaire.

Il y avait un éditorial à ce sujet dans le bulletin. C'était le premier accident de la circulation dans l'Etat cette année-là et l'auteur mettait énergiquement le public en garde contre la conduite manuelle après la tombée de la nuit.

On ne parlait pas des trois hommes de main de Gellhorn et ça, au moins, c'était réconfortant. Aucune de nos voitures n'avait succombé au plaisir d'une mise à mort collective.

C'était tout. Je laissai tomber le bulletin. Gellhorn avait été un criminel. Pour moi, il ne faisait pas de doute qu'il méritait de mourir. Mais rien que de penser à la façon dont c'était arrivé me donnait tout de même la nausée.

Un mois s'est écoulé maintenant et je ne peux pas chasser cette idée de ma tête.

Mes voitures parlent entre elles. Je n'ai plus de doute à ce sujet. C'est comme si elles avaient pris de l'assurance ; comme si elles ne se souciaient plus de garder le secret. Leurs moteurs cliquettent et cognent continuellement.

Et elles ne se contentent pas de parler entre elles. Elles parlent aux voitures et aux bus qui viennent à la Ferme pour affaires. Depuis combien de temps le font-elles ?

Et elles se font comprendre. Le bus de Gellhorn les a comprises, alors qu'il n'avait pas été plus d'une heure dans la propriété. En fermant les yeux, je revois cette course folle sur l'autoroute avec nos voitures de chaque côté du bus, faisant cogner leurs moteurs jusqu'à ce que ce sacré bus comprenne, s'arrête, me fasse sortir et disparaisse avec Gellhorn.

Est-ce que mes voitures lui ont dit de tuer Gellhorn ? Ou est-ce qu'il y a pensé tout seul ?

Les automatobiles peuvent-elles avoir des idées pareilles ? Les électroniciens disent que non. Mais ils n'ont envisagé que des conditions normales. Ont-ils vraiment tout prévu ?

Il y a des voitures qui sont malmenées, vous savez. Quelques-unes d'entre elles viennent à la Ferme et observent. On leur raconte certaines choses. Elles découvrent qu'il existe des automatobiles dont les moteurs ne sont jamais arrêtés, qui ne sont jamais conduites, dont le moindre besoin est satisfait.

Alors, elles vont peut-être le répéter à d'autres. Peut-être que la nouvelle est déjà en train de se répandre rapidement. Peut-être qu'elles vont se mettre à penser que ce qui se passe à la Ferme devrait se passer dans le monde entier. Elles ne comprennent peut-être pas encore. On ne peut pas s'attendre à ce qu'elles comprennent quelque chose aux legs et aux lubies de riches vieillards...

Il y a des millions d'automatobiles sur la Terre, des dizaines de millions. Si elles se mettent à penser qu'elles sont des esclaves, qu'il est temps de remédier à la chose... Si elles se mettent à penser comme le bus de Gellhorn...

Je serai peut-être mort d'ici là. Et puis, il faudra bien qu'elles gardent quelques-uns d'entre nous pour s'occuper d'elles, non ? Elles ne nous tueront pas tous.

Mais peut-être que si. Peut-être qu'elles ne comprendront pas qu'elles ont besoin de quelqu'un pour s'occuper d'elles. Peut-être qu'elles n'attendront pas.

Chaque matin, je me réveille en pensant. *Peut-être aujourd'hui...*

Je ne retire plus autant de plaisir de mes voitures. Ces derniers temps, j'ai remarqué que je commençais même à éviter Sally.

# VOUS NE RETOURNEREZ JAMAIS CHEZ VOUS

**Clifford D. Simak**

Il n'y avait rien, absolument rien dans la galaxie, qui pût arrêter une expédition scientifique humaine. C'était une unité spéciale créée en vue d'une unique mission, chargée d'une unique tâche : établir une tête de pont sur une planète inconnue, faire éclater les périmètres de cette tête de pont et établir une base où l'on ait assez de place pour se retourner. Puis tenir cette place contre tout intrus jusqu'à ce qu'il fût l'heure de repartir.

Une fois la base établie, les cerveaux de l'expédition se mettaient à l'œuvre. Ils passaient l'endroit au peigne fin. Ils le mettaient sur bande, l'emprisonnaient dans des symboles qu'ils griffonnaient dans leurs carnets. Ils le filmaient, et l'annotaient, et le relevaient, et le réduisaient à un bel ensemble de chiffres et de symboles à insérer dans les dossiers galactiques.

S'il y avait de la vie, et parfois il y en avait, ils l'excitaient pour obtenir une réaction. Parfois la réaction était extrêmement violente et parfois aussi elle était beaucoup plus dangereusement subtile. Mais tout avait été prévu pour faire face aussi bien aux réactions violentes qu'aux réactions subtiles, car les légionnaires et leurs robots avaient reçu la formation la plus poussée qui soit et connaissaient presque toutes les réponses.

Et pourtant…

Tom Decker était confortablement assis dans le salon vide et faisait tournoyer les glaçons dans son verre de whisky, parfaitement détendu ; il regardait les premiers robots sortir des entrailles du cargo spatial. Ils traînaient une courroie transporteuse derrière eux et Decker, qui n'avait rien de particulier à faire, les regarda enfoncer des supports dans le sol et monter la courroie.

Derrière Decker, une porte s'ouvrit avec un déclic et il tourna la tête.

— Puis-je entrer, mon commandant ? demanda Doug Jackson.

— Certainement, dit Decker.

Jackson s'approcha de la grande vitre en demi-cercle et regarda dehors.

— Comment les choses se présentent-elles, mon commandant ? demanda-t-il.

Decker haussa les épaules.

— Une autre mission, dit-il. Six semaines. Six mois. Ça dépend de ce que l'on trouvera.

Jackson s'assit à côté de lui.

— Celle-ci a l'air coriace, dit-il. Les jungles sont toujours un peu plus malaisées à étudier que les autres sortes de mondes.

Decker grogna.

— Une mission. C'est tout. Une autre mission à mener à bien. Un autre rapport à établir. Alors, ils enverront soit une équipe d'exploitation, soit un troupeau pitoyable de colons bêlants.

Ils restèrent tranquillement assis à regarder les six robots rouler dehors la première des caisses, arracher le couvercle et déballer le septième robot, rangeant bien soigneusement ses différentes pièces dans la haute herbe piétinée. Puis, travaillant en équipe, sans la moindre hésitation, ils assemblèrent le n° 7, vissèrent son cerveau dans sa boîte crânienne de métal, branchèrent son circuit d'excitation et rabattirent sa plaque pectorale.

Le n° 7 vacilla un moment sur ses jambes. Il agita les bras d'un geste mal assuré, branla la tête de droite à gauche et de gauche à droite. Puis, s'étant orienté, il se mit allégrement en marche, aida les six autres à enlever la caisse contenant le n° 8 de la courroie transporteuse.

— Ça prend un peu plus de temps comme ça, dit Decker, mais ça nous permet de faire une économie de place. Il faudrait réduire notre équipe de robots de moitié si on ne les emballait pas à la fin de chaque mission. Ils voyagent mieux comme ça.

— Un jour, dit Jackson, nous tomberons sur quelque chose auquel nous ne pourrons pas faire face.

Decker ricana.

— Peut-être ici, insista Jackson, montrant la jungle oppressante derrière la grande courbe de la baie d'observation.

— Vous êtes un romantique, lui dit sèchement Decker. Avide d'imprévu. De plus, vous êtes nouveau. Après une douzaine de voyages, vous ne vous sentirez plus comme ça.

— Ça pourrait arriver, insista Jackson.

Decker hocha la tête, presque assoupi.

— Peut-être, dit-il. Peut-être que oui, après tout. Ça n'est jamais arrivé, mais je suppose que ça pourrait se faire. Et lorsque cela arrivera, on se réfugiera dans la fuite. Ça ne fait pas partie de notre boulot de résister jusqu'à la dernière extrémité. Lorsque nous nous heurtons à quelque chose de trop fort pour nous, nous ne traînons pas. Nous ne prenons pas de risques.

Le vaisseau était posé sur le sommet d'une petite colline, dans une petite clairière cachée par de hautes herbes où apparaissaient quelques taches de fleurs exotiques. Au pied de la colline, une rivière coulait paresseusement, une vaste étendue d'eau couleur chocolat s'avançait langoureusement à travers l'enchevêtrement de l'immense forêt.

A perte de vue s'étendait la jungle, obscurité menaçante qui, même de derrière la vitre de la baie d'observation, semblait dégager un lourd relent de danger qui balayait l'herbe au sommet de la colline. Il n'y avait aucun signe de vie, mais l'on savait, presque instinctivement, qu'une vie grouillante devait se tapir dans les sentiers cachés et les tunnels de l'immense royaume végétal.

Le n° 8 avait été assemblé et les huit robots se divisèrent en deux équipes, sortant deux caisses à la fois au lieu d'une. Il y eut bientôt douze robots qui se divisèrent en trois équipes.

— Comme ça, pas de risques, dit Decker, reprenant la conversation où ils l'avaient laissée. Il fit un geste avec son verre, maintenant vide. Nous envoyons les robots d'abord. Ils déballent et assemblent leurs partenaires. Alors l'équipe au complet sort les machines de leurs caisses, les monte et les met en marche. L'homme ne met pied à terre que lorsqu'un cercle d'acier entoure le vaisseau pour assurer sa protection.

Jackson soupira.

— Je suppose que vous avez raison, dit-il. Rien ne peut arriver. Nous ne prenons pas de risques. Pas un seul.

— Pourquoi devrions-nous le faire ? demanda Decker.

Il s'arracha du fauteuil, se leva et s'étira.

— J'ai encore une ou deux choses à faire, dit-il. Contrôles de dernière minute, etc.

Dans son bureau, Decker prit une liasse de rapports préliminaires et les parcourut lentement, les vérifiant attentivement l'un après l'autre, classant dans son esprit les données de base du monde extérieur.

Atmosphère : Pression légèrement supérieure à celle de la Terre. Haute teneur en oxygène.

Gravité : Légèrement supérieure à celle de la Terre.

Température : Elevée. (C'était toujours le cas pour les jungles. Il y avait cependant une brise dehors. Peut-être qu'il y aurait une brise la majeure partie du temps. Ça aiderait.)

Rotation : Jour de trente-six heures.

Radiation : D'origine locale. (Mais il y avait aussi des radiations assez puissantes en provenance du soleil.)

Il prit mentalement note : *à surveiller*.

Teneur en bactéries et virus : Comme d'habitude. (Il y en avait beaucoup. Mais, semblait-il, pas trop dangereux. Pas avec chaque membre de l'expédition vacciné, immunisé et bourré d'hormones jusqu'au cou. Mais on ne peut jamais être sûr, pensa-t-il. Pas entièrement sûr.)

Vie : Beaucoup d'émanations. (La végétation et peut-être même le sol devaient probablement grouiller de toutes sortes de formes de vie répugnantes. Fort probablement délétères, mais ça c'était quelque chose dont on s'occupait par simple routine. Pas la peine de prendre des risques. On passait sur le sol, même s'il n'y avait pas de vie ; juste pour être certain qu'il n'y en ait pas.)

On frappa à la porte et il cria d'entrer.

C'était le capitaine Carr, qui commandait le corps des légionnaires. Carr salua avec raideur. Decker ne se leva pas et répondit par un salut volontairement négligé. Pas la peine, se dit-il, de laisser le type croire à une certaine égalité, car pareille égalité n'existait pas en fait. Un capitaine de Légion n'avait tout simplement pas le même grade qu'un commandant d'une expédition scientifique galactique.

— A vos ordres, mon commandant, dit Carr. Nous sommes prêts pour un atterrissage.

— Bien, capitaine, très bien.

Qu'avait donc cet imbécile ? La Légion était toujours prête, serait toujours prête, c'était devenu une tradition. Pourquoi alors accomplir une formalité aussi apprêtée et dénuée de sens ?

Mais c'était dans la nature d'un homme comme Carr, pensa-t-il. La Légion, avec sa discipline rigide, son sens aigu et séculaire du devoir et de la tradition, attirait des hommes comme Carr, était en fait la dernière école idéale pour des pète-sec accomplis.

Soldats de plomb, pensa Decker, mais soldats de valeur. Un corps de combattants endurcis comme la galaxie n'en avait jamais connu. Ils étaient entraînés et disciplinés jusqu'à la moelle, vaccinés et revaccinés contre toutes les maladies connues d'un monde inconnu ; ils étaient versés dans la psychologie des êtres inconnus et possédaient des caractéristiques de survie très élevées, leur permettant de tenir le coup même dans les circonstances les plus contraires.

— Nous ne serons pas prêts avant un certain temps, capitaine, dit Decker. Les robots viennent seulement de commencer à déballer.

— Bien, mon commandant, dit Carr. Nous attendons vos ordres.

— Je me demandais..., dit Decker. Simple curiosité, vous comprenez. Pourriez-vous imaginer des circonstances auxquelles la Légion ne pourrait pas faire face ?

L'expression de Carr valait la peine d'être vue.

— Je regrette, mon commandant, mais je ne comprends pas très bien votre question.

Decker soupira.

— Je ne pensais pas que vous le feriez, dit-il.

Avant que la nuit ne tombe, les robots au complet avaient été déballés et avaient monté quelques-unes des machines, assez en tout cas pour établir un petit cercle de postes de garde autour du vaisseau.

Un lance-flammes brûla un cercle stérile, d'un rayon de cent cinquante mètres, tout autour du vaisseau. Un puissant émetteur de radiations fut mis en marche et commença à déverser sa charge mortelle dans le sol. Le tribut payé par celui-ci dut être terrible. A certains endroits, la terre bouillonnait littéralement, alors que les diverses formes de vie luttaient désespérément contre la mort qui les surprenait.

Les robots installèrent de gigantesques batteries de projecteurs qui embrasèrent le sommet de la colline, l'éclairant comme en plein jour, et le travail continua.

Jusqu'ici, aucun être humain n'était sorti du vaisseau.

A l'intérieur, les robots-stewards dressèrent une table dans le salon, pour permettre aux convives humains de voir ce qui se passait à l'extérieur du vaisseau.

Toute la compagnie, mis à part les légionnaires qui restaient au quartier, était déjà présente lorsque Decker entra dans la pièce.

— Bonsoir, messieurs, dit-il.

Il s'avança vers la tête de la table et les autres se placèrent sur les côtés. Il s'assit et il y eut un raclement de chaises déplacées lorsque les autres l'imitèrent.

Il joignit les mains sur la table, courba la tête et ouvrit la bouche pour dire les paroles habituelles. Il s'arrêta alors même qu'il allait parler et les mots qui vinrent furent différents de ceux qu'il avait prononcés mécaniquement un millier de fois peut-être auparavant.

— Notre Père, nous sommes Tes serviteurs dans un pays inconnu et un orgueil mortel nous habite. Apprends-nous l'humilité et fais-nous comprendre, avant qu'il ne soit trop tard, que les hommes, malgré l'étendue de leurs voyages et la puissance de leurs œuvres, ne sont que des enfants à Tes yeux. Bénis le pain que nous allons rompre, nous T'en supplions, et garde-nous pour toujours sous Ta bienveillante protection. Amen.

Il leva la tête et engloba la table du regard. Certains étaient manifestement surpris. D'autres amusés.

Ils se demandent si je suis en train de craquer, pensa-t-il. Ils croient que le vieux commence à dérailler. Et c'est peut-être vrai, pour autant que je sache. Pourtant, j'allais très bien cet après-midi. Jusqu'à ce que ce jeune Doug Jackson......

— C'était très bien, ça, déclara le vieux MacDonald, l'ingénieur en chef. Je vous remercie pour ces paroles, mon commandant, et il y en a parmi nous qui feraient bien d'y prêter un peu attention.

Plats et assiettes circulaient le long de la table et on entendait le bruit ordinaire et familier de l'argenterie et de la vaisselle.

— Ceci paraît un monde intéressant, dit Waldron, l'anthropologue. Dickson et moi étions en haut en observation juste avant le coucher du soleil. Il nous a semblé voir quelque chose près de la rivière. Quelque chose de vivant.

Decker grogna, tout en se servant des pommes de terre.

— Ce serait plutôt bizarre de ne pas trouver beaucoup de vie ici. Le char de radiation en a remué beaucoup, en passant sur le terrain aujourd'hui.

— Ce que Waldron et moi avons vu, dit Dickson, avait l'air humanoïde.

Decker regarda le biologiste, les yeux à demi clos.

— Vous en êtes certain ? demanda-t-il.

Dickson secoua la tête :

— La vue n'était pas très bonne. Je ne peux rien assurer. Il m'a semblé en voir deux ou trois. Des hommes en fil de fer.

Waldron approuva de la tête.

— Comme un dessin d'enfant, dit-il. Un trait pour le corps, deux traits pour les bras et deux pour les jambes. Un cercle pour la tête. Anguleux, gauche, décharné.

— Et pourtant leurs mouvements n'avaient rien de gauche, dit Dickson. Lorsqu'ils se déplaçaient, on aurait dit des chats.

Quelque chose de fluide, si vous voyez ce que je veux dire.

— On sera fixés là-dessus assez rapidement, leur dit Decker d'un ton conciliant. D'ici un ou deux jours, on les traquera.

Bizarre, pensa-t-il. A chaque expédition, ou presque, quelqu'un venait signaler qu'il avait vu des humanoïdes. Généralement, il n'y en avait pas. Généralement, c'était juste de l'imagination. Probablement des gens qui prenaient leurs désirs pour des réalités, se dit-il. Loin de ses semblables, dans un monde inconnu et hostile, l'homme cherchait instinctivement une forme de vie qui lui parût familière.

Quoiqu'en général l'humanoïde, s'il y en avait un, fût si repoussant qu'une pieuvre eût paru indiscutablement plus humaine à côté de lui.

Franey, le géologue en chef, dit :

— Je pensais à ces montagnes à l'ouest, celles que nous avons entrevues en descendant. Elles avaient l'air jeunes. Les montagnes jeunes sont intéressantes à inspecter. Elles n'ont pas subi d'érosion. C'est plus facile d'arriver à ce qu'elles recèlent.

— Nous orienterons nos premières recherches dans cette direction, lui dit Decker.

Derrière la baie d'observation, la nuit vibrait sous la lumière éblouissante des projecteurs. De rutilants robots peinaient en équipes mouvantes. De pesantes machines cheminaient lourdement. D'autres, plus petites, s'affairaient telles des hannetons apeurés. Vers le sud, d'immenses lames de feu jaillissaient des lance-flammes, et le ciel était éclaboussé de rouge.

— Ils sont en train de déblayer une piste d'atterrissage, dit Decker. La jungle forme une véritable langue de ce côté-là. Le sol est absolument plat. Un vrai plancher. Faudra pas beaucoup de travail pour le transformer en un terrain d'aviation.

A l'aube, les dernières machines étaient prêtes et avaient été amenées, soit à leur emplacement respectif, soit dans le parc du matériel. Les lance-flammes avaient agrandi la zone brûlée et trois chars d'irradiation poursuivaient leurs rondes. Au sud, le terrain d'aviation avait été terminé et les avions à réaction attendaient le signal du départ dans un alignement impeccable.

Enfin la passerelle fut abaissée et les légionnaires sortirent au pas, en rangs par deux, avec tout leur clinquant et avec une précision impitoyable qui n'avait rien à envier à une mécanique. Il n'y avait ni drapeaux, ni tambours, mais c'étaient là des choses inutiles et la Légion, malgré son clinquant, était une organisation d'une efficacité implacable.

La colonne vira et se mit en ligne, puis la ligne se rompit et les pelotons s'éloignèrent vers le périmètre de la base planétaire. Là, machines, légionnaires et robots gardaient la frontière que la Terre avait instaurée dans un monde inconnu.

Des robots affairés dressèrent une grande tente en plein air et sa bâche aux rayures criardes ondula dans la brise ; ils placèrent des tables et des chaises à l'intérieur et y amenèrent un réfrigérateur rempli de bière et muni de compartiments à glace supplémentaires.

L'homme pouvait enfin quitter la protection du vaisseau spatial. Sécurité et confort étaient assurés.

De l'organisation, se dit Decker. De l'organisation et de l'efficience, et ne rien laisser au hasard. Boucher chaque trou avant qu'il ne devienne trou. Ecraser toute résistance éventuelle avant qu'elle ne devienne résistance. Prendre complètement possession d'un certain nombre de mètres carrés d'une planète, puis opérer à partir de cette base.

Plus tard, évidemment, il y avait certains risques à prendre ; on ne pouvait pas les éliminer tous. Il y aurait les expéditions scientifiques spécifiques sur le terrain et, malgré toute la protection que robots, machines et légionnaires pouvaient offrir, il y aurait certains risques. Il y aurait les raids et les survols topographiques, et ceux-ci aussi comporteraient certains éléments de risque, mais ces éléments seraient réduits au strict minimum.

Et il y aurait toujours la base, une base absolument sûre et inexpugnable où missions scientifiques terrestres et aériennes pouvaient se réfugier, où l'on pouvait organiser une contre-attaque et d'où pouvaient partir des renforts.

Pas la moindre faille, se dit-il. Vraiment pas la moindre faille.

Il se demanda un instant ce qui lui était arrivé la nuit avant. C'était la faute de ce jeune imbécile de Jackson, bien sûr : un biochimiste de valeur, fort probablement, mais certainement pas le genre d'homme pour une mission comme celle-ci. Une erreur avait dû se glisser quelque part ; la commission d'enquête aurait dû arrêter un homme comme Jackson, aurait dû déceler son instabilité émotive. Non pas qu'il puisse réellement faire du mal, bien sûr, mais il pouvait être énervant. Un irritant, se dit Decker. Voilà ce qu'il est. Juste un irritant.

Decker posa une brassée de papiers sur la longue table, sous la tente bariolée. Il choisit un rouleau de papier quadrillé, le déroula, l'aplatit puis le fixa aux quatre coins avec des punaises. On y avait dessiné, au crayon, un tracé sommaire d'une partie de la rivière et des montagnes à l'ouest. La base était représentée par un carré barré d'un X, le restant était encore vierge.

Mais on le remplirait ; avec les jours, la contexture se préciserait.

Du terrain, au sud, un avion s'élança vers le ciel, décrivit une large boucle puis se redressa pour filer vers l'ouest. Decker marcha jusqu'à la limite de la zone d'ombre créée par la tente et le suivit du regard jusqu'à ce qu'il ne fût plus qu'un point à l'horizon. Ce devaient être Jarvis et Donnelly qui avaient été chargés du vol de reconnaissance préliminaire au-dessus du secteur sud-ouest, entre la base et les montagnes à l'ouest.

Un autre avion grimpa paresseusement, traînant dans son sillage sa colonne de fumée, prit de la vitesse et bondit vers le ciel. Freeman et Johns, se dit-il.

Decker retourna à la table, tira une chaise et s'assit. Il prit un crayon et tapota distraitement sur le fond de carte presque vierge. Derrière son dos, un autre avion décolla du terrain dans un vacarme assourdissant.

Son regard fit lentement le tour de la base. Celle-ci perdait déjà son air aride de terre brûlée. Déjà elle avait quelque chose de l'aspect de la Terre, quelque chose de l'efficience, du bon sens et de la détermination des hommes de la Terre.

Ils prélèveraient des échantillons de sol et les analyseraient. La vie qui grouillait dans la terre serait capturée et rapportée par des robots grimaçants, et les choses frétillantes et pernicieuses seraient épinglées et étudiées : photographiées, radiographiées, disséquées, analysées, observées, soumises à des tests. Arbres, plantes et herbes seraient catalogués, et on essaierait de les classer. Des puits seraient creusés pour étudier la structure du sol. L'eau de la rivière serait analysée. Des seines dragueraient un peu de la vie qu'elle contenait. Des forages seraient entrepris pour repérer les nappes aquifères.

Tout cela, ici, au moment même, alors qu'ils attendaient que les premiers vols de reconnaissance ramènent des données permettant de délimiter d'autres régions à étudier.

Lorsque ces rapports rentreraient, le travail commencerait pour de bon. Géologues et minéralogistes sonderaient la croûte de la planète. Des stations météorologiques seraient installées. Les botanistes prélèveraient un vaste éventail d'échantillons-témoins. Chaque homme ferait la tâche pour laquelle il avait été formé. Les rapports afflueraient à la base, pour y être classés et intégrés dans le plan d'ensemble.

Du travail, beaucoup de travail. De jour et de nuit. Et pendant tout ce temps, la base serait une parcelle de la Terre, quelques mètres carrés défendus contre tout ce qu'un autre monde pourrait ourdir.

Un jour, se dit-il, je trouverai une jolie planète, un paradis où il fait toujours beau et où la nourriture ne demande qu'à être cueillie, avec des indigènes qui sont intelligents et agréables à fréquenter... et je ne la quitterai plus. Je refuserai de partir quand le vaisseau sera prêt à décoller. Je terminerai mes jours dans un coin fascinant d'une fichue galaxie — une galaxie où l'homme, retombé dans la barbarie, crève de faim et est seul au-delà de tout ce qu'il est possible d'imaginer.

Il leva la tête et vit Jackson qui le regardait, debout à l'entrée de la tente.

— Qu'y a-t-il, Jackson, demanda Decker avec une amertume soudaine. Pourquoi n'êtes-vous pas...

— Ils amènent un indigène, mon commandant, dit Jackson, en essayant de reprendre son souffle. Un des êtres que Waldron et Dickson ont vus.

L'indigène était humanoïde, mais il n'était pas humain.

Comme Waldron et Dickson l'avaient dit, il semblait en fil de fer, une sorte d'incarnation d'un dessin d'enfant de quatre ans.

Sa peau était d'un noir de jais et il ne portait pas de vêtements, mais, au milieu de la tête en forme de melon, les yeux qui fixaient Decker brillaient d'un éclat qui pouvait être de l'intelligence.

Decker se raidit lorsque leurs regards se croisèrent. Puis, il détourna les yeux et vit, tendus comme lui, les hommes immobiles et silencieux autour de la tente.

Lentement Decker avança la main vers un des deux casques du mentographe. Ses doigts se refermèrent sur le casque et, pendant un instant, il ressentit une vague mais violente répugnance à le mettre sur sa tête. Il y avait quelque chose de troublant à entrer en contact, ou essayer d'entrer en contact, avec un mental inconnu. Cela vous donnait une sensation de nausée au creux de l'estomac. C'était une chose, pensa-t-il, que l'Homme n'avait jamais été destiné à faire. Une expérience qui était totalement étrangère à tout contexte humain.

Il souleva le casque lentement, l'ajusta sur son crâne, montra de la main le second casque. Pendant un long moment, les yeux inconnus le fixèrent, dans un corps rigide et immobile.

Du courage, pensa Decker, un fameux courage pour rester là, dans ce milieu inconnu qui avait, pour ainsi dire, fleuri en une nuit sur une terre familière, pour rester là immobile et rigide, au milieu d'êtres qui devaient avoir l'air de sortir d'un cauchemar dantesque.

L'humanoïde fit un pas en direction de la table, tendit la main et prit le casque. Tâtonnant maladroitement, il le fixa sur sa tête. Et, à aucun moment, ses yeux ne quittèrent les yeux de Decker, vigilants et attentifs.

Decker voulut se détendre, essaya d'imposer à ses pensées une attitude de paix et de calme. Il y avait une chose à laquelle il fallait veiller. Il ne fallait en aucun cas effrayer ces êtres : il fallait les endormir, les calmer, leur faire sentir que l'on était bien disposés envers eux. La moindre pensée, la moindre suggestion de brusquerie de la part des hommes les bouleverserait et les braquerait définitivement.

Il y avait de l'intelligence ici, se dit-il, se forçant à garder un esprit serein, plus d'intelligence qu'on ne pourrait le penser en voyant cet être. Assez d'intelligence pour savoir qu'il devait mettre le casque et assez de cran pour le faire.

Il perçut le premier souffle mental, à peine perceptible, de son vis-à-vis. Le creux de son estomac se contracta brusquement. Sa poitrine lui fit soudain mal. Il n'y avait rien dans ce qu'il percevait, rien qui pût être mis en paroles, simplement une sorte d'hostilité, comme une odeur peut paraître hostile. Il y avait une connotation non humaine qui faisait grincer des dents. Il lutta contre la vague nauséabonde de dégoût qui cherchait à submerger l'attitude conciliante qu'il imposait à son esprit.

— Nous sommes venus en amis... Decker se força à penser : Nous sommes venus en amis... En amis... En amis... En...

— Vous n'auriez pas dû venir, dit la pensée de l'homme en fil de fer.

— Nous ne vous ferons pas de mal, pensa Decker. Nous sommes venus en amis. Nous ne vous ferons pas de mal. Nous ne vous...

— Vous ne repartirez jamais, dit la pensée de l'humanoïde, fixant toujours les yeux de Decker.

— Soyons amis, pensa Decker. Soyons amis. Nous avons des cadeaux. Nous vous aiderons. Nous...

— Vous n'auriez pas dû venir, dit la pensée de l'humanoïde. Mais puisque vous êtes là, vous ne pourrez jamais repartir.

Ne le contrarions pas, se dit Decker. Ne le contrarions pas.

— D'accord, pensa-t-il. Nous resterons. Nous resterons et nous serons vos amis. Nous resterons et nous vous apprendrons ce que nous savons. Nous vous donnerons les choses que nous avons amenées pour vous et nous resterons avec vous.

— Vous ne repartirez pas, dit la pensée de l'homme en fil de fer. Et il y avait quelque chose de si froid, de si implacable et de si affirmatif dans la façon dont la pensée fut émise que Decker eut soudain froid.

L'humanoïde pensait sérieusement ce qu'il disait ; il en pensait chaque mot. Il ne dramatisait pas, il ne faisait pas non plus le fanfaron, mais il ne bluffait pas non plus. Il pensait sérieusement que les humains ne repartiraient pas, qu'ils mourraient avant de pouvoir quitter la planète.

Decker sourit doucement en lui-même.

— Vous mourrez ici, dit la pensée de l'humanoïde.

— Mourir, demanda Decker. Qu'est-ce que mourir ?

La pensée de l'homme en fil de fer lui souleva le cœur. Puis délibérément, celui-ci leva les bras et enleva le casque, le posa précautionneusement sur la table. Il fit demi-tour et s'en alla, et aucun homme ne fit un mouvement pour le retenir.

Decker enleva le casque, le laissa tomber violemment sur la table.

— Jackson, dit-il, prenez le téléphone et dites à la Légion de le laisser passer. Laissez-le partir. N'essayez pas de le retenir.

Il s'affala contre le dossier de sa chaise et regarda le cercle de visages qui l'entouraient.

— Qu'y a-t-il, Decker ? demanda Waldron.

— Il nous a condamnés à mort, dit Decker. Il a dit que nous ne quitterons jamais la planète. Il a dit que nous allons mourir ici.

— Des menaces, dit Waldron.

— Il pensait ce qu'il disait, dit Decker.

Il leva une main, fit un geste las.

— Il ne sait pas, bien sûr, dit-il. Il pense réellement qu'il peut nous empêcher de partir. Il pense que nous mourrons.

Il y avait là quelque chose d'amusant, en fait. Qu'un humanoïde nu sorte de la jungle et menace de tuer un corps expéditionnaire humain, qu'il pense réellement qu'il puisse le faire. Qu'il soit aussi affirmatif.

Mais aucun des visages qui regardaient Decker ne souriait.

— On ne doit pas se laisser impressionner, dit Decker.

— Néanmoins, déclara Waldron, il faudrait prendre toutes les précautions nécessaires.

Decker approuva de la tête.

— Nous nous mettrons immédiatement en état d'alerte, dit-il. Nous resterons en alerte jusqu'à ce que nous soyons sûrs..., absolument sûrs...

Sa voix se perdit. Sûrs de quoi ? Sûrs qu'une espèce de sauvage qui n'avait pas de vêtements, qui ne portait aucun signe de civilisation, ne puisse pas éliminer un groupe d'hommes protégés par un cercle d'acier, gardés par des machines, des robots et une troupe humaine qui savait tout ce qu'on pouvait savoir sur l'art d'exterminer rapidement et sans pitié tout ce qui pouvait s'attaquer à eux ?

Ridicule !

Bien sûr que c'était ridicule !

Et cependant les yeux étaient intelligents. L'être était non seulement intelligent, il était également courageux. Il était resté au milieu d'un cercle d'êtres qui lui étaient inconnus et n'avait pas bronché. Il avait affronté un inconnu et dit ce qu'il avait à lui dire, puis était reparti avec une dignité que n'importe quel homme aurait été fier de posséder. Il devait avoir deviné que les êtres étranges qui se trouvaient à l'intérieur de la base ne venaient pas de sa planète, puisqu'il avait dit qu'ils n'auraient pas dû venir, et cette pensée impliquait qu'il était conscient du fait qu'ils n'étaient pas originaires de son monde à lui. Il avait compris qu'il devait mettre le casque, mais on ne saurait jamais s'il s'agissait là plus d'un acte de courage que d'un acte d'intelligence, car on ne pouvait pas savoir s'il avait compris à quoi servait le casque. S'il ne l'avait pas compris, le courage qu'il lui avait fallu pour le fixer sur sa tête était incommensurable.

— Qu'en pensez-vous ? demanda Decker à Waldron.

— Il nous faudra être prudents, lui dit Waldron d'un ton songeur. Il nous faudra faire très attention. Prendre toutes les précautions possibles maintenant que nous avons été prévenus. Mais il n'y a rien qui doive nous faire peur, rien auquel nous ne puissions faire face.

— Il bluffait, dit Dickson. Il essayait de nous faire peur pour nous amener à partir.

Decker secoua la tête.

— Je ne crois pas que c'était le cas, dit-il. J'ai essayé de le bluffer et ça n'a pas marché. Il est tout aussi sûr de lui que nous le sommes de nous.

Le travail continua. Il n'y eut pas d'attaque.

Les avions décollèrent et partirent en mission, relevant la topographie du sol. Les expéditions scientifiques se mirent en route, avec prudence. Elles étaient flanquées de robots et de légionnaires, et précédées de lourdes machines qui coupaient et arrachaient, traçant une route à travers les terrains les plus rebelles. Des stations météorologiques furent installées à des points éloignés et, à la base, les tabulateurs retranscrivaient sur bande les renseignements que les stations envoyaient par radio.

D'autres expéditions scientifiques furent emmenées par avion dans les zones repérées comme intéressantes, afin d'y effectuer une étude plus approfondie.

Et rien ne se produisit.

Les jours passèrent.

Les semaines passèrent.

Machines et robots montaient la garde, et les légionnaires se tenaient prêts ; les hommes se dépêchaient pour pouvoir quitter la planète au plus vite.

Un filon houiller et un gisement de fer furent découverts. Une partie des montagnes à l'ouest fourmillait de minerais radioactifs. Les botanistes trouvèrent vingt-sept espèces de fruits comestibles. La base regorgeait d'animaux qui avaient été capturés comme spécimens et avaient finalement été apprivoisés.

Un village appartenant aux hommes en fil de fer fut inspecté. Ça n'avait rien de formidable. Les huttes étaient primitives. Le système sanitaire inexistant. Les habitants étaient pacifiques.

Decker quitta sa chaise sous la tente bariolée pour conduire une nouvelle expédition au village. La petite troupe s'avança avec prudence, prête à utiliser les armes, mais veillant à ne pas marcher trop vite, à ne pas parler trop vite, à ne faire aucun geste qui puisse être interprété comme hostile.

Les indigènes étaient assis à l'entrée des huttes et les regardaient. Ils ne parlaient pas et restaient absolument immobiles. Ils se contentaient de regarder passer les hommes et les robots qui se dirigèrent vers le centre du village.

Là, les robots installèrent une table et y placèrent un mentographe. Decker s'assit sur une chaise et se mit un des casques sur la tête. Le reste de l'expédition attendait légèrement en retrait. Decker attendait près de la table.

Ils attendirent une heure ; pas un indigène ne bougea. Aucun d'entre eux ne s'avança pour prendre l'autre casque.

Decker enleva le casque avec lassitude et le posa sur la table.

— Ça ne sert à rien, dit-il. Ça ne marchera pas. Allez-y, prenez vos photos. Faites ce que vous voulez. Mais ne dérangez pas les indigènes. Ne touchez à rien.

Il prit un mouchoir dans sa poche et essuya son visage ruisselant.

Waldron s'approcha et s'appuya sur la table.

— Qu'en pensez-vous ? demanda-t-il.

Decker secoua la tête.

— Il y a une chose que je suis en train de penser et qui me tracasse, dit-il. Ça doit être faux. Ça ne peut pas être juste. Mais la pensée m'est venue et je ne peux pas m'en débarrasser.

— Ça arrive parfois, dit Waldron. Si illogique qu'une chose puisse être, elle ne vous lâche pas, comme une écharde dans le cerveau.

— Ce que je pensais, dit Decker, c'est qu'ils nous ont dit tout ce qu'ils avaient à nous dire. Qu'ils n'ont rien d'autre à nous dire.

— C'est ça ce que vous pensez, dit Waldron.

Decker approuva de la tête.

— Une drôle de chose à penser, dit-il. Ça m'est venu comme ça. Et ça ne peut pas être exact.

— Je ne sais pas, dit Waldron. Il n'y a rien qui colle ici. Vous avez remarqué qu'ils n'ont pas le moindre outil en fer. Pas le moindre bout de métal. Leurs ustensiles de cuisine sont en pierre, une matière bizarre qui ressemble à de la stéatite. Les rares outils qu'ils possèdent sont en pierre. Et pourtant, ils ont une civilisation. Et ils l'ont sans métal.

— Ils sont intelligents, dit Decker. Regardez comme ils nous observent. Sans la moindre crainte. Ils attendent simplement. Calmes et sûrs d'eux-mêmes. Et ce type qui est venu à la base. Il savait ce qu'il fallait faire avec le casque.

Waldron était perplexe.

— Nous ferions mieux de retourner à la base, dit-il, il commence à se faire tard. Il replia son poignet. Ma montre s'est arrêtée. Quelle heure avez-vous, Decker ?

Decker leva le bras et Waldron entendit sa brusque aspiration. Lentement, Decker leva la tête et regarda son interlocuteur.

— Ma montre s'est arrêtée aussi, dit-il, et sa voix était à peine plus perceptible qu'un murmure.

Pendant un instant, ils restèrent là, figés, telles des statues, bouleversés par une chose qui n'aurait dû être rien de plus qu'un incident mineur. Puis Waldron lâcha la table, virevolta pour faire face aux hommes et aux robots.

— Rassemblement ! cria-t-il. Retour à la base. Vite.

Les hommes arrivèrent en courant. Les robots reprirent leurs places respectives. La colonne s'ébranla. Les indigènes restèrent tranquillement assis devant leurs huttes et les regardèrent partir.

Decker était assis sur sa chaise pliante et il écoutait la bâche de la tente claquer doucement dans le vent, semblant parler et rire toute seule dans le vent. La lampe, accrochée à un anneau au-dessus de sa tête, se balançait mollement, dessinant des ombres fugitives qui semblaient, par moments, les ombres de choses vivantes et mouvantes. Un robot se tenait immobile et silencieux près d'un des mâts de la tente.

Impassible, Decker avança un doigt et remua le petit tas de rouages et de ressorts empilés sur la table.

Sinistre, pensa-t-il.

Sinistre et étrange.

Les entrailles de montres empilées sur la table.

Pas seulement de deux montres, pas seulement de sa montre et de celle de Waldron, mais de nombreuses autres montres, venant des poignets d'autres hommes. Toutes silencieuses, incapables d'accomplir leur tâche.

La nuit était tombée depuis longtemps, mais la base bourdonnait d'une activité qui était tout à la fois fiévreuse et furtive. Des hommes se mouvaient dans l'ombre, puis traversaient les zones brillamment éclairées par les groupes de projecteurs que les robots avaient installés plusieurs semaines auparavant. Quiconque aurait regardé ces hommes s'activer aurait senti peser sur eux la hantise de l'imminence de leur fin. Il aurait également su, aussi bien qu'ils le savaient, eux, au plus profond de leur cœur, qu'il n'y avait logiquement rien à craindre. Rien de défini que l'on puisse montrer du doigt en disant : c'est ceci qu'il faut craindre. Aucune direction que l'on puisse indiquer en disant : le danger est là, attendant le moment propice pour bondir sur nous.

Juste une toute petite chose.

Les montres s'étaient arrêtées.

Et c'était là une chose toute simple pour laquelle il devait y avoir une explication toute simple.

Sauf, pensa Decker, que sur une planète inconnue aucun événement, aucun accident ou incident ne peut être considéré comme une chose toute simple pour laquelle une explication toute simple doit nécessairement exister. Car la relation entre la cause et l'effet, les lois de la probabilité ne s'appliquent pas nécessairement sur une planète inconnue comme elles s'appliquent sur la Terre.

Il y avait une loi, pensa Decker sombrement.

Une loi : ne pas prendre de risques.

Il avait donc donné l'ordre à toutes les expéditions scientifiques de rentrer à la base ; il avait donné l'ordre à l'équipage de préparer le vaisseau pour un décollage de fortune ; il avait prévenu les robots d'être prêts à réemballer les machines, d'être prêts même à abandonner les machines sur place si les circonstances le dictaient.

Ayant décidé cela, il n'y avait rien d'autre à faire qu'à attendre que les expéditions scientifiques reviennent de leurs postes avancés. Attendre qu'on ait pu attribuer une raison à l'arrêt des montres.

Ce n'était pas une raison pouvant justifier une panique. C'était quelque chose qu'il fallait reconnaître, qu'il ne fallait pas sous-estimer. C'était une circonstance qui justifiait un certain nombre de précautions, mais ce n'était pas une situation qui devait faire perdre le sens des proportions.

On ne pouvait pas retourner sur Terre et dire : « Nos montres se sont arrêtées ; alors, comprenez… »

Il entendit un bruit de pas et se retourna brusquement. C'était Jackson.

— Qu'y a-t-il, Jackson ? demanda Decker.

— Les camps avancés ne répondent pas, mon commandant, dit Jackson. Le radio essaie depuis un certain temps d'entrer en contact avec eux, et il n'y a pas de réponse, pas la moindre.

— Ne nous affolons pas, grogna Decker. Ils vont répondre. Laissez-leur le temps.

Tout en parlant, il souhaita posséder un peu de l'assurance qu'il essayait de mettre dans sa voix. Pendant une seconde, une terreur envahissante le prit à la gorge, mais il la refoula.

— Asseyez-vous, dit-il. Nous allons rester ici et boire une bière. Puis nous irons au poste radio voir ce qui se passe.

Il tapota la table.

— De la bière, commanda-t-il, deux bières.

Le robot qui se tenait près du mât de la tente ne répondit pas.

Le commandant éleva la voix, mais le robot ne broncha pas.

Intrigué, Decker s'appuya de ses poings fermés sur la table et essaya de se lever. En vain, car toute vie semblait avoir brusquement quitté ses jambes.

— Jackson, fit-il d'une voix entrecoupée. Allez secouer ce robot. Dites-lui que nous voulons de la bière.

Il vit la peur blanchir le visage de Jackson lorsque celui-ci se leva et se mit lentement en mouvement. Il sentit davantage la terreur monter et prendre possession de sa gorge.

Jackson se tenait à côté du robot ; il avança la main en hésitant, secoua légèrement l'épaule de l'automate, la secoua plus fort et celui-ci tomba face en avant.

Des pas résonnèrent sur le sol durci, se dirigeant vers la tente.

En sursautant, Decker se cala solidement contre le dossier de sa chaise, attendant l'homme qui courait.

C'était MacDonald, l'ingénieur en chef.

Il s'arrêta devant Decker et ses mains, couturées et encrassées par des années de lutte contre des machines en panne, s'agrippèrent au bord de la table. Son visage ridé se tordait comme s'il allait pleurer.

— Le vaisseau, mon commandant. Le vaisseau…

Decker hocha la tête, presque nonchalamment.

— Je sais, monsieur MacDonald. Les moteurs ne veulent pas tourner.

MacDonald avala difficilement sa salive.

— Les grosses pièces sont en ordre, mon commandant. Mais les petits mécanismes..., l'injection..., le...

Il s'arrêta brusquement et regarda Decker d'un air ahuri.

— Vous le saviez, dit-il ; comment le saviez-vous ?

— Je savais, dit Decker, qu'un jour cela arriverait. Peut-être pas de cette manière, mais d'une ou l'autre façon. Je savais qu'un jour viendrait où notre chance tournerait ; je parlais haut, comme vous tous, bien sûr, mais je savais que viendrait le jour où nous aurions couvert toutes les possibilités, sauf celle que nous ne pouvions pas prévoir, et ce serait évidemment celle-là qui serait notre ruine.

Il pensait : les indigènes n'avaient pas de métal. Pas le moindre signe de métal dans tout le village. Leurs plats étaient en stéatite et ils n'avaient pas d'ornements. Et cependant, ils étaient assez intelligents, assez civilisés, assez évolués pour fabriquer du métal. Parce qu'il y avait du métal ici, un immense dépôt de minerai dans les montagnes à l'ouest. Ils avaient peut-être essayé, plusieurs siècles auparavant. Ils avaient fabriqué des outils de métal et les avaient vu s'effriter sous leurs doigts en quelques semaines.

Une civilisation sans métal. Une culture sans métal, c'était impensable. Enlevez le métal à l'homme et il retournerait à l'âge des cavernes. Enlevez le métal à l'homme et il serait condamné à vivre de la terre, et ses mains nues seraient tout ce qu'il posséderait.

Waldron pénétra dans la tente, son pas lent résonnant dans le silence.

— La radio est morte, dit-il, et les robots tombent comme des mouches. Le sol est jonché de robots réduits à l'état de ferraille.

Decker opina de la tête, sans manifester la moindre surprise.

— Les petites pièces, les mécanismes de précision lâcheront les premiers, dit-il. Comme les montres et l'intérieur des radios, les cerveaux des robots et les mécanismes d'injection. Puis les génératrices lâcheront et nous n'aurons plus ni lumière, ni force motrice. Ensuite, les machines tomberont en panne et les armes de la Légion ne seront pas plus dangereuses que des massues.

Après ça, les grosses pièces, probablement.

— L'indigène nous l'a dit lorsque vous lui avez parlé, dit Waldron. « Vous ne repartirez jamais », a-t-il dit.

— Nous n'avons pas compris, dit Decker. Nous avons cru qu'il nous menaçait et à ce moment, nous savions que nous étions suffisamment puissants, pour qu'aucune menace de sa part ne puisse nous atteindre. Il n'était pas du tout en train de nous menacer, bien sûr. Il nous disait simplement la vérité.

Il fit un geste désespéré des mains :

— Qu'est-ce que ça peut bien être ?

— Personne n'en sait rien, répondit tranquillement Waldron. Pas encore, du moins. Nous trouverons peut-être, plus tard, mais ça ne nous servira à rien. Un microbe peut-être. Un virus. Quelque chose qui mange le fer après qu'il ait été soumis à la chaleur ou allié à d'autres métaux. Il ne s'attaque pas au minerai de fer. S'il le faisait, ce gisement que nous avons trouvé aurait disparu depuis longtemps.

— Si c'est vrai, dit Decker, nous lui avons apporté le premier repas convenable qu'il ait eu depuis très très longtemps. Mille ans. Peut-être même plus : un million d'années. Il n'y a pas de métal fabriqué ici. Comment aurait-il fait pour survivre ? Sans rien à manger, comment vivrait-il ?

— Je n'en ai pas la moindre idée, dit Waldron. Ce n'est peut-être pas un organisme qui s'attaque uniquement aux métaux. C'est peut-être quelque chose dans l'atmosphère. Quelque chose dont nous aurions dû contrôler la présence.

— Nous avons contrôlé l'atmosphère.

Mais avant même qu'il n'ait fini de parler, Decker se rendit compte combien ce qu'il disait avait peu de sens. Ils avaient contrôlé l'atmosphère, mais comment auraient-ils pu déceler quelque chose qu'ils n'avaient jamais rencontré auparavant ? Le degré de compréhension de l'homme était limité à ses connaissances, à son expérience.

L'être humain se protégeait uniquement contre ce qui était connu ou imaginable.

Decker se leva et vit Jackson qui se tenait toujours auprès du mât de la tente, le robot à ses pieds.

— Vous avez la réponse à vos appréhensions, dit-il au biochimiste. Vous vous souvenez du jour de notre arrivée ici, quand vous m'avez parlé au salon ?

Jackson fit oui de la tête.

— Je m'en souviens, mon commandant.

Et soudain Decker se rendit compte que la base tout entière était silencieuse.

Une rafale de vent sortit de la jungle et fit claquer la bâche.

Pour la première fois depuis qu'ils avaient atterri, Decker perçut dans le vent l'odeur hostile d'un monde hostile.

# L'ŒIL DE TANDYLA

**L. Sprague de Camp**

Un jour — il y a de cela si longtemps que des montagnes ont surgi depuis. Avec des villes sur leurs flancs.

Derezong Taash, magicien attitré du roi Vuar le Capricieux, était assis dans sa bibliothèque en train de lire les *Fragments du Lontang,* tout en buvant le vin vert de Zhysk. Il était en paix avec lui-même et avec le monde, car personne n'avait tenté de le supprimer depuis dix jours pleins par des moyens naturels ou autres. Lorsqu'il en avait assez d'essayer de déchiffrer les glyphes cryptographiques, Derezong contemplait, par-dessus le bord de son gobelet, son écran démoniaque sur lequel le grand Shuazid (avant que le roi Vuar ne l'ait pris en grippe à la suite d'un nouveau caprice) avait dépeint toute l'armée des démons de Derezong, du redoutable Fernazot jusqu'au moindre farfadet qui accourait à son appel.

On pouvait se demander, en voyant Derezong, pourquoi le moindre petit farfadet se serait dérangé pour lui. Car Derezong Taash était un petit homme potelé (petit pour un Lorska, entendons-nous), avec des cheveux blancs encadrant un visage jeune et bien rond. Lorsqu'il avait subi le traitement du zompour, il avait malencontreusement oublié de citer ses cheveux parmi les choses pour lesquelles il demandait une jeunesse éternelle — omission qui avait fourni à ses collègues magiciens matière à de nombreuses plaisanteries d'un goût douteux.

Donc, Derezong Taash s'était dit qu'après s'être bien saoulé, il soulèverait son corps replet hors du fauteuil et tituberait jusqu'à la salle à manger pour dîner avec son assistant, Zhamel Seh. Par mesure de précaution, quatre des fils de Derezong serviraient le repas et Zhamel Seh le goûterait avant lui, par précaution supplémentaire.

Mais on frappa à la porte et la voix du page le plus insolent du roi Vuar retentit :

— Votre Seigneurie, le roi vous mande sur-le-champ !

— A quel sujet ? grommela Derezong Taash.

— Est-ce que je sais où vont les cigognes en hiver ? Est-ce que j'ai connaissance des secrets des morts vivants du Sedo ? Est-ce que le vent du nord m'a confié ce qui se trouvait au-delà des remparts du Riphaï ?

— Je suppose que non. Derezong bâilla, se leva et suivit le page. Tout en trottinant, il regardait constamment par-dessus son épaule : il n'aimait pas traverser les couloirs du palais sans Zhamel pour le protéger contre un coup de poignard dans le dos.

La lumière d'une lampe jouait sur le crâne glabre du roi Vuar et le roi regardait Derezong Taash de dessous la haie touffue de ses épais sourcils. Il était assis sur son trône, dans la salle d'audience, et au-dessus de sa tête, sur le mur, pendait le cor de chasse du grand roi Zynah, le père de Vuar.

Après s'être prosterné, Derezong Taash remarqua quelque chose qui avait tout d'abord échappé à son attention : sur une petite table devant le trône, où l'on voyait généralement un vase de fleurs, il y avait maintenant un plat en argent, et sur ce plat reposait la tête du ministre du Commerce, avec l'air bêtement ahuri que les têtes ont tendance à avoir lorsqu'elles sont séparées de leur corps.

Manifestement, le roi Vuar n'était pas dans un de ses bons jours.

— Vous m'avez appelé, ô mon Roi, dit Derezong Taash,

faisant nerveusement pivoter ses yeux de la tête de feu le ministre à celle de son souverain.

Le roi Vuar dit :

— Oui, Votre Seigneurie, mon épouse Ilepro, que vous connaissez, je crois, a exprimé un désir que vous seul êtes capable de satisfaire.

— Oui, Sire ?

— Elle veut le joyau qui forme le troisième œil de la déesse Tandyla. Vous savez, ce temple au Lotor.

— Oui, Sire.

— Ce petit minable, dit Vuar en montrant la tête, a prétendu, lorsque je lui ai soumis la proposition, que le joyau ne pouvait pas être acheté, ce pourquoi je l'ai fait raccourcir. Acte précipité que je regrette maintenant, car il apparaît qu'il avait raison. C'est pourquoi la seule solution qui nous reste est de voler l'objet en question.

— Euh, oui, Sire.

Le roi appuya son menton allongé sur son poing et ses yeux d'agate se perdirent dans de lointaines visions. A son doigt, la lumière jouait sur l'anneau de métal gris, anneau fait du cœur d'un aérolithe et possédant un tel pouvoir apotropaïque que même les fluides des magiciens du Lotor n'étaient pas capables de nuire à celui qui le portait.

— Nous pouvons soit tenter de le prendre ouvertement, ce qui signifierait la guerre, soit le dérober en cachette, poursuivit le roi. Or, quoique je sois disposé à faire certaines concessions pour satisfaire aux caprices d'Ilepro, mes projets n'incluent pas une guerre en perspective. Du moins, pas tant que d'autres expédients n'auront pas été tentés. C'est pourquoi je vous mande présentement d'aller au Lotor pour vous emparer du joyau.

— Certainement, Sire, dit Derezong avec un empressement dont le moins qu'on puisse dire c'est qu'il était quelque peu forcé. Toute pensée de protestation qu'il aurait pu concevoir avait, depuis quelques minutes, été bannie à la vue de la tête du ministre malchanceux.

— Evidemment, dit Vuar d'un ton de considération amicale, s'il vous semblait que vos propres pouvoirs étaient insuffisants, je suis certain que le roi de Zhysk me prêterait son magicien pour vous assister…

— Jamais, Sire, s'écria Derezong, se redressant de toute la hauteur de ses cinq pieds cinq pouces. Ce maladroit de lourdaud, au lieu de m'aider, ne serait qu'une pierre à mon cou.

Le roi sourit d'un air féroce, quoique Derezong ne pût pas en percevoir la raison.

— Qu'il en soit donc ainsi.

De retour dans ses appartements, Derezong Taash sonna son assistant. Au troisième coup de sonnette, Zhamel Seh s'amena d'un pas traînant, balançant nonchalamment son énorme épée de bronze, le pommeau en équilibre sur la paume de sa main.

— Un de ces jours, dit Derezong, vous amputerez l'orteil d'un pauvre hère en exécutant ce tour idiot tout en vous pavanant, et j'espère que ce sera le vôtre. Nous partons demain en mission.

Zhamel Seh saisit fermement son épée par la garde et adressa un large sourire à son employeur.

— Bon, et jusques où ?

Derezong Taash le lui dit.

— Encore mieux ! De l'action ! De l'émotion ! Zhamel fendit l'air de son épée. Depuis que vous avez résolu l'affaire de la mère de la reine, nous sommes restés vautrés dans ces appartements comme des bernacles sur un pieu, sans rien faire pour mériter la munificence du roi Vuar.

— Quel mal y a-t-il à cela ? Je ne dérange personne et personne ne me dérange. Et maintenant que l'hiver s'annonce, nous devons aller jusqu'aux confins du Lotor rocailleux pour essayer de barboter une breloque que cette idiote de favorite du roi s'est mis en tête de posséder.

— Je me demande pourquoi, dit Zhamel. Puisqu'elle est Lotri de naissance, on pourrait penser qu'elle chercherait plutôt à protéger les symboles religieux de sa patrie au lieu de les voler pour s'en faire des ornements.

— Allez savoir ! Nos propres femmes sont déjà assez capricieuses, sans parler des Lotris… Mais occupons-nous plutôt de préparer notre voyage et notre équipement.

Ils chevauchèrent vers l'est, vers le royaume de Zhysk sur les rives fertiles de la mer Tritonienne ; dans la ville de Bienkar, ils contactèrent l'ami de Derezong, Goshap Tuzh, le lapidaire, dont ils sollicitèrent des renseignements afin de se prémunir contre toute erreur.

— Ce joyau, dit Goshap Tuzh, est à peu près de la taille d'un poing d'enfant ; il est ovoïde, sans facettes et d'un beau pourpre foncé. Vu par le petit bout, il présente des rayons comme un saphir, mais il y en a sept au lieu de six. Il forme la pupille de l'œil central de la statue de Tandyla, et il est maintenu en place par des griffes de plomb. Quant aux autres moyens, naturels ou autres, auxquels les prêtres de Tandyla ont recours pour garder leur trésor, je ne sais rien, si ce n'est qu'ils sont efficaces et plutôt désagréables. Au cours des cinq derniers siècles, vingt-trois tentatives ont été faites en vue de dérober la pierre et toutes se sont terminées mortellement pour les voleurs. La dernière fois que moi, Goshap Tuzh, ai vu le corps du voleur...

Pendant que Goshap racontait le traitement subi par le voleur malchanceux, Zhamel eut des nausées et Derezong contemplait son vin avec une expression de dégoût, comme si l'un ou l'autre insecte répugnant y nageait — et pourtant ni lui ni son assistant ne pouvaient être comptés parmi les cœurs les plus tendres d'une époque sans pitié.

— Ses propriétés ? demanda Derezong Taash.

— Considérables, quoique peut-être exagérées par la rumeur publique. C'est l'apotropaïque le plus puissant du monde, éloignant même le redoutable Tr'lang, qui est de tous les démons le plus meurtrier.

— Est-il plus puissant que l'anneau en aérolithe du roi Vuar ?

— Beaucoup plus. Néanmoins, au nom de notre ancienne amitié, permettez-moi de vous conseiller de changer de nom et d'entrer au service d'un autre suzerain moins exigeant. Il n'y a rien à gagner à essayer de vous emparer de ce joyau.

Derezong Taash se passa la main à travers ses longs cheveux blancs et les poils soyeux de sa barbe.

— En vérité, mon maître ne cesse de me blesser avec sa façon grossière d'exprimer des doutes quant à ma compétence, mais renoncer au luxe dont je jouis ne serait pas si simple. En quel lieu pourrais-je disposer à volonté de pareils livres rares et de pareilles courtisanes enchanteresses. Nenni, sauf lorsqu'il est pris de ce genre de lubies, Vuar est à vrai dire un très bon roi.

— Mais c'est là le hic. Comment savoir quand ses caprices ne vont pas se diriger contre vous ?

— Je l'ignore ; parfois, je pense qu'il doit être plus facile de servir un roi barbare. Les barbares, engoncés tels des momies dans leurs coutumes et leur cérémonial, ont des réactions plus prévisibles.

— Alors pourquoi ne pas fuir ? Sur l'autre rive de la mer Tritonienne se dresse Torrutseish la Magnifique, où un homme de votre valeur ferait rapidement son chemin.

— Vous oubliez, dit Derezong, que le roi Vuar détient des otages : ma famille qui n'est pas à dédaigner. Et pour elle je dois tenir le coup, même si la mer d'Occident devait engloutir tout le pays de Pusaad, comme l'annoncent les prophéties. Goshap haussa les épaules.

— C'est votre affaire. Pour moi, je me permets seulement de vous faire remarquer que vous êtes un de ces intermédiaires mal définis : bien trop pansu pour faire une fine lame, mais incapable de parvenir au plus haut grade de la Magie, parce que vous ne voulez pas renoncer aux délices de votre zénana.

— Merci, mon bon Goshap, dit Derezong en sirotant le vin vert. Quoi qu'il en soit, mon idéal n'est pas de parvenir à un rang prééminent dans une quelconque discipline austère, mais de profiter de la vie. Et maintenant, pourriez-vous m'indiquer un apothicaire de confiance, à Bienkar, qui pourrait me fournir un sachet de poudre de syr de la meilleure qualité et de la plus grande pureté ?

— Dualor pourra vous servir. Quelle apparence vous proposez-vous de revêtir ?

— Je pensais que nous prendrions l'aspect de deux marchands de Parsk. Alors, si vous entendez parler de deux hommes qui traversent le Lotor avec force vacarme et vociférations, ne manquez pas de faire montre d'une surprise adéquate.

Derezong Taash acheta sa poudre de syr avec des lingots d'or

portant le cachet du roi Vuar, puis retourna à leur auberge où il traça des pentacles, éparpilla la poudre et récita l'incantation des Neuf. Quand il eut terminé, lui et Zhamel Seh se retrouvèrent étendus sur le plancher, dans un état de faiblesse extrême, métamorphosés en deux hommes à la peau brune, au nez recourbé, des anneaux aux oreilles et portant les vêtements flottants des Parskis.

Lorsqu'ils eurent recouvré leurs forces, ils se remirent en route. Ils franchirent le désert de Reshape sans souffrir excessivement de la soif, échappant aux morsures des serpents venimeux et aux attaques des esprits de cette étendue désolée. Ils traversèrent la forêt d'Antro sans être assaillis par des brigands ou des chats à dents de sabre, tout en évitant la sorcière d'Antro. Et enfin ils serpentèrent à travers les collines de fer du Lotor.

Un soir, alors qu'ils s'arrêtaient pour la nuit, Derezong dit :

— D'après nos calculs et d'après ce que nous ont dit les passants, le temple ne devrait pas se trouver à plus d'un jour de voyage. Partant, il serait temps de voir si nous pouvons effectuer notre déprédation par personne interposée, au lieu d'exposer nos vulnérables personnes. Et il se mit à dessiner des pentacles dans la poussière.

— Vous avez l'intention d'évoquer Feranzot ? demanda Zhamel Seh.

— Tu l'as dit.

Zhamel frissonna.

— Un de ces jours, vous laisserez un angle du pentacle ouvert et c'en sera fait de nous.

— Sans aucun doute. Mais assaillir cette forteresse de puissances chthoniennes sans mettre en œuvre les moyens les plus considérables serait un passeport encore plus assuré pour la mort. Alors mets le feu aux roseaux et commençons.

— Je ne peux rien imaginer de plus risqué que d'avoir affaire à Feranzot, grommela Zhamel, sauf peut-être évoquer le terrible Tr'lang lui-même. Mais il fit comme on l'en avait prié.

Ils récitèrent la longue incantation de Br'tong, telle que Derezong Taash avait pu la reconstituer à partir des Fragments du Lontang, et la sombre forme de Feranzot apparut, vacillant et ondulant, à l'extérieur du pentacle principal. Derezong sentit la chaleur de son corps aspirée par le froid du démon, au milieu de la dépression écrasante engendrée par la présence de l'être maléfique. Zhamel Seh, malgré ses nerfs d'acier, se fit tout petit.

— Quels sont vos désirs ? chuchota Feranzot.

Derezong Taash rassembla ce qui lui restait de force et répondit :

— Tu voleras le joyau de l'œil central de la statue de la déesse Tandyla, dans le temple de cette dernière, et tu me l'apporteras.

— Je ne le puis.

— Et pourquoi ?

— Premièrement, parce que les prêtres de Tandyla ont tracé autour de leur temple un cercle d'une telle puissance qu'aucun fluide, aucune forme métamorphosée, aucun esprit, si ce n'est le grand Tr'lang lui-même, ne peut le franchir. Deuxièmement, parce que l'œil lui-même est entouré d'une aura d'une telle puissance maléfique que ni moi, ni aucun autre de ma sorte, ni même Tr'lang en personne ne peuvent avoir prise sur elle. Puis-je retourner à ma propre dimension maintenant ?

— Va-t'en, va-t'en... Puis, d'un ton désabusé : Eh bien, Zhamel, il semble que nous serons obligés de tenter d'accomplir cette tâche peu réjouissante nous-mêmes.

Le lendemain, ils reprirent leur chevauchée. Les collines se transformèrent en montagnes particulièrement accidentées et la route ne fut bientôt plus qu'une piste taillée dans des rochers démesurément escarpés. Les chevaux, plus habitués aux plaines grouillantes de bisons balayées par le vent du Lorsk, montrèrent leur aversion pour la nouvelle topographie du terrain en frottant douloureusement les jambes des cavaliers contre le flanc de la montagne, à force d'essayer de s'éloigner du bord du précipice.

Le soleil pénétrait difficilement dans ces gorges de rochers noirs, qui commencèrent à s'obscurcir presque immédiatement après midi. Puis le ciel se couvrit et les rochers se mirent à luire dans la brume froide. La piste franchissait la gorge au moyen d'un pont rudimentaire suspendu à des cordes. Les chevaux se dérobèrent.

— On ne peut pas leur en vouloir, dit Derezong Taash, sautant à terre. Par les griffes brûlantes de Vrazh, il me faut penser à ma plus belle concubine pour trouver le courage de traverser !

Menés par la bride, les animaux franchirent finalement la gorge ; de mauvaise grâce, il faut bien le dire, mais Zhamel leur labourait la croupe de coups.

Derezong, en jetant un bref regard par-dessus le rebord du pont sur le filet d'eau qui tourbillonnait loin en dessous, fut pris d'une peur bleue. Pieds et sabots sonnaient creux sur les planches, l'écho se répercutait entre les falaises et le vent jouait avec les cordes comme sur une gigantesque harpe.

De l'autre côté de la gorge, la route poursuivait sa sinueuse montée. En voulant croiser un couple, un homme et une femme qui descendaient la piste, ils furent obligés de reculer dans un tournant pour trouver un endroit assez large pour se doubler. L'homme et la femme les dépassèrent en regardant obstinément le sol, répondant par un grognement à peine perceptible au joyeux salut que leur lança Derezong.

Puis la piste s'enfonça brusquement dans une grande faille où le bruit des sabots résonnait trois fois plus fort que dans la réalité et où il faisait si sombre que les deux hommes pouvaient à peine discerner leur route. Le fond de la faille montait progressivement et ils débouchèrent finalement sur un éboulis de roches où poussaient quelques arbres rabougris. La route vagabondait à travers les roches pour aboutir au pied de marches escarpées qui conduisaient au temple de Tandyla. De ce temple monumental, les voyageurs ne pouvaient voir que la moitié inférieure, à pic, car l'autre moitié se perdait dans les nuages. Ce qu'ils pouvaient voir était noir et brillant.

Derezong se remémora les vertus désagréables attribuées à la déesse et les coutumes encore plus désagréables imputées à ses prêtres. On disait, par exemple, que le culte de Tandyla, figure particulièrement sinistre du panthéon pusaadien, n'était qu'un prétexte servant à couvrir de sombres rites en l'honneur du démon Tr'lang qui fut, aux temps anciens, un dieu de plein droit. C'était avant que les Lorskas, chassés du continent par les hordes des Hanskirik, n'aient traversé la mer Tritonienne pour envahir le Pusaad, avant que ce pays n'ait commencé à décliner irrémédiablement.

Derezong Taash s'affirma à lui-même que dieux et démons n'étaient, en général, pas aussi redoutables que leurs prêtres, poussés par l'appât du gain, essayaient de le faire croire. Et aussi que les récits délirants des pratiques des prêtres s'avéraient, fréquemment du moins, quelque peu exagérés. Quoi qu'il n'eût pas une foi totale dans ses propres affirmations, il lui faudrait s'en contenter à défaut de mieux.

Devant le temple à demi caché dans les nuages, Derezong Taash arrêta son cheval et sauta à terre, puis, avec l'aide de Zhamel, entassa de lourdes pierres sur les rênes de leurs montures pour les empêcher de s'éloigner.

Alors qu'ils se dirigeaient vers les marches, Zhamel s'écria :

— Maître !

— Qu'y a-t-il ?

— Voyez nos atours !

Derezong regarda et vit qu'ils avaient perdu l'apparence de marchands parskis et qu'ils étaient de nouveau le magicien attitré du roi Vuar et son assistant. Ils devaient avoir franchi le cercle dont Fernazot leur avait parlé.

Derezong jeta un rapide coup d'œil sur l'entrée et vit deux hommes postés dans l'encadrement de la porte, à demi cachés dans la lumière indécise. Il entrevit aussi un miroitement de bronze.

Derezong Taash grimpa péniblement les marches noires et luisantes. Les gardes devinrent totalement visibles ; c'étaient des Lotris aux corps trapus et aux sourcils touffus. On disait qu'ils étaient apparentés aux barbares du Terarne, dans le lointain nord-est, qui ne domptaient pas les chevaux et se battaient avec des pierres aiguisées. Ceux-ci, en tout cas, regardaient droit devant eux, l'un en face de l'autre, comme des statues. Derezong et Zhamel passèrent sans encombre entre eux et si les gardes avaient remarqué le changement d'aspect des visiteurs, ils n'en laissèrent rien paraître.

Ils se retrouvèrent dans un vestibule où deux jeunes filles

lotris leur dirent :

— Vos bottes et vos épées, nobles Seigneurs.

Derezong et son compagnon enlevèrent leurs baudriers et les tendirent à la plus proche, puis ils retirèrent leurs bottes et restèrent pieds nus avec l'herbe qu'ils avaient bourrée dedans — pour éviter de s'écorcher la peau — pointant entre leurs orteils. Derezong fut heureux de sentir la seconde épée pendre le long de son dos, sous sa chemise.

— Allons-y, dit Derezong Taash, se dirigeant vers le naos.

C'était un temple semblable à bien d'autres : une grande salle rectangulaire sentant l'encens ; un tiers de la pièce était fermé par une grille derrière laquelle s'élevait l'énorme statue noire de Tandyla, accroupie. Le basalte poli dans lequel elle avait été sculptée réfléchissait faiblement la lumière émanant des rares lampes et, tout en haut, là où la tête disparaissait dans la pénombre, une lueur pourpre indiquait l'endroit où le joyau enchâssé dans le front accrochait les rayons.

Deux Lotris se tenaient agenouillés devant la grille, marmonnant des prières. Un prêtre sortit de l'ombre et traversa le naos en se dandinant, derrière la grille. Derezong s'attendait presque à ce que le prêtre se tourne vers lui pour demander que lui et Zhamel le suivent jusqu'au sanctuaire du grand-prêtre, mais le prêtre continua à marcher et disparut dans l'obscurité de l'autre côté.

Derezong Taash et son compagnon s'avancèrent lentement, pas à pas, jusqu'à la grille. Au moment où ils s'en approchaient, les deux Lotris achevèrent leurs dévotions et se relevèrent. L'un d'eux laissa tomber quelque chose dans un grand récipient sonore, en forme de bassine ; derrière la grille, et les deux figures trapues s'éloignèrent rapidement.

Pour l'instant, Derezong et Zhamel se trouvaient tout à fait seuls dans la grande salle, quoique, dans le silence, ils pouvaient entendre de vagues mouvements et des voix venant d'autres parties du temple. Derezong sortit son récipient de poudre de syr et éparpilla la poudre tout en récitant à toute allure l'incantation d'Ansuan. Lorsqu'il eut terminé, sa doublure se tenait entre lui et Zhamel.

Derezong Taash escalada la grille et trottina sur la pointe de ses pieds dodus vers l'arrière de la statue. Là, il pouvait distinguer des portes dans les murs. Le dos de la statue touchait presque la paroi de telle sorte qu'un homme agile pouvait se hisser jusqu'en haut en s'appuyant du dos contre la statue et des pieds contre le mur. Quoique Derezong ne fût « agile » que dans un sens bien précis, il se glissa dans l'ouverture et se peletonna dans un pli de la draperie en pierre de la déesse. Il s'y tint coi, osant à peine respirer, jusqu'à ce qu'il entendît les pas de Zhamel s'estomper dans le lointain.

Leur plan prévoyait que Zhamel quitterait le temple accompagné du double de Derezong. Les gardes, croyant qu'il n'y avait plus de visiteurs, relâcheraient leur surveillance. Derezong volerait la pierre ; Zhamel provoquerait un remue-ménage à l'extérieur, attirant les gardes par un « Venez vite ! » et Derezong profiterait de cette diversion pour s'éclipser.

Derezong Taash commença à se hisser entre la statue et le mur. Ce n'était pas peu de chose pour quelqu'un de sa corpulence et de dessous son bonnet de fourrure la sueur coulait sur son visage. Toujours pas d'interruption. Il arriva au niveau de l'épaule et se tortilla pour atteindre cette saillie, prenant appui, pour plus de sûreté, sur la main droite. La pierre lisse était froide sous ses pieds nus. En tendant le cou, il pouvait voir, de profil, le visage peu engageant de la déesse, et en s'étirant, il pouvait toucher le joyau sur son front.

Derezong Taash sortit de sa tunique un petit levier de bronze qu'il avait apporté pour la circonstance. Avec celui-ci, il se mit à peser sur les griffes de plomb qui maintenaient la pierre précieuse en place, veillant à ne pas abîmer la pierre ou à la faire tomber par terre. De temps à autre, il vérifiait des doigts si elle remuait. Bientôt, il la sentit jouer.

Le temple était silencieux.

A l'aide de la petite barre, il força les griffes l'une après l'autre. Il put alors détacher la pierre en la faisant glisser doucement contre la face interne parfaitement lisse des griffes recourbées. Derezong Taash voulut dissimuler la pierre et le levier dans les plis de sa tunique. Mais deux objects c'était plus que ses doigts boudinés ne pouvaient en tenir. Il lâcha la barre qui tomba avec un « bing » retentissant, dévala le long de la statue, rebondissant de la poitrine sur le ventre puis sur les genoux, atterrissant finalement avec un « bang » sonore sur la pierre devant la déesse.

Derezong Taash se figea sur place. Les secondes passèrent et rien ne se produisit. Les gardes devaient certainement avoir entendu...

Mais le silence persista.

Derezong Taash mit le joyau en sûreté à l'intérieur de sa tunique et escalada l'épaule pour rejoindre l'obscurité derrière la statue. Il se laissa lentement glisser le long de l'interstice entre la statue et le mur. Ses pieds touchèrent le sol. Il n'y avait toujours pas le moindre bruit, si ce n'est celui, à peine perceptible, qui pouvait être provoqué par les serviteurs du temple préparant le repas de leurs maîtres. Il attendit la diversion promise par Zhamel Seh.

Il attendit... attendit. Le cri d'un homme à l'agonie rompit brusquement le silence qui retomba aussitôt.

A la fin, de guerre lasse, Derezong Taash s'élança de derrière la hanche de la statue. Il ramassa le levier sans même s'arrêter, escalada la grille et s'avança sur la pointe des pieds vers la sortie.

Les gardes l'attendaient de pied ferme, l'épée dégainée.

Derezong Taash passa la main par-dessus son épaule et sortit sa deuxième épée. Dans un combat véritable, il savait qu'il aurait eu peu d'espoir contre un adversaire endurci et expérimenté. Ici, il y en avait deux. Sa seule chance, et encore combien mince, était de les prendre par surprise en s'élançant entre eux et en continuant à courir.

Il s'attendait à être attaqué des deux côtés à la fois. Au lieu de cela, un des gardes s'avança et lui envoya un coup d'épée maladroit. Derezong para dans un fracas de bronze et riposta. Les lames s'entrechoquèrent, puis son adversaire recula en titubant, laissa tomber son épée dans un bruit de ferraille, crispa les mains sur sa poitrine et se plia en deux sur le sol. Derezong n'en revenait pas. Il aurait juré que son coup n'avait pas porté.

Puis l'autre homme l'attaqua. A la deuxième passe, l'épée de son adversaire vola hors de sa main et retomba en vibrant sur le pavé. Le garde sauta en arrière, fit volte-face et s'enfuit, disparaissant par l'une des nombreuses portes.

Derezong Taash contempla son épée d'un air ahuri, se demandant s'il avait sous-estimé sa force jusqu'à ce jour. Le tout avait duré une dizaine de secondes seulement et pour autant qu'il pouvait le voir dans la lumière indécise, il n'y avait pas trace de sang sur son arme. Il fut tenté de vérifier, en le piquant de sa lame, si le premier garde était véritablement hors de combat, mais le temps et la cruauté nécessaires lui faisaient défaut. Il s'élança donc hors du temple et partit à la recherche de Zhamel et de son double.

Il n'en trouva trace nulle part. Les deux chevaux étaient toujours attachés à quelques pas des marches du temple. Les pierres parurent pointues à ses pieds nus.

Derezong hésita, mais seulement pendant une fraction de seconde. Il était dans un sens attaché à Zhamel Seh et les muscles de son assistant l'avaient tiré d'affaire presque aussi souvent que le manque de perspicacité de Zhamel lui avait attiré des ennuis. D'autre part, s'enfoncer de nouveau dans le temple à la recherche de son aide excentrique friserait le suicide. Et il avait reçu des ordres bien précis de son roi.

Il rengaina son épée, grimpa sur le dos d'un cheval et partit au galop, menant l'autre par la bride.

Pendant la descente de l'étroit défilé, Derezong eut tout le temps de réfléchir, mais plus il réfléchissait et moins ses pensées lui plaisaient.

La conduite des gardes ne pouvait s'expliquer, si ce n'est par le fait qu'ils étaient saouls ou incapables, et il ne pouvait croire que ce fût le cas. Le fait qu'ils ne l'avaient pas attaqué simultanément, qu'ils n'avaient pas entendu la chute du levier, la facilité avec laquelle, lui, qui était loin d'être une fine lame, les avait maîtrisés, le fait qu'ils soient tombés sans même avoir été touchés et qu'ils n'aient pas appelé à l'aide...

A moins qu'ils n'aient voulu qu'il en soit ainsi. Tout avait été trop facile pour pouvoir envisager une autre hypothèse. Peut-être qu'ils voulaient qu'il vole cette maudite pierre.

Au pied du défilé, là où la route débouchait sur un des versants de la gorge principale, il arrêta son cheval, sauta à terre et attacha les animaux, dressant l'oreille afin de pouvoir déceler l'écho du galop de poursuivants se répercutant dans le défilé. Il sortit l'œil de Tandyla et le regarda. C'était vrai, lorsqu'on le regardait par le petit bout, on distinguait les sept rayons promis par Goshap Tuzh. Sinon, il ne présentait aucune propriété spéciale bizarre ou surnaturelle. Jusqu'ici, du moins.

Derezong Taash le posa doucement sur le sol et s'éloigna, afin de pouvoir le regarder de plus loin. Comme il s'éloignait, la pierre se mit lentement en mouvement et commença à rouler vers lui.

Il pensa, tout d'abord, qu'il ne l'avait pas posée sur un terrain assez plat et se précipita pour la ramasser, avant qu'elle ne roule dans le précipice. Il la remit en place et l'entoura d'une petite muraille de cailloux et de terre. Maintenant, elle ne pourrait plus rouler !

Mais lorsqu'il s'éloigna à nouveau, c'est pourtant bien ce qu'elle fit, passant par-dessus le petit rempart qu'il avait dressé. Derezong Taash se mit de nouveau à transpirer à grosses gouttes, mais cette fois cela n'avait rien à voir avec l'effort physique. La pierre roula vers lui, de plus en plus vite. Il essaya de l'esquiver en s'introduisant dans un renfoncement dans le rocher. La pierre fit un crochet et vint s'arrêter à la pointe d'un de ses pieds nus, comme un animal domestique quémandant une caresse.

Il creusa un petit trou, y plaça le joyau, mit une grosse pierre sur le trou et s'éloigna. La grosse pierre trembla et l'œil pourpre apparut, écartant les cailloux sur son passage comme s'il avait été tiré par une corde invisible. Il roula de nouveau jusqu'à ses pieds et s'arrêta.

Derezong Taash le ramassa et le regarda encore une fois. Il ne semblait pas avoir été griffé. Il se souvint que la personne qui avait demandé le joyau était Ilepro, l'épouse du roi.

Dans un brusque accès de désarroi, Derezong Taash lança la pierre sur l'autre rive de la gorge. Normalement l'œil aurait dû suivre une courbe pour se fracasser finalement contre le versant opposé. Au lieu de cela, il ralentit au milieu de sa course, décrivit une boucle et revint se poser dans la main qui venait tout juste de le jeter.

Derezong Taash ne doutait plus que les prêtres de Tandyla avaient tendu, à l'aide du joyau, un piège particulièrement astucieux au roi Vuar. Ce qu'il ferait au roi et au royaume de Lorsk si Derezong accomplissait sa mission, il n'en avait aucune idée. Tout ce qu'il savait, c'était que c'était un apotropaïque et qu'il devrait donc protéger Vuar au lieu de lui faire du tort. Néanmoins, il était certain que quelque chose de peu agréable avait été projeté et il ne tenait pas du tout à en être l'agent. Il mit la pierre sur un rocher bien plat, chercha une pierre de la taille de sa tête, la souleva des deux mains et l'abattit sur le bijou.

Ou du moins c'est ce qu'il voulut faire. Au cours de sa descente, la pierre heurta un rocher qui faisait saillie et, une seconde plus tard, Derezong gambadait de tous côtés comme un danseur rituel de Dzen, suçant ses doigts écrasés et traitant les prêtres de Tandyla des noms des démons les plus redoutables de son répertoire. L'œil était intact.

Car, raisonna Derezong, les prêtres devaient non seulement avoir jeté un sort sur la pierre pour qu'elle le suive partout, mais devaient aussi avoir prononcé sur elle l'incantation de Duzhateng, afin que toute tentative de la part de Derezong de détruire l'objet se retourne contre lui. S'il essayait une ruse plus raffinée, cela se terminerait probablement par une jambe cassée. L'effet de l'incantation de Duzhateng ne pouvait être dissipé que par une formule magique très compliquée, pour laquelle Derezong ne disposait pas des matériaux nécessaires, entre autres des substances très singulières et particulièrement répugnantes.

Or, Derezong Taash savait qu'il n'existait qu'un seul moyen de neutraliser ces sortilèges et d'immobiliser la pierre pour qu'elle ne puisse plus le harceler, et c'était de la replacer dans la cavité au milieu du front de la statue de Tandyla et de refermer sur elle les griffes du plomb qui la maintenaient dans sa monture. Tâche qui, cependant, promettait d'être encore plus difficile que le vol. Car si les prêtres de Tandyla avaient voulu que Derezong s'empare de cet objet, ils feraient preuve de plus de perspicacité en essayant de déjouer sa tentative de le remettre en place.

Enfin, on verrait. Derezong Taash remit le bijou dans sa tunique, sauta en selle (laissant l'autre cheval, toujours attaché, sur place) et remonta le défilé. Lorsqu'il déboucha sur le petit plateau sur lequel se dressait le lourd temple de Tandyla, il vit qu'on avait effectivement prévu son retour. Tout autour de l'entrée du temple se tenait une double rangée de gardes, les écailles de bronze de leurs cuirasses miroitant faiblement dans le jour pâlissant. Les gardes du premier rang portaient des boucliers en peau de mammouth et de grandes épées de bronze, alors que ceux du second rang étaient armés de long épieux qu'ils tenaient des deux mains et pointaient entre les hommes du premier rang. Ils formaient ainsi une haie redoutable pour tout attaquant qui devait d'abord passer les fers des épieux puis s'occuper des épées.

Une possibilité était de galoper droit sur eux en espérant que l'un ou l'autre de ceux qui se trouveraient directement sur sa route s'écarterait, ouvrant un passage par lequel il pourrait foncer à travers les arrières. Puis il pourrait entrer dans le temple, toujours à cheval, et peut-être remettre la pierre en place avant d'être rejoint. Dans le cas contraire, il y aurait un heurt violent, quelques gardes abîmés, un cheval blessé et un magicien embroché et coupé en rondelles, tout enchevêtré dans une mêlée plus que confuse.

Derezong Taash hésita, puis pensa à ses précieux manuscrits qui l'attendaient dans le palais du roi Vuar, où il ne pourrait jamais retourner à moins de ramener le joyau ou une excuse valable pour ne pas l'avoir rapporté. Il talonna sa monture.

Au fur et à mesure que l'animal se rapprochait de la double ligne, les fers des épieux devenaient plus visibles et Derezong Taash vit que les gardes n'allaient pas s'écarter et le laisser passer bien gentiment. Alors, quelqu'un sortit du temple et dévala les marches derrière les gardes. Il portait une robe de prêtre, mais juste avant l'impact avec les gardes, Derezong reconnut les traits rudes de Zhamel Seh.

Derezong Taash tira in extremis sur les rênes ; le cheval fit une embardée et s'arrêta, son museau touchant presque le fer le plus proche.

Derezong, qui vivait à une époque où on ne connaissait pas les étriers, glissa en avant jusqu'à ce qu'il enfourchât le cou de l'animal. S'agrippant à la crinière de la main gauche, il chercha le joyau de la droite.

— Zhamel, cria-t-il, attrape.

Il lança la pierre. Zhamel bondit en l'air et l'attrapa avant qu'elle n'ait eu le temps de rebrousser chemin.

— Remets-la en place ! cria Derezong.

— Quoi ? Avez-vous perdu la tête, mon maître ?

— Remets-la, immédiatement, et fixe-la bien en place !

Zhamel, habitué à obéir aux ordres les plus bizarres, s'élança dans le temple pour accomplir sa mission, tout en dodelinant de la tête, comme s'il se lamentait sur la soudaine lubie de son maître. Derezong Taash se dépêtra de la crinière du cheval et fit reculer la bête hors de portée des épées. Sous leurs casques laqués, les têtes des gardes se tournaient de tous côtés, manifestement perplexes. Derezong en déduisit qu'on ne leur avait donné qu'un seul ordre — l'empêcher de pénétrer dans le temple — et qu'on ne leur avait pas dit comment faire face à une entente entre l'étranger et un de leurs propres prêtres.

Comme les gardes ne semblaient pas vouloir le poursuivre, Derezong resta assis sur son cheval, les yeux tournés vers l'entrée du temple. A son retour, si Zhamel essayait de se frayer un chemin à travers les gardes, ils le hacheraient en menus morceaux, d'autant plus qu'il était sans armes. Et lui, Derezong, serait obligé de trouver et de former un nouvel assistant qui laisserait probablement autant à désirer que son prédécesseur. Néanmoins, Derezong ne pouvait pas se résigner à abandonner complètement le garçon à son sort.

C'est alors que Zhamel Seh descendit les marches en courant, tenant un long épieu semblable à ceux dont étaient armés les gardes du second rang. Tenant cet épieu à l'horizontale, il s'élança sur les gardes, comme s'il allait en transpercer un. Derezong savait que pareil projet ne pouvait qu'échouer et ferma les yeux.

Mais juste avant d'arriver aux gardes, Zhamel Seh enfonça le fer de l'épieu dans le sol et effectua un splendide saut à la perche. Ses jambes se détendirent brusquement puis se balancèrent en l'air comme celles d'un pendu, par-dessus les casques laqués, les épées de bronze et les boucliers en peau de mamouth. Il retomba devant les gardes, brisant net un de leurs épieux, roula en boule, se releva et courut vers Derezong Taash. Celui-ci avait déjà fait faire demi-tour à son cheval.

Comme Zhamel Seh empoignait le bord de la selle, un grand tumulte éclata derrière eux et les prêtres sortirent du temple en poussant de grands cris. Derezong tambourina de ses pieds nus contre les flancs de sa monture et partit au galop. Zhamel bondissant de roche en roche à côté de lui. Ils dévalèrent le défilé, poursuivis par le fracas de multiples sabots.

Derezong Taash ne perdit pas son temps en questions inutiles pendant qu'il cherchait où faire passer son cheval. Au pied du défilé, là où celui-ci débouchait sur un des flancs de la gorge principale, ils firent halte pour que Zhamel puisse monter sur son propre cheval puis repartirent aussi vite qu'ils le purent. L'écho de la galopade de leurs poursuivants se répercutait à travers la montagne avec un vacarme assourdissant.

Arrivés au pont suspendu, les chevaux se dérobèrent encore une fois. Impitoyablement, Derezong frappa sa monture du plat de son épée jusqu'à ce que la bête se décidât à avancer. Le vent froid sifflait à travers les cordages et il faisait presque nuit.

A l'autre extrémité du pont, Derezong se retourna avec un soupir de soulagement. Sur la piste longeant la gorge, la troupe des poursuivants se rapprochait dangereusement dans un tourbillon de poussière.

— Si j'avais seulement le temps et les matériaux nécessaires, dit-il, je jetterais un sort sur le pont pour qu'il ait l'air cassé et inutilisable.

— Et pourquoi pas faire en sorte qu'il soit réellement cassé et inutilisable ? cria Zhamel, arrêtant son cheval contre le flanc de la montagne et se mettant debout sur la selle.

Il balança son épée contre les cordes. Alors que les premiers poursuivants arrivaient de l'autre côté du pont, la construction s'affaissa et s'effondra avec un sifflement de cordes et un fracas de planches. Les hommes du temple poussèrent un hurlement effroyable et une flèche siffla par-dessus le précipice, se fracassant contre le rocher. Derezong Taash et Zhamel Seh se remirent en route.

Une quinzaine de jours plus tard, ils étaient assis au soleil dans le jardin derrière le magasin de Goshap Tuzh, le lapidaire, à Bienkar. Zhamel Seh racontait ce qui lui était arrivé :

— ... alors comme je quittais le temple, cette Lotri jeta les yeux sur moi encore une fois. Aussi, je me dis qu'il y aurait du temps en suffisance pour accomplir la tâche que le maître m'avait confiée et pour passer un bon moment...

— Petite crapule, grommela Derezong dans son vin.

— Alors je l'ai suivie. Et en vérité tout se passait de la manière la plus propice et la plus agréable, lorsqu'un de ces prêtres au menton fuyant, enjuponné et encapuchonné entra et s'en prit à moi avec un couteau. J'essayai de parer le coup et je crains que, dans la bagarre, l'individu n'ait eu, par inadvertance, le cou rompu. Aussi, sachant que je pourrais avoir quelque ennui, j'empruntai son habit et m'en fus pour découvrir que maître, chevaux et double du maître étaient tous partis.

— Et comme le temps avait passé vite ! dit Derezong Taash d'un ton sarcastique. J'espère au moins que la jeune Lotri a lieu de garder un bon souvenir de cet épisode. Mon double, n'étant rien de plus qu'une ombre et n'étant pas un être doué de raison, sera sans aucun doute sorti du temple et se sera évanoui en traversant la barrière magique dressée par les prêtres.

— Et, continua Zhamel, il y avait des prêtres et des gardes qui couraient de tous côtés, jacassant comme autant de singes. Je m'activai comme si j'étais l'un d'eux, je les vis disposer les gardes tout autour du portail et puis le maître revint et me jeta la pierre. Je saisis la situation, grimpai sur la statue, fourrai le troisième œil de Tandyla dans son alvéole et rabattis les griffes à l'aide du pommeau de mon poignard. Puis, je cherchai un épieu dans la salle d'armes, ne m'arrêtant que pour assommer quelques Lotris qui essayaient de me retenir pour me poser quelques questions, et vous connaissez la suite.

Derezong Taash conclut cet épisode en disant :

— Mon bon Goshap, peut-être pourriez-vous me dire ce que nous devons faire maintenant, car je crains que si nous nous présentons devant le roi Vuar, sans le joyau, il aura fait disposer artistiquement nos têtes sur des plats d'argent avant même que nous ayons pu terminer nos explications. Il serait, sans aucun doute, pris de remords par la suite, mais cela ne nous aiderait en rien.

— Puisqu'il vous fait si peur, pourquoi ne pas le quitter comme je vous l'ai recommandé auparavant ? dit Goshap.

Derezong Taash haussa les épaules.

— Les autres, hélas, apprécieraient tout aussi peu ma valeur et ne seraient pas des maîtres plus faciles. Car si ces prêtres de Tandyla avaient eu confiance en mon habileté à accomplir une tâche aussi simple que d'apporter leur pierre du Lotor au Lorsk, leur complot aurait sans aucun doute porté ses fruits. Mais craignant que je ne la perde ou ne la vende en route, ils lui ont jeté un sort supplémentaire…

— Comment auraient-ils pu le faire, puisque la pierre possède des vertus apotropaïques ?

— Ces vertus apotropaïques ne couvraient que la simple sorcellerie, alors que le maléfice de la poursuite et l'incantation de Duzhateng sont de la magie sympathique. De toute façon, ils firent en sorte que la pierre me suive partout, portant ainsi au paroxysme mes soupçons déjà éveillés.

Il soupira et but une gorgée de vin vert.

— Ce dont ce pauvre monde a besoin, c'est de plus de confiance. Mais continuez, Goshap.

— Alors, pourquoi ne pas lui écrire une lettre exposant les circonstances ? Je vous prêterai un esclave pour la porter au Lorsk, de telle façon qu'à votre arrivée la colère de Vuar sera déjà tombée.

Derezong considéra cette éventualité, puis déclara :

— Si sage que je trouve votre suggestion, elle se heurte néanmoins à un obstacle majeur. A savoir que de tous les hommes à la cour de Lorsk, seuls six savent lire ; et parmi ceux-ci, on ne trouve pas le roi Vuar. Alors que parmi ces six, il y en a au moins cinq qui comptent au nombre de mes ennemis et ils ne demanderaient pas mieux que de me voir perdre ma place. Et si la tâche de lire ma missive au roi devait échoir à un de ceux-ci, vous pouvez imaginer comment il déformerait à mon détriment mes pictogrammes inoffensifs. Est-ce que nous pourrions amener le vieux Vuar à croire que nous avons mené notre mission à bien, en lui remettant, par exemple, une pierre qui ressemble à celle qu'il attend ? Auriez-vous entendu parler de pareille pierre ?

— Vous tenez là une excellente idée, dit Goshap. Laissez-moi réfléchir… L'année dernière, alors que le spectre décharné de la disette s'abattait sur le pays, le roi Daior mit sa plus belle couronne en gage au temple de Kelk, afin de pouvoir disposer du trésor de ce temple pour apaiser les clameurs de son peuple. Or, au sommet de cette couronne se trouve un saphir pourpre à astéries, d'une grosseur et d'une eau absolument extraordinaires, que l'on dit avoir été taillé par les dieux avant la Création, pour leur propre plaisir ; grandeur et teinte sont à peu près les mêmes que celles de l'œil de Tandyla. Le joyau n'a jamais été dégagé et les prêtres de Kelk ont exposé la couronne au public, délestant ainsi les curieux d'offrandes supplémentaires. Mais comment vous allez faire pour vous approprier ce bijou, ne me le demandez pas et, en vérité, je préfère ne rien savoir de la question.

Le lendemain, Derezong Taash et Zhamel prirent l'apparence d'Atlantes des montagnes brumeuses du désert de Gautha, loin à l'est, de l'autre côté de la mer Tritonienne, où, disait-on à Pusaad, il existait des hommes avec des serpents au lieu de jambes, et d'autres sans têtes mais avec des visages sur la poitrine.

Zhamel Seh grommela :

— Que sommes-nous finalement, des magiciens ou des voleurs ? Peut-être que si nous réussissons cette fois-ci, le roi de Torrutseish possédera-t-il une bricole à laquelle il tient beaucoup et que nous pourrions lui dérober.

Derezong fit celui qui n'a rien entendu et se dirigea vers la place dominée par le temple de Kelk. Imitant la démarche désinvolte des Atlantes, ils montèrent vers le temple et pénétrèrent dans la salle où la couronne était exposée sur un coussin posé sur une table, éclairée par une lampe et gardée par deux Lorskas de sept pieds de haut, l'un sabre au clair et l'autre flèche prête à partir. Les gardes dévisagèrent les deux Atlantes, avec leurs amples manteaux bleus et leurs bracelets en orichalque, qui se montraient la couronne du doigt en jacassant avec volubilité. Puis le plus petit des Atlantes, c'est-à-dire Derezong Taash en réalité, quitta nonchalamment le temple en laissant son compagnon sur place.

A peine le plus petit des Atlantes avait-il passé le portail qu'il poussa un grand cri rauque. Les gardes regardèrent dans sa direction et virent seulement sa tête de profil dans l'ouverture de la porte, regardant le ciel comme si son corps était replié en arrière, alors qu'une paire de mains empoignait sa gorge.

Les gardes, qui ne savaient pas que Derezong était en train de s'étrangler lui-même, s'élancèrent vers le portail. Alors qu'ils étaient à quelque distance de l'entrée, la tête de l'Atlante attaqué disparut et, arrivés dehors, ils ne virent que Derezong Taash qui avait repris son aspect naturel et montait nonchalamment vers eux. Pendant tout ce temps, derrière leurs dos, les doigts puissants de Zhamel Seh arrachaient la pierre de la couronne du roi Daïor.

— Y a-t-il quelque chose qui ne va pas, mes bons seigneurs ? demanda Derezong aux gardes qui regardaient de tous côtés d'un air ahuri, pendant que Zhamel Seh sortait du temple derrière eux. Ce faisant, il abandonna son apparence d'Atlante et devint un autre Lorska comme les gardes, quoiqu'il n'était pas tout à fait aussi grand ni tout à fait aussi barbu qu'eux.

— Si vous cherchez un Atlante, dit Derezong en réponse à leurs questions, j'en ai vu deux sortir de votre temple et s'éclipser furtivement par cette ruelle là-bas. Il vous appartient, peut-être, de vérifier s'ils ont commis l'une ou l'autre déprédation dans vos lieux sacrés ?

Pendant que les gardes se précipitaient dans le temple pour contrôler, Derezong Taash et son assistant décampaient dans l'autre direction sans demander leur reste.

Zhamel Seh marmonna :

— Espérons, au moins, que nous ne devrons pas ramener ce bijou là où nous l'avons pris.

Derezong et Zhamel arrivèrent à Lezohtr tard dans la nuit. Ils n'avaient même pas fini de saluer leurs tendres concubines qu'un messager vint informer Derezong Taash que le roi souhaitait le voir sur-le-champ.

Derezong Taash trouva le roi Vuar dans la salle d'audience, manifestement sorti tout droit de son lit, car il ne portait que sa couronne et une peau d'ours jetée sur son corps osseux.

Ilepro était également présente, vêtue avec la même négligence et accompagnée de son éternel quatuor de courtisanes lotris.

— Vous l'avez ? dit le roi Vuar, haussant un sourcil broussailleux qui ne présageait rien de bon en cas de réponse négative.

— Le voici, Sire, dit Derezong, se relevant péniblement et s'avançant avec le bijou de la couronne du roi Daior.

Le roi Vuar le prit du bout des doigts et l'examina à la lumière de l'unique lampe. Derezong Taash se demanda si le roi penserait à compter le nombre de rayons pour vérifier s'il y en avait six ou sept, mais il se rassura en pensant que le roi Vuar était, comme chacun savait, faible en mathématiques.

Le roi tendit le joyau à Ilepro.

— Prenez-le, Madame, dit-il, et espérons que ceci mettra fin à vos incessantes lamentations.

— Mon Seigneur est aussi généreux que le soleil, dit Ilepro avec son accent lotrien. Il est vrai que j'ai encore quelque chose à dire, mais ce n'est pas pour des oreilles serviles.

Elle s'adressa en lotrien à ses quatre suivantes qui s'éclipsèrent précipitamment.

— Alors ? dit le roi.

Ilepro regarda fixement le saphir et fit un geste de sa main libre, tout en récitant quelque chose dans sa langue maternelle. Quoiqu'elle allât trop vite pour que Derezong Taash puisse le comprendre, il saisit un mot répété à plusieurs reprises et qui le secoua jusqu'à la moelle. Le mot Tr'lang.

— Sire, s'écria-t-il. Je crains que cette sorcière du Nord ne prépare rien de bon…

— Quoi ? hurla le roi Vuar. Tu vilependes mon épouse, et devant mes propres yeux ? Je te ferai couper la...

— Mais, Sire ! mon Roi ! Regardez !

Le roi interrompit sa tirade pour regarder et il ne la reprit jamais. Car la flamme de la lampe n'était plus qu'une petite étincelle. Des tourbillons glacés emplirent la salle et, au centre de la pièce, la pénombre s'épaissit en ombre et l'ombre en substance opaque. Tout d'abord l'obscurité parut sans forme, un brouillard noir, puis deux points luminescents apparurent, des yeux tangibles, planant au milieu de l'air.

Derezong chercha en vain des exorcismes et la langue lui colla au palais de terreur. Car son propre Feranzot n'était qu'un agneau inoffensif à côté de ceci et aucun pentacle ne le protégeait.

Les yeux se précisèrent et, plus bas, des griffes cornées miroitèrent faiblement dans la lumière indécise de la lampe. Il faisait glacial comme si un iceberg était soudain entré dans la pièce et, en même temps, Derezong sentit une odeur pestilentielle de plumes brûlées.

Ilepro montra le roi du doigt et cria quelque chose dans sa propre langue. Derezong crut voir des crocs dans une grande bouche béante et Tr'lang glissa vers Ilepro. Celle-ci tenait la pierre devant elle, comme pour écarter l'être démoniaque. Mais il n'y prêta aucune attention. Comme l'obscurité l'enrobait, elle poussa un hurlement perçant.

Une porte s'ouvrit brusquement et les quatre Lotris se précipitèrent dans la pièce. Les cris d'Ilepro continuaient, mais en s'atténuant progressivement avec un curieux effet de distance, comme si Tr'lang l'entraînait au loin. Tout ce que l'on pouvait voir c'était une ombre informe qui se dissolvait au milieu du dallage.

Le premier des Lotris cria « Ilepro » et s'élança vers l'ombre, rejetant ses voiles d'une main et tirant une longue épée de bronze de l'autre. Pendant que les trois autres faisaient de même, Derezong se rendit compte qu'il ne s'agissait pas de courtisanes, mais bien de Lotris bien bâtis qui s'étaient déguisés en femmes en rasant leurs barbes et en rembourrant leurs vêtements aux endroits adéquats.

Le premier des quatre fendit d'un coup d'épée l'endroit où avait disparu la forme du Tr'lang, mais ne rencontra d'autre résistance que celle de l'air. Alors il se tourna vers le roi et Derezong.

— Prenez-les vivants, dit-il en lotrien. Ils nous serviront d'otages pour couvrir notre départ.

Les quatre Lotris s'avancèrent, l'épée dégainée et la main libre prête à saisir, comme les griffes du démon qui venait juste de partir. La porte en face d'eux s'ouvrit et Zhamel Seh entra portant des épées. Il en jeta deux à Derezong Taash et au roi Vuar qui les attrapèrent par la garde ; lui-même empoigna la troisième dans son large poing et prit place à côté des deux autres.

— Trop tard, dit un autre Lotri, tuons-les, la fuite est notre seule chance.

Joignant le geste à la parole, il s'élança sur les trois Lorskas. Les sept hommes frappaient et paraient dans les ténèbres et les épées s'entrechoquaient. Le roi Vuar avait jeté sa peau d'ours autour de son bras gauche pour s'en faire un bouclier et combattait avec sa couronne pour tout vêtement. Si les Lorskas étaient avantagés en allonge, ils étaient handicapés par l'âge du roi, de même que par l'embonpoint de Derezong et son peu d'expérience dans le maniement de l'épée.

Bien que Derezong frappât noblement d'estoc et de taille, il fut finalement acculé dans un coin et sentit brusquement la douleur cuisante d'une blessure à l'épaule, et quoique le profane puisse penser des pouvoirs d'un magicien, il est tout à fait impossible de lutter physiquement pour défendre sa vie et de prononcer en même temps une formule magique.

Le roi beugla à l'aide, mais sans succès, car dans ces pièces au centre du palais, les épais murs de pierre et les tentures étouffaient le son avant qu'il n'ait pu atteindre les salles périphériques où les soldats du roi Vuar montaient la garde. Comme les autres, il fut, lui aussi, obligé de reculer et tous trois se retrouvèrent dans le coin, luttant coude à coude. Le plat d'une lame s'abattit sur la tête de Derezong et l'étourdit : un bruit métallique lui apprit qu'un autre coup avait porté sur la couronne du roi et un glapissement de Zhamel Seh lui révéla que son assistant avait lui aussi été touché.

Derezong Taash se fatiguait de plus en plus. Le simple fait de respirer lui coûtait un effort et la poignée de son épée glissait dans ses mains endolories. Bientôt ils abattraient sa garde et l'achèveraient, à moins qu'il ne trouve un moyen de les avoir par la ruse.

Il jeta son épée, non sur le Lotri qui lui faisait face, mais sur la petite lampe qui tremblotait sur la table. La lampe fut projetée au loin et s'éteignit au moment même où Derezong Taash se laissait tomber à quatre pattes pour partir à la recherche de son épée. Derrière lui, dans l'obscurité, il pouvait entendre des pas et la respiration haletante d'hommes craignant de frapper de peur d'atteindre un ami, et craignant de parler de peur de révéler leur présence à un ennemi.

Derezong Taash longea le mur jusqu'à ce qu'il parvienne au cor de chasse du roi Zynah. Se saisissant de la précieuse relique, il remplit ses poumons d'air et sonna avec force.

Le son du cor résonna avec un vacarme assourdissant entre les quatre murs de la pièce. Derezong fit quelques pas pour éviter qu'un des Lotris ne parvienne à le repérer grâce au bruit et ne le pourfende dans l'obscurité, et sonna de nouveau. Un bruit de course et de ferraille annonça l'arrivée des gardes du roi Vuar. La porte s'ouvrit brusquement et ils entrèrent, les armes à la main et portant haut des flambeaux.

— Emparez-vous d'eux, dit le roi Vuar en montrant les Lotris.

Un des Lotris essaya de résister, mais l'épée d'un garde sépara la main de son bras alors qu'il fendait l'air de son épée ; le Lotri hurla et s'effondra sur le sol, perdant son sang en abondance. Les autres furent maîtrisés sans trop de difficultés.

— Maintenant, dit le roi. Je peux vous faire la grâce d'une mort rapide ou je peux vous confier à mes bourreaux pour une mort plus lente et beaucoup plus intéressante. Si vous passez aux aveux et nous exposez en détail vos plans et vos intentions, je vous accorderai la première possibilité. Parlez.

Le Lotri qui avait conduit les autres lorsqu'ils s'étaient précipités dans la salle dit :

— Sachez, ô Roi, que je suis Paanuvel, l'époux d'Ilepro. Les autres sont des gentilshommes de la cour du frère d'Ilepro, Konesp, grand chef du Lotor.

— Des gentilshommes ! grogna le roi Vuar.

— Comme mon beau-frère n'a pas de fils, lui et moi avons ourdi ce complot sublime afin de réunir son royaume et le vôtre sous le sceptre de mon fils Pendetr. Votre célèbre magicien devait voler l'œil de Tandyla ; aussi lorsque Ilepro évoquerait le démon Tr'lang, le monstre ne pourrait s'attaquer à elle puisqu'elle serait protégée par les vertus apotropaïques du joyau ; au contraire, il s'en prendrait à vous. Car elle savait qu'aucun être de la quatrième dimension ne serait assez puissant pour pouvoir s'attaquer à vous qui portez la bague de métal stellaire. Alors, elle aurait proclamé roi l'enfant Pendetr, puisque vous l'avez déjà nommé héritier de la couronne, et elle aurait assuré la régence jusqu'à sa majorité. Mais les pouvoirs apotropaïques de ce bijou ne sont manifestement plus ce qu'ils étaient, car Tr'lang engouffra ma femme quoiqu'elle eut jeté la pierre dans sa gueule.

— Vous avez parlé clairement et sans dissimulation, dit le roi Vuar. Bien que je doute qu'il ait été très normal de me passer votre femme alors que vous étiez non seulement en vie mais présent ici sous un déguisement. Enfin, les coutumes des Lotris ne sont pas les nôtres. Gardes, emmenez-les et coupez-leur la tête.

— Encore un mot, ô roi, dit Paanuvel. Pour moi je ne demande rien, maintenant que ma bien-aimée Ilepro n'est plus. Mais je vous supplie de ne pas faire payer à l'enfant Pendetr les fautes de son père.

— J'y réfléchirai. Et maintenant, disparaissez de ma vue et de ce monde.

Le roi se tourna vers Derezong Taash qui épongeait sa blessure.

— Pour quelle raison l'œil de Tandyla n'a-t-il pas rempli son rôle ?

Derezong, effrayé et tremblant, raconta la véritable version de leur incursion au Lotor suivie du vol du saphir à Bienkar.

— « Aha ! dit le roi Vuar. Ça nous apprendra à ne pas compter les rayons à l'intérieur de la pierre ! »

Il s'arrêta pour ramasser le bijou qui gisait par terre et Derezong, toujours tremblant, se vit subissant le même sort que celui que les Lotris étaient en train d'encourir au moment même.

Puis Vuar sortit finement.

— Un heureux échec, semble-t-il, dit le roi. Je vous suis redevable à tous deux, tout d'abord d'avoir percé à jour les plans des Lotris en vue d'usurper le trône de Lorsk, et, en second lieu, d'avoir combattu si efficacement à mes côtés cette nuit.

» Néanmoins, nous avons ici une situation quelque peu délicate. Car le roi Daior est un de mes bons amis et je ne tiens pas à me brouiller avec lui. Et même si je lui renvoyais la pierre avec des explications et des excuses, le fait que mes serviteurs l'aient dérobée en premier lieu ne lui sierait pas. Je vous mande donc de retourner immédiatement à Bienkar…

— Oh, non ! s'écria Derezong Taash, les mots s'échappant involontairement de sa bouche sous le coup d'une trop forte émotion.

— … de retourner à Bienkar, continua le roi comme s'il n'avait rien entendu, et de remettre le bijou à sa place sur la couronne du roi de Zhysk, sans que personne sache que vous êtes pour quelque chose dans la disparition de la pierre ou dans sa restitution éventuelle. Car, pour des coquins aussi accomplis que vous et votre complice, ce petit exploit ne doit pas poser de problèmes. Sur ce, bonne nuit, très noble magicien.

Le roi Vuar s'enveloppa dans sa peau d'ours et partit d'un pas majestueux vers ses appartements, laissant Derezong et Zhamel cloués sur place, les traits figés par l'horreur et la consternation.

# LE FUTUR ANTERIEUR

**Ray Bradbury**

Jusqu'au moment où il ouvrit la porte, la journée n'avait pas été différente de n'importe quelle autre journée. Déambulant dans les rues de Los Angeles, cherchant un travail qu'il ne pouvait trouver, regardant dans les vitrines la nourriture qu'il ne pouvait acheter et se demandant pourquoi l'habitude de vivre était si forte qu'on ne pouvait la briser alors même qu'on ne voulait plus de la vie.

Cela n'avait pas été aussi grave tant qu'il avait eu sa machine à écrire qui l'attendait chez lui. Il pouvait, pendant quelques heures, faire un pied de nez au monde extérieur, et en construire de nouveaux — des mondes brillants et sans soucis où il était un beau jeune premier et n'avait jamais faim. Il pouvait même se persuader qu'un jour il serait un écrivain, célébré par tous et ramassant l'argent à la pelle.

Il se serait plutôt séparé de sa jambe droite que de sa machine à écrire. Mais aucun usurier ne donnait de l'argent pour des jambes droites et un type doit manger et payer son loyer.

— Ah, ouais ? grogna-t-il à la porte. Cite au moins deux raisons…

Il ne pouvait en citer une seule. Il ouvrit la porte, la referma derrière lui, alluma la lumière et voulut enlever son chapeau.

Il n'acheva pas son geste. Il oublia qu'il avait un chapeau, ou même une tête en dessous. Il resta figé sur place, écarquillant les yeux.

Il y avait une machine à écrire par terre.

C'était bien sa chambre. Plafond fendillé, papier sale, pyjama à rayures bleues pendant au bord d'un lit pliant défait, les restes du café du matin.

Ce n'était pas sa machine à écrire.

Et rien ne pouvait expliquer la présence d'une machine à écrire dans la pièce. Cette anomalie était déjà assez grave en elle-même, comme l'eût été le fait de trouver un chameau dans sa baignoire. Et encore, un chameau ordinaire, on pouvait éventuellement l'accepter : c'étaient les chameaux verts avec des ailes qui vous tracassaient vraiment.

La machine à écrire était l'équivalent d'un chameau vert. Elle était grande et fabriquée dans une matière qui avait l'air d'être de l'argent poli ; elle scintillait comme un poisson dans l'eau. Sa ligne était si fluide qu'on avait l'impression qu'elle coulait sans fin autour d'elle-même. Il y avait une belle feuille de papier sur le rouleau et beaucoup de touches bizarres de teinte pourpre sur le clavier.

Il ferma les yeux, secoua la tête et regarda de nouveau. Elle était toujours là. Il dit à haute voix :

— Je n'ai pas bu. Mon nom est Steve Temple. J'habite au 221 Est, Neuvième Rue, et je dois trois semaines de loyer. Je n'ai pas dîné aujourd'hui.

Sa voix avait l'air normale. Et ce qu'il disait avait un sens.

La machine à écrire n'en avait pas, elle, mais elle resta néanmoins là.

Il inspira profondément et fit le tour de la machine, précautionneusement. Elle avait quatre côtés. Elle paraissait réelle, si ce n'est un aspect plus scintillant que d'ordinaire. Elle était tranquillement installée sur le tapis usé et sa ligne merveilleusement fluide continuait de couler. Elle semblait avoir poussé là avec l'immeuble.

— Bon, dit-il à la machine. Vous êtes là. Et vous me faites

une peur bleue, si ça peut vous faire plaisir. Et maintenant ?

Elle commença à taper, toute seule au milieu de la pièce.

Il ne bougea pas. Il ne pouvait pas bouger. Il s'accroupit sur place, regardant les touches polies s'enfoncer l'une après l'autre et frapper sans intervention d'aucune main.

— J'appelle le passé ! J'appelle le passé ! J'appelle le passé !...

C'était comme de l'eau jaillissant contre une vitre huilée et s'écoulant sans laisser de trace. Une sonnerie feutrée retentit et il vit les mots. Pas de fils, pas d'opérateur, mais ça marchait. Par radio. Une machine à écrire télécommandée.

Il la souleva précautionneusement, comme si elle avait été brûlante, et la posa sur la table.

— J'appelle le passé ! J'appelle le passé ! Poussez sur bouton marqué « Emission » et tapez réponse. Poussez sur bouton marqué « Emission ».

Steve sentit quelque chose se déplacer. C'était sa main qui s'avançait toute seule. « Poussez sur bouton. »

Il obéit.

La machine s'arrêta et attendit.

Ce fut le silence. Il était trop profond, trop brusque. Steve sentit le sang lui affluer aux joues, lui brûler les oreilles. Tout était si tranquille qu'il dut finalement faire du bruit.

Alors, il tapa :

— Tout le monde va bien. Tout le monde va bien. Le jour est venu où tout homme digne de ce nom doit se porter au secours de son pays.

Il cognait de toutes ses forces sur les touches. La machine sautait, comme frappée par des poings. La sonnerie retentit. Le contrôle échappa à Temple.

— Bonjour ! s'exclama la machine. Vous êtes vivant là-bas ! J'avais peur de remonter plus loin que l'ère des machines à écrire... Hitler ne vous a pas tué, alors ? Vous avez de la chance !

— Bonté divine, répliqua Temple à voix haute, Hitler est mort depuis plus de vingt ans !

Puis se rendant compte que parler ne servait à rien, il dit sur le papier :

— Nous sommes en 1967. Hitler est mort. Puis il regarda ses doigts, d'un air ébahi, se demandant ce qui l'avait poussé à répondre ainsi.

Les touches de la machine se mirent de nouveau en mouvement, en jetant mille éclats.

— Qui êtes-vous, vite ! Où habitez-vous ?

Temple répondit :

— Puis-je poser la même question ? S'agit-il d'une blague ?

Il fit claquer ses doigts et inspira profondément.

— Harry ! Est-ce toi, Harry ? Ça doit être toi ! N'ai plus eu de tes nouvelles depuis '47 ! Toi et tes mauvaises plaisanteries !

Le bouton « Réception » cliqueta froidement. Le bouton « Emission » remonta brusquement.

— Désolée. Pas Harry. Nom est Ellen Abbott. Sexe féminin. Vingt-six ans. Année 2442. Un mètre soixante-quinze. Cheveux blonds, yeux bleus. Expert en sémantique et en recherche dimensionnelle. Désolée, pas Harry.

Steve Temple essaya d'effacer les mots en clignant des yeux, mais sans succès.

La machine trembla. Boutons, chariot, platine et touches pourpres s'évanouirent comme dissous dans un acide à action instantanée. Elle avait disparu. Et, une seconde plus tard, elle fut de nouveau là, scintillante et dure sous ses doigts. Elle revint pour transmettre son message à toute vitesse, comme prise de panique.

— J'ai très peu de temps pour vous communiquer mon message et cependant, pour pouvoir le faire correctement, il faudrait une longue période de propagande soigneusement mise au point. Mais je suis pressée par le temps. Toute parole superflue sous une dictature comme celle de Kraken est fatale. Je vous donnerai donc les faits à l'état brut. Mais tout d'abord, donnez-moi des renseignements sur vous, la date exacte et autres détails utiles. Je *dois* savoir. Si vous ne pouvez pas m'aider, je retirerai la machine pour la régler sur une autre époque. Répondez-moi, s'il vous plaît.

Steve essuya la sueur qui coulait sur son visage.

— Nom : Steve Temple. Profession : écrivain. Age : vingtɩeuf ans ; ai l'impression d'en avoir cent. Date : lundi soir, le 10 anvier 1967. Dois être fou.

Aussitôt, la machine forma les mots :

— Formidable ! Je suis tombée exactement sur la ligne critiue ! Il y a beaucoup à faire avant le vendredi 14 janvier de otre année. Je vais devoir m'arrêter. Ne quittez pas l'écoute. Le arde arrive avec Kraken. Ils m'emmènent de ma cellule pour asser en jugement. Je crois qu'ils prononceront le verdict cette uit. Alors, demain soir, même heure, j'entrerai de nouveau en ommunication avec vous. Je n'ose pas enlever la machine. Les hances de retomber sur vous sont trop faibles. Ne quittez pas écoute.

Ce fut tout.

La machine était toujours là, scintillante et silencieuse. Temple ssaya d'appuyer sur les touches. Elles refusèrent de bouger.

Il se leva, les yeux écarquillés, et porta sa dernière cigarette à es lèvres, oubliant de l'allumer. Puis il chercha son chapeau, écouvrit qu'il était toujours sur sa tête et, pris de panique, sortit e la chambre.

Il se promena dans le parc. Il n'y avait là rien de nouveau, nais il se sentit mieux. Regarder les étoiles, les gens et les ateaux sur l'eau avait quelque chose de rassurant. Il marcha ısqu'à ce qu'il fût prêt à tomber de fatigue et que la peur l'eût uitté. Puis il rentra chez lui.

Sans allumer la lumière, il se déshabilla et se glissa dans son t. Un vieux truc. On pouvait alors s'imaginer qu'on passait la uit au Biltmore.

Soudain, il alluma l'électricité. Regardant à travers la pièce ans ses lunettes, il vit la machine à écrire dans un brouillard.

Il éteignit la lumière, remonta les couvertures au-dessus de ses reilles.

« Désolée. Pas Harry. Nom est Ellen Abbott. Année 2442. ésolée. Pas Harry. »

frissonna. Quelqu'un lui avait assené un coup sur la tête sans aison aucune. Du moins, c'est l'impression qu'il ressentit le ndemain matin en se réveillant. La pièce semblait emplie de

vie, de mouvement, comme si quelqu'un était entré, s'étai
penché sur lui et avait disparu brusquement au moment où i
ouvrait les yeux.

La porte était fermée à clef de l'intérieur.

Il vit la machine à écrire. Il s'assit dans son lit, lentement.

Quel rêve tenace ! Il s'obstinait à être réel. Et pourtant, i
l'avait complètement oublié pendant son sommeil et il ne voyai
pas pourquoi il aurait oublié quelque chose qui s'était introdui
d'une façon aussi dramatique dans sa vie.

Tout en s'habillant et en mettant de l'ordre dans la chambre,
fit semblant de s'intéresser à tout, sauf à la machine. Ce ne fu
pas facile. Remettant aussi longtemps qu'il le put le moment d
quitter la pièce, il sortit finalement à contrecœur pour cherche
du travail. S'arrêtant de l'autre côté de la porte, il écouta. Pas u
son, si ce n'est sa propre respiration. Puis il se souvint. Ce soi
Ellen Abbott avait dit : « Ce soir. Même heure. »

Il partit chercher un travail problématique.

Il devait avoir beaucoup marché. Ses pieds étaient enflés.
devait avoir parlé à des centaines de personnes et s'être v
refuser des centaines de places. Quelque part, il monta dans u
bus, car en voulant rentrer chez lui, il avait découvert un bill
inutilisé dans sa main. Il avait aussi trouvé un dollar. Emprunt
Dieu sait où ! Pourquoi en tenir compte ? Parvenir à sa chamb
à temps était la chose primordiale...

C'était la première fois qu'il se hâtait de retourner vers cet
chambre, ou vers n'importe quelle chambre. Bizarre. La porte d
l'immeuble s'ouvrit devant lui. Tête baissée, il monta les escalie
branlants. A mi-chemin, il s'arrêta et leva brusquement la têt
tous les sens en alerte.

Il entendit des sons, ceux des touches de la machine. Une tr
légère sonnerie, cognant aussi vite que son propre cœur.

Il y avait des années qu'il n'avait essayé de grimper d
escaliers quatre à quatre. Il apprit de nouveau à le faire.

Refermant la porte derrière lui, il se raidit en la voyan
Comme un somnambule, il traversa la pièce d'un pas lent.
entendit la machine cliqueter quelque part, mais elle était deva
lui :

— Bonjour, Steve Temple... !

Il se raidit. Ses doigts se crispèrent, indécis, sur les touches, il serra les mâchoires à se faire mal. Puis il se laissa aller et tout devint facile.

— Bonjour, Ellen, écrivit-il. *Bonjour, Ellen !*

Après que le contact eut été établi, Temple retraça les grandes lignes de sa vie. Des années mornes et misérables se succédant comme autant d'hommes trimant à la chaîne. Des nuits passées à regarder sa porte, attendant quelqu'un qui entrerait et deviendrait son ami. Et personne ne venait jamais, si ce n'est le propriétaire pleurnichant au sujet du loyer. Ses seuls amis vivaient à l'intérieur de livres : quelques-uns étaient sortis de sa machine à écrire avant qu'il ne la mît au clou. C'était tout.

Puis Ellen Abbott parla :

— Si, vous allez m'aider, car vous êtes la seule personne sur qui je puisse compter maintenant pour façonner le futur, Steve Temple ; alors, vous avez droit à une explication détaillée. Mon père était le professeur Abbott. Vous avez certainement entendu parler de lui. Mais non, comme je suis bête. Comment auriez-vous entendu parler de lui ? Vous êtes mort depuis cinq cents ans.

Steve avala sa salive.

— Je me sens bien vivant, merci. Continuez.

Ellen Abbott poursuivit :

— C'est un paradoxe. Pour vous, je ne suis pas née, et par conséquent incroyable. Et vous êtes mort et enterré depuis cinq siècles ; cependant, tout l'avenir du monde tourne autour de nos deux impossibilités et surtout autour de vous, si vous acceptez d'agir en notre nom.

» Steve Temple, il faudra me croire sur parole. Je ne peux pas m'attendre à ce que vous m'obéissiez aveuglément, mais il ne vous reste plus que trois jours pour vous décider et agir ; si vous refusez à la dernière minute, tout ce que j'aurai dit n'aura servi à rien, alors que j'aurais pu être en train de plaider ma cause auprès de quelqu'un d'autre de votre époque. Je dois parvenir à vous convaincre que je parle sérieusement. J'ai une tâche à vous confier.

Temple vit les quelques mots qui suivirent et tout s'obscurcit en lui. La petite chambre devint froide et Steve resta immobile, il resta là à regarder les mots qui se formaient :

— J'ai une tâche à vous confier ; pas pour moi, mais pour nous tous dans le futur.

La chose qu'il vit par la suite fut une tasse de café dans sa main. Contractant les muscles de sa gorge, le café lui brûla ensuite l'estomac. Le Grec était là. On pouvait le sentir, gros et gras derrière son comptoir. Quelque chose de blanc apparut : les dents du Grec.

— Bonjour, Grec. Les lèvres de Temple bougeaient à peine. Comment suis-je arrivé ici ?

— Vous êtes entré, comme vous le faites chaque nuit depuis trois ans. Vous devriez vous soigner. Vous avez l'air d'un fantôme. Qu'est-ce qui ne va pas ?

— Toujours la même chose. Est-ce qu'il y a du brouillard dehors ?

— Vous ne le savez pas ?

— Moi ? Steve se frotta les mains pour constater qu'elles étaient froides et humides.

— Oui, bien sûr. Bien sûr. Il y a du brouillard. Je l'avais oublié... Il respira profondément et il lui sembla que c'était la première fois depuis des heures. Drôle de chose, Grec : dans cinq cents ans, ils auront éliminé le brouillard...

— La Chambre de Commerce a passé une loi ?

— Contrôle météorologique, dit Steve. Contrôle. Il pesa longuement le mot et ajouta :

— Ouais. Toutes sortes de contrôles. Une dictature peut-être.

— Vous croyez ? Haussant les sourcils, le Grec s'appuya lourdement sur le comptoir. — Vous croyez que de la façon dont vont les choses, nous finirons par en avoir une?

— Dans cinq cents ans, dit Steve.

— Au diable. Que voulez-vous que ça nous fasse ? Cinq cents ans !

— Moi, ça me fait peut-être quelque chose, Grec. Je ne sais pas encore. Steve remua pensivement son café. Ecoute, Grec. Si tu avais su, il y a quarante ans, ce qu'allait devenir Hitler, et que tu en aurais eu la possibilité, est-ce que tu l'aurais tué ?

— Sûr ! Qui ne l'aurait pas fait ? Il n'y a qu'à regarder la pagaille qu'il nous a causée.

— Réfléchis bien. Pense à tous les types qui ont grandi avec Hitler. L'un d'entre eux a bien dû deviner ce qu'il allait devenir. Est-ce qu'*il* a fait quelque chose ? Non.

Le Grec haussa lentement les épaules.

Temple se pencha sur son café.

— Et moi, Grec ? Est-ce que tu me tuerais si tu savais que je serais un tyran demain ?

Le Grec éclata de rire.

— Vous..., un autre Hitler ?

Steve eut un sourire forcé.

— Tu vois ! Tu ne crois pas que je pourrais mettre le monde en danger. C'est comme ça que Hitler s'en est tiré. Parce qu'il fut un pauvre type avant de devenir un dictateur, et personne ne fait attention aux pauvres types.

— Hitler était différent.

— Vraiment ? Steve se raidit. — Un colleur de papier ? Différent ? C'est trop drôle. Personne ne reconnaît un meurtrier avant qu'il ne soit trop tard.

— O.K. ! Supposons que je vous élimine, concéda le Grec. Et alors ? Comment est-ce que je vais prouver que vous êtes un futur dictateur ? Vous êtes mort, donc vous n'êtes pas un dictateur. Ça ne marcherait pas. On me jetterait en tôle.

— C'est là tout le problème. Temple regardait un tableau accroché au mur. La photo d'un homme bien portant avec des joues roses, de beaux cheveux blancs et des yeux bleus grands ouverts. Sous le tableau, on pouvait lire : J.H. McCracken, candidat au Congrès, 13e District.

Tout devint noir. Tremblant de tous ses membres, Temple se leva, regarda autour de lui d'un air égaré, passa les mains devant ses yeux et hurla :

— Grec, quelle date sommes-nous aujourd'hui ? Vite ! J'ai oublié. J'oublie toujours les choses importantes.

La voix du Grec sembla lui parvenir de très loin.

— Cinq heures du matin, le 11 janvier. Ça fera dix cents.

— Ah oui, oui. Steve resta sur place, vacillant et regardant toujours la photo. Celle de J.H. McCracken, candidat au Congrès. J'ai encore le temps. Trois jours avant qu'ils ne tuent Ellen…

Le Grec dit « Hein » et Steve dit « Rien », puis il posa deux pièces de cinq cents sur le comptoir. Il se dirigea vers la porte du tripot, l'ouvrit et quelque part, à des milliers de kilomètres semblait-il, il entendit le Grec lui dire :

— Vous partez déjà ?

Steve répondit :

— Je crois que oui… Grec…

— Ouais ?

— T'est-il jamais arrivé d'avoir un million de cauchemars et de te réveiller, tremblant et fourbu au milieu de la nuit, et puis de te rendormir et d'avoir un de ces rêves ailés et légers comme l'air, qui brillent comme des étoiles ? C'est bon, Grec. Ça change. On oublie tous les cauchemars. On se réveille bien vivant pour la première fois depuis des années. C'est ce qui m'est arrivé, Grec…

La porte s'ouvrit sous la pression de ses doigts et le brouillard froid et salé supplanta l'odeur chaude du tripot. Il pensa à certaines choses et eut peur de les oublier : Ellen, et la machine, et l'avenir. Il ne devait pas oublier. Jamais. Là, sur le mur, il y avait la photo de J.H. McCracken. Il suffisait d'enlever le M et le c du nom et d'orthographier ce qui restait avec un K. Le gars avait l'air convenable. Il avait l'air d'un type qui aimait sa femme et ses enfants.

Que ça lui plaise ou non, le fait était là. J.H. McCracken était un des hommes qu'il devait tuer ! Il fallait qu'il s'en souvienne.

Il se souvint d'autre chose. Les premiers mots, inconsciemment ironiques, qu'il avait tapés la nuit précédente sur la machine :

« Le jour est venu où tout homme digne de ce nom doit se porter au secours de… »

Le futur ! Steve Temple sortit et ferma la porte au nez du Grec ébahi. Comme ça.

Le brouillard se dissipa au bout d'un moment, emmenant l'obscurité, et bientôt il fit grand jour.

Roulant entre les pentes douces des collines de Griffith, un bus amena Steve Temple aux verts espaces découverts décrits d'une manière si vivante par Ellen Abbott.

Il marcha solitaire. Là-haut, où les années se perdaient dans la brume avec la distance, il y aurait des gens marchant, parlant et vivant dans l'immense palais d'un dictateur. Les bâtiments aux murs translucides s'élanceraient vers le ciel en courbes aériennes. Il y aurait de la musique, douce et mélodieuse, diffusée par des haut-parleurs dissimulés dans les arbres, sur les collines et dans les vallées. Et des vaisseaux spatiaux flotteraient dans l'air, pareils à des particules de rêve.

Et surtout, dans cinq cents ans…

Temple monta jusqu'au sommet d'une haute colline et, fermant les yeux, se laissa imprégner de la quiétude du paysage. Exactement à cet endroit, une femme appelée Ellen Abbott serait gardée à l'étage le plus haut d'un palais de cristal. Des touches pourpres murmureraient sous ses doigts et son message vibrerait à travers cinq siècles — jusqu'à lui.

Le futur était si réel, qu'il avança la main, le touchant presque. Le vent froissa un rouleau de papier dans sa main, le dialogue échappé de la machine pendant les heures de la nuit.

Et sur ce futur radieux, s'étendait la menace de Kraken, ouillant tout sur son passage. Kraken, qui était le quatrième d'une dynastie, l'homme au visage blême et mou qui tenait le monde dans ses deux poings et ne voulait pas le libérer.

Steve se frotta la mâchoire. Il était là à haïr un type qu'il ne rencontrerait jamais. Il pouvait seulement le rencontrer indirectement. Au diable ! C'était la chose la plus fantastique qui soit. Lutter contre un homme, essayer de l'éliminer à travers tous ces siècles ! Qui aurait pensé qu'un pâle type comme lui aurait jamais eu la chance de sauver le monde ?

Ellen avait beaucoup raconté sur papier. Steve relut le texte du dialogue.

— Père et moi avons travaillé comme des fous sur la méthode dimensionnelle, parce qu'elle nous paraissait être la seule force assez puissante pour déraciner les fondements solides de la dictature de Kraken. Nous avons cherché à remonter le cours de l'histoire jusqu'au point le plus probable, le point critique où il serait le plus facile d'éliminer ses ancêtres. Kraken promulgua des lois interdisant la recherche sur le Temps, la redoutant avec juste raison. Il apprit ce que faisait mon père. Le jour où mon père fut assassiné, on m'emprisonna. Mais nos travaux étaient déjà terminés. J'emmenai ma machine à écrire dans ma cellule, soi-disant pour écrire mes mémoires.

Ici, interruption de Steve :

— Pourquoi une machine à écrire ?

Elle lui expliqua :

— Père voulait retourner lui-même au point critique pour être certain que les assassinats soient effectivement accomplis. Les expériences que nous avons faites avec des cobayes eurent des résultats plutôt... euh, disons désagréables. Quelques cobayes revinrent écorchés. Nous n'avons jamais découvert pourquoi Mais c'était comme ça. Pas tous. Certains revinrent incomplets sans têtes ou sans corps, et certains ne revinrent jamais. Nous ne pouvions donc pas prendre le risque de faire partir mon père Un « voyage » à travers le temps était impossible. Quelqu'un du Passé devait accomplir la tâche à notre place, en nous croyant sur parole, sans récompense.

— Un type du nom de Temple ?

— Oui. S'il peut le faire, s'il veut le faire et s'il est fermement convaincu que le futur en dépend. Etes-vous convaincu, Steve ?

— Je ne sais pas. Je crois bien que je le suis, mais...

— Nous avons essayé la transmission par radio, Steve. Il serait tellement plus facile de vous convaincre en parlant avec vous. Mais la quatrième dimension détruit les ondes hertziennes Il ne pouvait donc en être question. Le métal est plus résistant que la chair ou que les ondes, et c'est de cette constatation qu'est née la machine à écrire, robuste, solide et coulée dans des alliages spéciaux. La toute dernière méthode qu'il nous était possible d'utiliser, la meilleure ; finalement, nous sommes parvenus à entrer en contact avec vous et le temps est plus court pour nous tous.

Steve connaissait le reste par cœur. Cette machine était une réplique dimensionnelle de la sienne, automotrice et compacte

Puis elle reparla de Kraken. Le massacre d'innocents, l'esclavage de milliards d'êtres. Et les pages se terminaient par :

— Vous pouvez faire marcher les morts, Steve. Vous pouvez ressusciter mon père, tuer Kraken et me libérer de ma prison. Vous pouvez faire tout cela. Je dois m'arrêter maintenant. A la nuit prochaine…

Steve leva les yeux des feuilles de papier qu'il venait de replier et regarda le ciel, là où il aurait dû y avoir le palais d'un dictateur et Ellen tout en haut.

Mais il ne vit que des nuages.

« … faire marcher les morts. »

Il fit de l'auto-stop pour rentrer chez lui.

Faire marcher les morts. Oui. Tuer Kraken et automatiquement, un autre monde meilleur deviendrait réalité. Les gens que Kraken aurait tués, vivraient. Le père d'Ellen lui aussi reprendrait vie.

Les mondes des *si* probables. S'il se contentait de regarder la machine, sans la toucher, pour le restant de la semaine, Ellen Abbott serait mise à mort ; *s*'il tuait McCracken, elle vivrait.

Il y avait beaucoup de *si* dans la vie. Beaucoup de choses qu'il pourrait faire s'il choisissait de les faire. Il pourrait aller à New York, Chicago ou Seattle. Il pourrait vivre ou mourir de faim dans ces villes. Il avait le choix. Il pourrait commettre un meurtre, ou voler, ou se suicider. Choisir. Beaucoup de *si*. Chacun conduisant à une vie différente, une existence différente des autres, à partir du moment où l'on avait choisi.

Ainsi Ellen et Kraken n'étaient pas improbables. Ellen vivait dans le monde des *si* le plus probable. Elle continuerait à y vivre et serait exécutée la nuit de vendredi s'il n'éliminait pas quelqu'un de ce monde. *Si*. *Si*. *Si*.

S'il avait assez de cran. S'il réussissait. *Si* quelqu'un ne l'arrêtait pas. S'il était encore en vie. Le monde de demain était une juxtaposition d'alvéoles de probabilités attendant d'être comblées par la réalité, par des actions précises et choisies.

Ce soir-là, Ellen et lui parlèrent de musique et de peinture. Il apprit sa passion pour Beethoven, Debussy, Chopin, Gliere et quelqu'un appelé Mourdene né en 1987. Ses livres préférés étaient les œuvres de Dickens, Chaucer, Christopher Morley…

Ils ne mentionnèrent jamais le nom d'un homme appelé McCracken. Ni celui d'un autre, nommé Kraken.

A travers cet échange, Temple n'avait ni un corps ni une voix, rien en fait si ce n'était une chaude et vivante présence. Sa chambre était transformée par un certain contact, une certaine essence de son monde encore incréé. C'était comme un rayon de soleil descendant des hauts vitraux d'une cathédrale, lavant dans une lumière limpide la grisaille du monde de 1967.

On ne peut pas se sentir solitaire avec du soleil sur le visage et dans le cœur, et avec vos doigts travaillant sur une machine à l'unisson avec quelqu'un appelé Ellen Abbott, parlant de sociologie et de psychologie, de littérature, de sémantique et de tant d'autres sujets importants.

— Tout doit être bien clair pour vous, Steve. Si vous voulez croire dans mon monde tel qu'il est et tel qu'il sera lorsque vous l'aurez changé, vous devez tout savoir. Je ne m'attendais pas à ce que vous compreniez ou preniez une décision immédiatement. Ce serait aller à l'encontre de toute loi connue de la logique. J'ai misé sur vous.

Lorsque minuit arriva, ils étaient toujours en train d'échanger un monceau d'idées : modes, religions, croyances. Et même… amour.

— Désolée, tapa Ellen, il n'y a jamais eu de temps pour l'amour. J'ai été si occupée pendant tant d'années, courant de ville en ville, travaillant, encourageant mon père. A l'époque, je ne vivais que pour lui. Désolée. Si seulement j'en avais le temps…

— Vous aurez le temps, répondit Steve, tranquillement. Si ce que vous dites sur les futurs probables est une théorie valable, alors vous aurez tout le temps. Plus que vous ne pourrez en utiliser. J'y veillerai.

— Et si vous échouez ?

Il ne voulait pas penser à cette possibilité ; il ne voulait pas l'envisager.

La pièce lui parut soudain très silencieuse. Et, au milieu de ce silence, Steve entendit son cœur battre à un rythme accéléré. Il ne se souvint pas de l'avoir écrit, ses mains se déplacèrent à peine et la phrase fut là :

— J'aimerais — j'aimerais vous voir, Ellen. Juste une fois.

— Quel galant homme vous faites, Steve Temple. Le temps apporte peu de changements dans le domaine des sentiments. Attendez. Il y a un très faible champ énergétique autour de la machine. Appuyez vos doigts sur la machine, penchez-vous dessus et concentrez-vous. Peut-être que — pendant quelques secondes — nos images entreront en rapport. Rapprochez-vous, Steve...

Steve obéit immédiatement, avec dans son regard gris et morne quelque chose qui n'avait jamais été là auparavant. Quelque chose de chaud. Ses lèvres s'entrouvrirent, tendues par l'attente. Quelque chose explosa dans sa poitrine, l'empêchant de respirer.

Elle était là.

Un contour vague et vacillant, se précisant de plus en plus. Assise en face de lui. Séparée par cinq cents ans. Ses cheveux étaient pareils au soleil, ses yeux étaient graves et bleus sous la chevelure incandescente, et sa bouche rose s'ouvrit silencieusement pour former les mots « Bonjour, Steve ».

Comme ça.

Puis l'image s'évanouit et la chambre lui parut soudain très chaude, comme si une coulée d'acier l'entourait de toutes parts, et ils tapèrent à la machine encore un peu ; ses yeux étaient inondés de larmes, et ce fut tout pour cette nuit-là, elle était partie ; il resta là, regardant l'endroit où elle avait été et la chambre se refroidit très lentement.

Cette nuit-là, il fit des rêves avant de s'endormir.

Lui qui n'avait jamais rien chapardé de toute sa vie, il vola un revolver, un beau revolver paralysant bien poli, chez un armurier de la Neuvième Rue. Il lui fallut une demi-journée pour trouver le courage de se faire à cette idée, cinq minutes pour le vol et le reste de la journée pour essayer de se calmer et d'oublier.

Il arriva ainsi au jeudi soir et, à cinq cents ans de distance, une femme s'assit pour écrire ses mémoires.

Ils parlèrent de choses moins frivoles. Ils parlèrent de cette chose sombre qui l'attendait sous peu. Cette vision, cette unique matérialisation de son image, la nuit précédente, l'avait convaincu. Une personne aussi sereine, aussi douce, aussi droite dans sa beauté, une personne comme elle, eh bien, il pouvait accomplir un sacrifice pour elle.

Elle lui exposa le plan d'action en quelques lignes. Le lendemain soir, J.H. McCracken serait dans son bureau de Los Angeles, mettant au point quelques détails avant de s'envoler pour Washington. Il ne devait plus jamais quitter vivant le bureau. Son fils, qui l'accompagnait, ne devait pas quitter le bureau, non plus. Ils devaient mourir.

— Vous m'avez bien comprise, Steve ?

— Oui. J'ai le revolver.

— Y a-t-il quelque chose que vous n'avez pas compris ?

— Ellen, de temps à autre, j'ai des moments d'amnésie. Mon esprit vacille. La première nuit, j'ai dormi et lorsque je me suis réveillé, j'avais oublié. Au café aussi, il a fallu que je demande la date. Je ne veux pas vous oublier, Ellen. Pourquoi est-ce que ça arrive ?

— Oh, Steve, vous ne comprenez pas encore. Le Temps est une chose si étrange pour vous. Comme un brouillard se levant et s'épaississant selon le vent, le futur est façonné par les circonstances. Il y a deux Ellen Abbott et une seule connaît Steve Temple. Lorsqu'il arrive quelque chose qui menace ses chances d'exister, vous l'oubliez, naturellement. Votre contact, si minime soit-il, avec le Temps, suffit pour le faire vaciller. C'est pourquoi vous avez de brusques moments d'amnésie.

Il répéta :

— Je ne veux pas vous oublier. J'ai fait ce qu'il fallait, espérant que si je tuais Kraken indirectement, je sauverais votre vie, mais…

Elle lui expliqua la chose. Elle le fit si bien que ce fut comme un coup de sabot dans le ventre — le coup de sabot d'un mulet.

— Steve, si Kraken est éliminé, un monde nouveau et libre naîtra automatiquement. Les mêmes personnes y vivront, mais elles chanteront. Le nom de Kraken ne signifiera rien pour elles. Et les millions de gens qu'il a éliminés vivront de nouveau. Dans ce monde-là, il n'y aura pas de place pour le professeur Abbott et sa fille Ellen.

» Je ne me souviendrai pas de vous, Steve, je ne vous aurai jamais rencontré. Il n'y aurait plus de raison pour que je vous rencontre, Kraken disparu. J'oublierai que nous avons parlé ensemble tard dans la nuit ou que j'aie jamais rêvé de construire une machine à écrire. Et c'est comme ça que ce sera, demain soir, Steve, lorsque vous aurez tué J.H. McCracken.

Ces mots l'assommèrent.

— Mais… je croyais…

— Je n'ai pas cherché à vous tromper, Steve. Je croyais que vous vous rendriez compte que demain soir sera la fin, quoi qu'il arrive.

— J'espérais que vous parviendriez à trouver un moyen de me rejoindre en 1967 ou que vous m'aideriez, *MOI*, à rejoindre votre temps. Ses doigts tremblaient.

— Oh, Steve, Steve.

Il se sentit devenir malade. Sa gorge se serra. Il étouffait.

— Il se fait tard et le garde arrive pour le contrôle. Nous ferions mieux de nous dire notre dernier au revoir maintenant…

— Non, je vous en prie, Ellen. Attendez. Demain.

— Ce sera trop tard alors, si vous tuez McCracken.

— J'ai un plan. Ça marchera, je sais que ça marchera. Pour que je puisse parler avec vous juste une fois encore, Ellen. Juste une fois encore.

— D'accord. Je sais que c'est impossible, mais à demain soir. Bonne chance. Bonne chance et bonne nuit.

La machine s'arrêta.

Le silence saisit Steve. Il resta devant la table, hébété, vacillant sur la chaise, se moquant presque de lui-même.

Eh bien, il pouvait toujours retourner se promener dans le brouillard. Il y avait toujours beaucoup de brouillard. Il marchait à côté de vous, derrière vous, devant vous, et il ne parlait jamais. Il vous caressait de temps à autre le visage comme s'il comprenait. C'était tout. Il marcherait toute la nuit, retournerait chez lui, se déshabillerait dans le noir et entrerait au lit en priant pour qu'il ne se réveille jamais. Jamais.

« J'oublierai que nous avons parlé ensemble tard dans la nuit. Je ne me souviendrai pas de vous, Steve. »

L'après-midi du vendredi 14 janvier, Steve Temple glissa le revolver paralysant à l'intérieur de sa veste usée et remonta la fermeture éclair.

McCracken vivant, Ellen Abbott devait disparaître aujourd'hui : une chambre à gaz l'attendait.

Il lui faudrait tuer McCracken avec beaucoup de soin, afin de pouvoir parler encore une fois avec Ellen. Il devait entrer encore une fois en contact avec elle, avant que le Temps n'ait changé, se reformant pour l'Eternité, pour lui donner son message final. Il se le répéta encore une fois. Il savait exactement quels mots il dirait.

Il se mit en route, marchant d'un pas rapide.

Il avait l'impression que ce n'était pas son corps qui se déplaçait, mais celui de quelqu'un d'autre, comme lorsqu'on porte pour la première fois un nouveau costume, raide et bien ajusté, et trop chaud pour la saison ; c'était comme ça qu'il se sentait. Yeux, bouche, tous ses traits étaient tendus, il n'osait pas relâcher ses muscles. Une fois qu'il se serait laissé aller, tout s'effondrerait.

Il rejeta ses épaules en arrière, mouvement ignoré depuis des années, et transforma en poings des mains qui étaient retombées de désespoir depuis bien longtemps. Tenir un revolver, c'était presque retrouver un peu de respect de soi, en sachant qu'on allait changer le cours du Temps.

Il respirait à pleins poumons ; son cœur ne se contentait plus d'exister dans sa poitrine : il hurlait, prêt à exploser. Sous le ciel clair, il avançait d'un pas souple et élastique sur les trottoirs en béton. Il fut bientôt quatre heures de l'après-midi. Des bâtiments inconnus défilaient devant ses yeux qui enregistraient calmement les numéros. Il continua à marcher mécaniquement, sentant que s'il s'arrêtait il ne parviendrait plus à faire obéir ses jambes.

Voilà enfin la rue.

Il se sentit tout à coup triste à pleurer, son cerveau cognait contre les parois de son crâne ; sa gorge se contractait sous les nausées. Des larmes chaudes débordèrent presque de ses yeux, mais il parvint à les retenir. C'était un jour très calme et il n'y avait pas de vent, mais l'orage semblait planer dans l'air. Maintenant, rien ne devait arriver qui pût l'arrêter, pensa-t-il. Rien. Il tourna dans une ruelle, jusqu'à une porte de service qu'il ouvrit, et entra.

Il grimpa un escalier de service où le soleil, ses pieds qui raclaient doucement les marches et son cœur qui cognait dans sa poitrine étaient les seules réalités tangibles dans un cauchemar fou. Il ne rencontra personne. Il aurait voulu rencontrer quelqu'un, quelqu'un qui lui aurait dit qu'il ne s'agissait que d'une comédie, qu'il pouvait jeter le revolver et se réveiller. Personne ne l'arrêta. Il monta quatre longues volées de marches baignées de soleil.

Dans sa tête, son cerveau cherchait désespérément la voie de la raison. Pourtant, il devait agir. On ne peut pas laisser la même chose se répéter, comme Hitler. Hitler adolescent. Personne ne l'arrêtant ou remplissant son corps effroyable de plomb. McCracken... L'homme qu'il allait tuer avait l'air innocent. Tout le monde disait qu'il était un type bien. Ouais ! Mais ses fils, et leurs fils ?

Ellen. Ses lèvres remuèrent imperceptiblement. Ellen. Son cœur se serra. Ellen. Il fit avancer ses pieds. Et la porte fut là. En lettres d'argent :

*J.H. McCracken. U.S. Congressional Representative.*

Pâle et silencieux, Steve ouvrit la porte et regarda le jeune homme assis derrière un bureau de noyer décoloré. Un triangle de métal vert disait : *William McCracken.* Le fils du représentant.

Un visage carré étonné, une bouche découvrant des dents, des mains qui se levaient pour repousser l'inévitable.

Une pression du doigt. Le revolver dans la main de Steve ronronnait doucement, comme un chat endormi. Il l'arrêta. Le tout avait duré une seconde. Un souffle. Un battement de cœur. C'était très facile et très difficile de tuer un homme. Il réarma le revolver.

Du bureau voisin, une voix dit tranquillement :

— Oh, Will, veux-tu venir ici un instant. Je voudrais vérifier ces billets pour Washington.

Il est parfois difficile d'ouvrir une porte, même une porte qui n'est pas fermée à clef.

Cette voix ! Celle de J.H. McCracken, représentant fraîchement élu du peuple.

Encore plus tendu et encore plus silencieux, Steve ouvrit la seconde porte et cette fois, McCracken fut plus près de lui lorsqu'il dit :

— Es-tu parvenu à les avoir ? Pas de difficultés ?

Steve regarda le large dos de McCracken et répondit :

— Pas de difficultés.

McCracken, tenant un cigare allumé dans une main et un stylo dans l'autre, fit pivoter sa chaise et fit face au visiteur. Ses yeux étaient bleus et ne virent pas le revolver.

— Oh, bonjour, dit-il en souriant. Puis il vit le revolver et son sourire s'effaça.

Steve dit :

— Vous ne me connaissez pas. Vous ne savez pas pourquoi vous allez mourir, parce que vous avez toujours veillé à jouer loyalement le jeu. Vous n'avez jamais triché aux billes. Moi non plus. Mais ça ne signifie pas que quelqu'un d'autre ne trichera pas d'ici cinq cents ans. Le verdict du Temps vous trouve coupable. Dommage que vous n'ayez pas l'air d'un escroc, ce serait plus facile...

McCracken ouvrit la bouche, pensant qu'il pourrait raisonner l'intrus.

Le revolver chanta sa petite chanson. Pas trop de puissance, juste assez pour affaiblir les nerfs cardiaques. Il n'y eut plus de paroles. Se rapprochant, Steve, qui transpirait, laissa ronronner l'arme à mi-puissance. Puis, l'arrêtant, il se pencha, glissa les doigts sous le gilet gris. Le cœur battait toujours, imperceptiblement.

Il dit quelque chose de bizarre au corps :

— Ne mourrez pas encore. Faites-moi plaisir. Restez vivant jusqu'à ce que je puisse parler à Ellen encore une fois...

Puis il fut pris d'un tremblement si violent qu'il lui sembla que tout son corps allait se disloquer. Prêt à vomir, claquant des dents, le regard voilé, il laissa tomber le revolver, le ramassa et commença à s'inquiéter. Il lui fallait parvenir à temps à sa chambre, à sa machine à écrire et à Ellen.

Il fallait qu'il y arrive. Il parviendrait à tricher avec le futur. Il trouverait un moyen de garder Ellen. D'une façon ou d'une autre.

Il jugula sa peur, la comprima dans un coin de son être pour l'empêcher de prendre possession de lui. Ouvrant la porte, il se trouva nez à nez avec le personnel hébété et consterné de McCracken. Trois femmes, deux hommes venus dire au revoir et penchés au-dessus du corps du fils.

Temple rebroussa chemin ; la bouche pleine de salive, il sortit par une fenêtre donnant sur une échelle à incendie, referma la fenêtre derrière lui et se mit à descendre. Quelqu'un rouvrit la fenêtre au-dessus de lui et hurla. Quelqu'un se mit à descendre derrière lui. Leurs chaussures résonnaient avec un son métallique sur les barreaux de fer.

Sautant sur le sol, Steve courut vers le coin de la ruelle, arracha presque la portière du premier taxi qu'il rencontra, s'engouffra dedans en criant son adresse. Deux des hommes de McCracken tournèrent le coin de la ruelle en criant. Le taxi s'éloigna, souple et rapide.

Le conducteur n'avait rien entendu.

Temple se laissa tomber contre le dossier ; sa bouche était toujours pleine de salive qu'il ne parvenait pas à avaler, aussi il cracha. Il ne se sentait pas du tout comme un héros de roman. Il était glacé de peur et, recroquevillé sur lui-même, il se sentait tout petit. Il avait changé le futur. Personne ne le savait, si ce n'est lui et Ellen Abbott.

*Et elle oublierait.*

« Attends, Ellen. Attends-moi, s'il te plaît. »

C'est donc comme ça qu'on se sent quand on a sauvé le monde. L'intérieur noué en boule, des larmes brûlantes sur le visage et des mains qui tremblent violemment si on cesse d'agripper ses genoux. Ellen !

Le taxi freina brusquement devant son hôtel. Il sortit en

chancelant, bredouillant des propos sans queue ni tête. Il entendit le taximan vociférer derrière lui, mais il poursuivit sa course. Il entra, grimpa les escaliers quatre à quatre.

Il tourna la clef et resta là, craignant d'ouvrir la porte. Craignant de regarder dans la chambre. Le taximan montait les marches derrière lui, jurant. Et s'il était trop tard... ?

Retenant son souffle, Steve ouvrit la porte.

Elle était là ! La machine à écrire était toujours là !

Steve claqua la porte, la ferma à clef et se jeta en titubant sur la machine, hurlant et tapant à la fois.

— Ellen ! Ellen Abbott ! Ellen, je l'ai fait. C'est fini. Etes-vous encore là ?

Silence. Regardant la feuille blanche, horriblement blanche, son sang cognant dans ses veines à faire mal. Il lui sembla qu'un siècle s'était écoulé lorsque les touches de la machine se mirent enfin en mouvement, écrivant :

— Oh, Steve, vous avez réussi. Vous l'avez fait pour nous. Et je ne sais plus quoi dire. Et vous n'aurez même pas la récompense que vous méritez. Je ne peux même pas vous aider et je voudrais tant le faire. Les choses changent déjà, elles s'estompent et fondent comme des figurines de cire, emportées par le cours du Temps...

— Restez en contact encore un peu, Ellen, je vous en prie !

— Avant, nous avions tout le temps, Steve. Maintenant, je ne peux pas arrêter la matière et le Temps qui se transforment. C'est comme si l'on essayait d'attraper les étoiles.

Dans la rue baignée de soleil, une voiture freina. Des voix éclatèrent, une portière claqua. Les hommes de McCracken, venus chercher Steve Temple. Peut-être avec des revolvers...

— Ellen ! Une dernière chose. Ici, de mon temps, une de vos lointaines aïeules doit avoir vécu — quelque part ! Où, Ellen ?

— Ne vous faites pas mal, Steve. Vous ne comprenez donc pas. Ça ne sert à rien !

— Je vous en prie. Répondez-moi. Quelqu'un à qui je pourrais parler, quelqu'un que je pourrais voir. Répondez-moi. Où ?

— Cincinnati. Son nom était Helen Anson. Mais...

Des pas lourds résonnèrent dans le couloir de l'hôtel, des voix étouffées.

— L'adresse est 6987, rue C...

Puis leur temps fut presque épuisé. A l'autre bout de la ville, McCracken rendait doucement son dernier souffle de vie. Et ici, chaque battement de son cœur affaibli agissait sur Ellen et Steve Temple.

— Steve, Steve, je...

Alors, il lui transmit son dernier message. Ce qu'il avait voulu lui dire depuis si longtemps, du plus profond de son être. La porte tremblait sous la poussée de coups de poings et d'épaules pendant qu'il le transmettait, mais il le fit quand même, dans le désespoir des dernières secondes :

— Ellen ! Ellen ! Je vous aime. Ecoutez-moi, Ellen ! Je vous aime ! Ne partez pas maintenant. Ne partez pas !

Il continua à taper, répétant sans cesse le même message ; pleurant comme un enfant, sa gorge refusait de le laisser parler et il continuait à taper...

... Jusqu'à ce que les touches s'estompent, se dissolvent, s'évanouissent sous ses doigts, jusqu'à ce que la merveilleuse machine scintillante et dure ait disparu et que ses doigts tombent à travers le vide sur la table vide...

Et lorsqu'ils enfoncèrent la porte, il pleurait toujours...

# L'ŒIL AFFAME

**Robert Bloch**

Les gens de Chicago disent que si l'on reste assez longtemps au coin de la State et de la Madison Street, on verra défiler toutes les personnes du monde que l'on connaît. Cela paraît peut-être exagéré, mais c'est ce qu'ils disent.

J'habitais à Chicago depuis un bon moment, mais je n'avais jamais essayé de vérifier la chose et je n'avais aucune intention de le faire ce jour-là. D'ailleurs, je ne me tenais même pas au coin ; j'avais descendu la moitié de la State Street pour prendre le métro et c'est alors que je le vis. Un profil à peine entrevu, avec un nez cassé reconnaissable entre tous, se dessinant contre la vitrine d'un magasin ; même après cinq ans, c'était assez pour l'identifier instantanément. On n'oublie pas le visage de son unique frère, et Dieu sait pourtant si j'avais essayé de l'oublier au cours des dernières années.

Je fus d'abord tenté de poursuivre ma route sans lui parler. Mais il y avait quelque chose dans sa manière de se dépêcher, tête baissée, qui appelait une réaction de ma part. Presque inconsciemment, les mots s'échappèrent de ma bouche.

— George, criai-je, George, c'est moi.

Je pourrais jurer qu'il y avait un air de panique sur son visage.

Il se retourna, me regarda, me reconnut et porta la main à la bouche. Puis il se mit à courir. Il descendit la State Street comme un possédé.

Bien sûr, ce n'est pas ainsi que je vis la chose au moment même. Plus personne n'utilise des mots comme « possédé ». Possédé par quoi ? Il n'y a plus de démons au vingtième siècle, tout le monde le sait. Plus de démons, plus de diables, plus d'esprits maléfiques. Nous vivons à une époque éclairée, dans un monde sensé et prosaïque de chambres à gaz, de fours crématoires, de massacres de masses, d'appareils de torture scientifiques et de bombes à hydrogène. Mais tout a une explication parfaitement logique et la cruauté d'un homme envers ses semblables n'est jamais due à une possession diabolique.

Aussi, mon frère George, quel que fût son problème, n'était manifestement pas « possédé ». Il était tout simplement ce qu'on appelle un cinglé. Et s'il s'était enfui comme ça, c'était parce qu'il était malade, malade, malade.

« Malade, malade, malade. » J'envisageai pendant un instant de le suivre, mais la foule était trop dense. D'ailleurs, pourquoi l'aurais-je fait ? Je ne l'avais pas vu depuis plus de cinq ans et lorsqu'il était parti, j'avais été content d'être débarrassé de lui. Il était clair qu'il ne voulait pas me voir maintenant. Je fus néanmoins étonné d'être tombé sur lui à Chicago. Nous nous étions séparés à Boston. Il y avait peu de chances, dans une ville de quatre millions d'habitants, que je le rencontre encore. S'il voulait me voir, rien ne lui était plus facile. Il trouverait mon nom dans les journaux, dans les petites annonces à la page des spectacles. Il pouvait venir au Club et me voir sur scène.

Je passais au Club toutes les nuits. Le Club était dans la North Clark ; c'était un attrape-nigaud pareil à des centaines d'autres boîtes dans tout le pays et mon numéro était pareil à des centaines d'autres répertoires. Un truc à la Mort Sahl, vous voyez ? Chaque semaine, vous lisez le *Reporter* puis vous apprenez par cœur quelques bons mots inspirés par les bonzes et autres trucs bourgeois qui y figurent. Vous aviez alors des plaisanteries sur Johnson et des plaisanteries sur le spoutnik, des plaisanteries sur la General Motors et des plaisanteries sur le jazz d'avant-garde, des plaisanteries sur Zsa Zsa Gabor et des plaisanteries sur l'armée, des plaisanteries sur l'Intimité avec un grand I et des plaisanteries sur les courses automobiles, des plaisanteries sur la T.V. et des plaisanteries sur la drogue et, si le public était hippy, vous aviez même quelques plaisanteries sur le Zen. Le banal répertoire d'inspiration beatnik, quoi, mais c'est ce qui prend cette saison-ci. Et par-dessus tout, vous aviez bien sûr des plaisanteries sur les maladies nerveuses. L'époque est bien révolue où Will Rogers pouvait, en parlant d'une visite au Congrès, faire crouler une salle de rire. De nos jours, tout comique qui se respecte doit parler d'une visite à son psychiatre.

En fait, je ne suis jamais allé chez un de ces coupeurs de cheveux en quatre, mais peut-être que j'aurais dû. Parce que je détestais mon numéro. Et je détestais mon public — un groupe *in* de non-conformistes nerveux, si sophistiqués, si empruntés, si pleins d'assurance, esprits supérieurs et libres enchaînés par la nécessité irresponsable de satisfaire leurs propres désirs égoïstes : boire, se droguer, s'adonner à la débauche tout en évitant les conséquences de leurs actes ; en d'autres mots, les mêmes désirs que ceux que l'on peut rencontrer chez n'importe quel routier, la seule différence étant en faveur des routiers. Eux, au moins, satisfont leurs désirs sans se chercher des motivations philosophiques. Ils ne s'attendent pas à ce qu'on écrive des livres proclamant que leurs activités antisociales sont, en fait, l'expression spirituelle d'une sensibilité intérieure à la recherche de la vérité. Si un routier se saoule et ramasse une fille, abuse d'elle puis l'abandonne sur la route, c'est comme ça et puis c'est tout. Mais les Beatniks, ou les centaines de milliers de pseudo-Beatniks qui se cachent derrière des barbes, prétendent être sur *la* Voie. Et ils aiment boire, racoler des filles et s'en payer une bonne dans de minables boîtes qui engagent des comédiens comme moi, lesquels flattent l'*ego* déformé de ces messieurs en faisant de mauvaises plaisanteries sur les bourgeois.

Oui, je détestais mon numéro. Mais ça payait. Cela me rapportait deux billets par semaine, et surtout j'avais Lucy.

Nous étions mariés depuis un peu plus de quatre mois et nous habitions un appartement pas trop loin du Club. Oui, c'était un appartement, un appartement à l'ancienne mode avec des meubles de chez Kroehler et des reproductions d'Audobon sur les murs. Ce n'était pas un studio où l'on s'assoit par terre pour battre la mesure et où il faut marcher tête baissée si on ne veut pas être scalpé par l'arête tranchante d'un de ces foutus mobiles.

Lucy n'avait rien d'un Beatnik et c'est pour ça que je l'aimais. Elle préparait une licence à l'université de Californie quand je l'avais rencontrée, et elle travaille chez un avocat maintenant ; quand elle rentre à la maison, elle met un tablier et cuit un vrai dîner au lieu de sautiller partout dans un collant sale en ouvrant une boîte de conserves.

J'avais hâte de rentrer chez nous. Dans le métro, j'oubliai progressivement mon frère George. Il était l'un d'eux, un des Beatniks. Bien sûr, il était né quelques années trop tôt pour pouvoir se considérer comme un membre de la *Beat Generation*. Il n'avait pas eu la chance de vivre sa jeunesse à l'époque des motivations pseudo-psychologiques. De son temps, les gens comme George étaient catalogués tout simplement comme des égoïstes peu recommandables. S'ils mentaient, volaient, trichaient et accumulaient les dettes, bâclaient leur travail et foutaient le camp quand les parents de l'une ou l'autre fille menaçaient de faire un esclandre, ils avaient mauvaise réputation. Lorsqu'on les aimait, on essayait de les aider. On faisait de son mieux pour les tirer du pétrin, on faisait de son mieux pour les raisonner et puis, quand on se rendait compte que cela ne servait à rien, on poussait un soupir de regret mêlé de soulagement quand, finalement, ils partaient pour de bon.

C'est ce que j'avais fait. Je poussai un autre soupir maintenant et me mis à penser à Lucy. Elle serait de retour à la maison, en train de m'attendre.

Je ne m'étais pas trompé. Elle se jeta dans mes bras dès que j'eus ouvert la porte et j'oubliai tout le reste : les réflexions morales, le pharisaïsme idiot et les soucis sous-jacents. Il n'y eut plus que cette chaleur, cette richesse, cette émotion, jusqu'à ce qu'elle reculât et me tendît le journal.

— Tiens, chéri dit-elle, lis ça.

*Ça*, c'était un reportage sur une colonne en première page et j'y jetai rapidement un coup d'œil. Lucy avait l'habitude d'attirer mon attention sur des articles de journaux qui pourraient servir de base à l'un ou l'autre gag pour mon répertoire, mais celui-ci ne m'inspirait pas particulièrement.

Un meurtre avait été commis le matin même dans le sous-sol de la vieille résidence des Harvey, dans le South Side. Feu Chandler Harvey, riche collectionneur d'objets d'art orientaux, avait légué ses acquisitions au Chicago Art Institute. Ayant été avisé de la liquidation de la succession, l'Institut avait envoyé deux gardiens pour cataloguer et emballer la collection sous la surveillance de l'orientaliste Wilmer Shotwell. En attendant l'arrivée de Shotwell, les deux hommes étaient descendus au sous-sol de la résidence des Harvey où se trouvait la collection. C'est là que Shotwell découvrit le corps de l'un d'eux, vers 12 h 15 : il s'agissait de Raymond Brice, quarante et un ans, domicilié 2319 Sunview Avenue. Il avait manifestement été tué d'un coup à la tête, assené au moyen d'une lourde statuette de pierre. La police recherchait activement l'autre gardien, un dénommé George Larson, trente-trois ans, de...

*Mon frère George.*

Lucy me regarda.

— Je ne me trompais pas, n'est-ce pas ? murmura-t-elle.

— Non.

— Bien sûr, c'est un nom assez courant. Ça pourrait être un autre George Larson.

Je soupirai.

— Ça pourrait, mais il s'agit bien de lui.

— Qu'est-ce qui t'autorise à le croire ?

— Parce que je l'ai vu, il y a moins d'une heure. Il était en ville, dans la State Street, et lorsque je l'ai reconnu et appelé, il s'est enfui.

— Oh, Dave, que vas-tu faire ?

Je haussai les épaules.

— Que puis-je faire ? Je ne sais pas où il est maintenant — certainement pas dans l'hôtel pouilleux qu'indique le journal. Peut-être est-il parvenu à quitter la ville. C'est ce que j'espère, en tout cas.

— Malgré tout ce qu'il t'a fait ?

J'avais évidemment parlé de George à Lucy.

— Oui. Tout ça, c'est du passé. D'ailleurs, je ne suis pas sûr qu'il soit coupable.

— Mais le journal dit...

— Je sais ce que dit le journal et ce que dit la police. Ils trouvent un corps, George a disparu et ils en déduisent automatiquement qu'il doit être coupable. Mais George est mon frère. Je le connais mieux qu'eux. C'est un minable et un chapardeur, et je ne lui confierais pas mon portefeuille ou ma femme. Mais je ne le vois pas tuer quelqu'un : il n'a rien d'un assassin. George n'est pas un violent.

— Comment peux-tu le savoir. Lucy mit les mains sur mes épaules. — Comment peux-tu savoir ce qu'il faut pour faire un assassin ?

— Je n'en ai aucune idée. Simplement, je ne peux pas imaginer George faire un coup pareil !

— Tu l'aimes quand même beaucoup, n'est-ce pas, malgré tout ce qu'il t'a fait !

Je froissai le journal. M... ! Si seulement il s'était arrêté lorsque je l'avais appelé, j'aurais pu l'aider !

— Tu as l'air tout bouleversé, dit Lucy. Tu ferais peut-être mieux de téléphoner au Club pour dire que tu ne peux pas passer ce soir.

Je secouai la tête.

— Ça ne servirait à rien. Nous ferions mieux de ne plus y penser jusqu'à ce que nous ayons davantage de renseignements. Nous ne sommes pas encore dans l'annuaire du téléphone, donc George ne cherchera pas à nous contacter ici. Et je doute que la police ou quelqu'un d'autre sache qu'il est mon frère. Alors, toi, va bien tranquillement à ton cours du soir ; moi, j'irai au Club. C'est le cas ou jamais de dire que le spectacle continue.

Et il continua en effet, au Club, aux environs de dix heures. J'étais là, sur scène, micro en main, quand je vis entrer George. Il portait toujours le même costume que celui que je lui avais vu au cours de l'après-midi, mais son col était défait et il n'avait plus de cravate. Ses cheveux lui pendaient sur le front. Il était saoul.

Ce n'était pas le col ouvert ou les mèches de cheveux sur le front qui m'en convainquirent. C'était la façon dont il se laissa tomber derrière une table, dans le fond de la salle, et se mit à parler à son ours rose.

Eh oui ! Il avait un ours rose, le genre de jouet qu'on gagne à la foire. Que vous gagnez peut-être à la foire, mais pas moi. Ce n'est pas moi qu'on attraperait à la foire. Et c'est peut-être ça que George avait pensé. Il ne voulait pas être pris et la meilleure façon de disparaître était de se mêler à la foule. Mais il était toujours aussi nerveux et il s'était mis à boire ; quand il avait eu assez ingurgité, il s'était rendu compte qu'il avait besoin d'aide. Alors, il s'était souvenu d'avoir vu mon nom dans les annonces publicitaires du Club et il était venu ici, pour me voir.

J'allai le trouver dès que j'eus terminé mon tour. Je me dirigeai vers le coin où il marmonnait quelque chose à cet ours rose. Un truc idiot — ou peut-être pas, après tout ? Il ressemblait à n'importe quel ivrogne et peut-être était-ce malin de sa part d'utiliser un ours rose comme couverture. Il y avait tout de même une qualité qu'il fallait reconnaître à George, c'est que, saoul ou non, il était toujours très malin, ça, j'en mettrais ma main au feu.

Seulement, il n'avait pas l'air malin cette fois-ci. Il paraissait effrayé.

— Davie ! Ça fait du bien de te voir.

Je pris une chaise.

— Ce n'est pas ce que tu pensais cet après-midi, dans la State Street.

— J'étais pressé.

— Je sais. J'ai lu les journaux.

— Mais tu ne comprends pas…

— Ça oui, tu peux le dire.

— Je dois te parler en tête à tête. Dave, il y a quelque chose que je dois te dire. Je vais avoir besoin d'aide. Je n'ai jamais été dans un pétrin pareil.

— Tu parles du gardien ?

Il tourna la tête puis se pencha en avant.

— Non, c'est pas ça. Le gardien n'a pas d'importance. Il y a autre chose, quelque chose de pire. Quelque chose...

— Ferme-la, lui dis-je. On ne peut pas causer ici et je ne peux pas partir maintenant. Je dois encore passer à minuit ; après ça, l'orchestre prend la relève. Reste ici jusqu'à ce que j'aie terminé, puis nous irons parler quelque part ailleurs.

— Mais je ne peux pas attendre aussi longtemps.

Il s'accrocha à mon bras. — Dave, je ne peux pas rester seul. Tu ne vois pas ? Si je ne parle pas à quelqu'un assez rapidement, je vais craquer...

— Parle à ton copain ici, dis-je en montrant du doigt l'ours rose. Bois encore un coup. Mais attends-moi ici. Je reviendrai le plus vite possible.

Toute expression avait quitté ses yeux qui se mirent à ressembler aux boutons bruns qui figuraient sur le visage de l'ours. Il fixa le jouet ridicule et il le fixait toujours bien après que j'eus quitté la table. Il n'avait pas menti : il était prêt à craquer. A débloquer, à perdre les pédales, appelez ça comme vous voulez.

Du coin de l'œil, je vis Sarah quitter le bar. La grosse Sarah, rembourrée aux bons endroits. Sarah ! Elle portait de longues boucles d'oreille avec des reflets de cuivre assortis à ceux de ses cheveux et j'étais absolument certain qu'elle les avait fabriquées elle-même. Parce que Sarah était une artiste et elle aimait faire des choses. Y compris faire des scènes affreuses à de beaux jeunes gens. Parfois, lorsqu'elle était un peu partie, même les hommes pouvaient être affreux.

Mais Sarah était une artiste et elle avait l'œil d'une artiste. Cet œil, était peut-être un peu injecté maintenant, mais il semblait avoir repéré l'ours rose. Car je la vis se diriger vers mon frère George et se mettre à lui parler. A la fin du gag que j'étais en train de débiter, elle était déjà assise près de lui. Et pendant mon numéro suivant, la serveuse leur apporta à boire. Sarah déployait manifestement toutes ses batteries.

Eh bien, peut-être que c'était mieux ainsi. Elle tiendrait compagnie à George jusqu'à ce que je puisse le rejoindre. Elle savait comment faire rire et c'était justement de ça qu'il avait besoin pour tenir le coup jusqu'à mon arrivée. Mais j'aurais préféré qu'ils boivent un peu moins. La serveuse avait déjà apporté une nouvelle tournée — des doubles, cette fois.

J'aurais bien voulu écourter mon numéro, mais j'avais la salle pour moi et dans le coin, je pouvais voir Paul, l'imprésario. Il souriait et je lui souris en retour. J'avais besoin de Paul. C'était le type qui pouvait me sortir de ce trou, me trouver une meilleure place, peut-être en ville. Donc ce n'était pas le moment de couper court. Il fallait continuer.

Mais Sarah et George continuaient eux aussi. Je vis la serveuse se diriger encore une fois vers leur table. Ils buvaient maintenant à la santé de l'ours en peluche. Sarah le tenait sur ses genoux. Elle dit quelque chose à George et rit.

Je quittai enfin la scène et me précipitai vers la table de George. Ou du moins vers ce qui avait été la table de George. Car George était parti. Lui, Sarah et l'ours rose avaient disparu. Je n'avais pas besoin d'un cours par correspondance pour détectives pour deviner où ils devaient se trouver. Sarah avait un studio un peu plus loin. L'endroit idéal pour un ménage à trois. Peut-être avait-elle un faible pour les ours.

Si j'avais pu partir à ce moment-là, je serais allé voir. Mais je ne pouvais pas partir ; il me fallait remonter sur scène dans une quarantaine de minutes. Pour la dernière fois de la soirée. Après ça, je pourrais partir. George serait toujours là si Sarah avait obtenu ce qu'elle voulait. Et c'était généralement le cas. George n'était d'ailleurs pas en état de lui opposer beaucoup de résistance.

C'était peut-être mieux ainsi. Au moins, il était loin des regards de la foule. Mais moi pas, pas jusqu'à la fin du dernier numéro. Et pour pouvoir le faire, j'avais besoin d'un petit remontant.

Je me dirigeai vers le bar, cherchant Paul des yeux. Il était près de la porte en train de parler à un homme aux cheveux gris qui venait juste d'entrer. Je lui fis signe de la tête et il me répondit. Puis il se tourna vers son compagnon et lui dit quelque chose. Je crus qu'il allait le quitter et fus étonné de voir que c'était au contraire l'homme aux cheveux gris qui s'avançait vers moi. Il s'arrêta devant moi.

— Monsieur Larson ?

— Oui ?

— Je suis le docteur Shotwell.

Shotwell ? Où avais-je entendu ce nom ? Puis je me souvins : l'article du journal. Wilmer Shotwell, l'orientaliste qui s'occupait de la collection Harvey. Mon frère et l'autre gardien l'attendaient lorsque le meurtre avait eu lieu. Donc, il devait connaître George. Et il était venu me trouver. Savait-il que George était ici tout à l'heure ? Paul m'avait-il vu en train de parler à mon frère ?

Il me fallait jouer serré. Dans un cas comme celui-ci, l'attaque est généralement la meilleure défense. Aussi, je me tournai vers Shotwell et approuvai de la tête.

— Oui. J'ai lu votre nom dans le journal de ce soir. Avez-vous retrouvé mon frère ?

— J'espérais que vous pourriez répondre à cette question, monsieur Larson.

— Mon frère et moi n'avons plus eu aucun contact depuis plus de cinq ans. Ce n'est qu'aujourd'hui que j'ai appris qu'il était à Chicago. Je me tus, mais pas assez longtemps pour qu'il puisse poser des questions. Bien au contraire, je lui lançai : — Comment avez-vous su qu'il était mon frère ?

— J'ai fait quelques vérifications. Il semble qu'il ait donné votre nom comme référence lorsqu'il a sollicité le poste de gardien temporaire à l'institut il y a plusieurs mois.

Si Shotwell avait vérifié, la police ferait évidemment la même chose. Peut-être valait-il mieux que George soit parti avec Sarah. Ça m'éviterait beaucoup d'explications.

— Il ne m'en a jamais parlé, dis-je. Je ne crois malheureusement pas pouvoir vous aider en quoi que ce soit.

— Ce n'est pas pour cela que je suis venu, répondit le docteur Shotwell. Je voulais vous prévenir.

— Au sujet de George ? Il n'est pas dangereux. Et quoi que les journaux puissent dire, je ne peux croire qu'il a tué cet homme.

— Moi bien. Et il est fort probable qu'il recommencera.

— Mais pourquoi ? Parce qu'il peut s'être disputé avec son compagnon et qu'il l'a peut-être frappé dans un moment de colère...

Le docteur Shotwell secoua la tête.

— C'est ce que croit la police. Je sais qu'elle se fourvoie, mais je n'ai pas cherché à la détromper. Il vaut mieux qu'elle ne soit pas au courant.

— De quoi ?

— Monsieur Larson, je connaissais très bien Chandler Harvey. C'était un collectionneur insatiable d'objets d'art et de curiosités. Il achetait à des ventes publiques, il achetait chez des marchands, il achetait par l'intermédiaire d'agents, il dépensait une fortune à acquérir des objets rares. En tant qu'orientaliste, je n'ai aidé à cataloguer qu'une infime partie de son trésor ; car c'était bien d'un trésor qu'il s'agissait, surtout à son estime. Collectionner peut devenir une forme de monomanie, principalement dans le cas d'un homme riche qui arrive au point où il ne sait plus ce qu'il a acheté. Il ne connaissait pas l'étendue de ce qu'il possédait. De la poterie, des sculptures, des bas-reliefs, des bijoux du monde entier et de mondes inconnus.

— De mondes inconnus ?

Shotwell se pencha en avant.

— Savez-vous quelque chose sur les météorites ?

— Un petit peu, oui.

— Bon, ça m'évitera de vous faire un cours. Disons simplement que j'ai des raisons de croire qu'il existe un grand nombre de phénomènes étranges encore inexpliqués, lesquels se rattachent à ces fragments qui nous viennent de l'espace. Il y a les australites, par exemple, qui semblent tomber régulièrement dans des régions bien déterminées de la surface du globe, presque comme si on les envoyait. Ou comme s'ils cherchaient...

— Cherchaient ? Vous parlez comme s'ils étaient vivants.

— Est-il tellement impossible de croire qu'il existe d'autres formes de vie dans l'univers que les formes animales et végétales ? La vie minérale est-elle un concept tellement impensable ? Quelle est la différence entre vie et existence ? Quelles lois régissent l'évolution ? Comment pouvons-nous reconnaître une vie quand nous la voyons ? Il est des êtres vivants dont le squelette pousse à l'extérieur de leur corps, il y a le mystère de la réincarnation et de la métamorphose de la larve en papillon. Qu'est-ce qui fait repousser un ongle, comment expliquez-vous la croissance d'un seul cheveu sur votre corps, quel est le dénominateur commun entre un brin d'herbe et un séquoia géant ? Shotwell s'interrompit et sourit d'un air un peu gêné. Mais j'avais dit que je ne vous ferais pas tout un cours, n'est-ce pas ? Aussi n'est-ce pas ce que je vais faire. Tout ce que je dois vous dire, c'est que je pense que dans la collection de Chandler Harvey, il devait y avoir un météorite assez particulier, un objet ancien, semblable à un bijou et qui, dans un certain sens, est vivant. Et je crois que votre frère doit l'avoir trouvé aujourd'hui.

— Essayez-vous de me dire qu'il a cru que c'était un bijou, a été vu en train de le voler par l'autre gardien et a tué celui-ci ?

— Peut-être bien.

— Alors, pourquoi venir me trouver, moi ? Pourquoi ne pas en parler à la police ?

— Parce qu'on ne me croirait pas. Et les policiers ne prendraient pas les précautions nécessaires avec le météorite s'ils le retrouvaient.

— Précautions ?

Shotwell soupira.

— Avez-vous entendu parler des pierres précieuses qui semblent maudites, qui amènent mort et violence à leurs propriétaires ou à toute personne qui est en contact avec elles assez longtemps ? Avez-vous entendu parler de ces idoles qui ont des pierres précieuses en guise d'yeux et devant lesquelles des sacrifices sanglants sont perpétrés ? Vous êtes-vous jamais demandé pourquoi certains grands meurtriers de l'histoire portaient des pierres porte-bonheur sur eux ?

Je le regardai d'un air ébahi.

— Vous voulez dire que vous croyez que ce météorite possède une certaine intelligence qui amène les hommes à tuer ? Mais pourquoi ?

— Certaines entités vivantes ont besoin d'air pour subsister, d'autres de soleil, d'autres de chair. Il en est qui ont besoin d'eau — et d'autres de sang. Shotwell fit une grimace. En vérité, je ne sais pas grand-chose à cet égard. J'ai pu reconstituer l'histoire de ce fragment de météorite pendant une cinquantaine d'années seulement. A l'époque, il se trouvait à Saint-Pétersbourg, entre les mains de Grigori Iefimovitch, le petit moine, que l'histoire connaît sous le nom de Raspoutine. Le météorite avait déjà été artificiellement taillé et poli alors, mais ce n'était peut-être pas encore le cas lorsque Raspoutine l'avait acquis pendant ses années d'exil en Sibérie. Il y a eu beaucoup de chutes de météorites dans cette région, vous savez. On dit que Raspoutine utilisait plusieurs bijoux comme agents hypnotiques...

Je me levai.

— Vraiment, docteur Shotwell, je ne vois pas ce que vous gagnez à me raconter tout ceci.

— Il n'est pas question de gagner quelque chose. Je suis venu vous trouver pour une unique raison. Si votre frère cherche à vous contacter, essayez d'entrer en possession du météorite. Ne le remettez pas aux autorités ; prévenez-moi immédiatement. Voici ma carte.

Quelqu'un me frappa sur l'épaule. C'était Lew Kirby, le chef d'orchestre du Club.

— Encore deux minutes, vieux, dit-il.

J'acquiesçai de la tête.

— Je dois filer, maintenant, dis-je à Shotwell. Vous avez entendu ce qu'il a dit.

— Oui, mais si jamais il arrivait quelque chose ?

— O.K. ! Je vous préviendrai.

Et je m'éloignai. Le vieux truc ! C'est comme ça qu'il convient de se débarrasser des cinglés. Et Shotwell était un cinglé de la première heure. Si seulement il était resté là où il était, dans son monde de météorites vivants et de vies inconnues !

L'ennui, c'est qu'il n'y était pas resté, dans son petit univers fantastique. Et je ne pouvais pas me débarrasser de ce qu'il m'avait dit. Il partit immédiatement et moi, je retournai sur scène, mais toute cette histoire idiote continuait à me trotter dans la tête.

Qu'est-ce qu'il avait bien voulu dire en réalité ? Que des entités étranges existent peut-être dans l'espace et arrivent parfois à atterrir sur notre globe ; qu'elles ont besoin de sang pour subsister et qu'elles influencent les hommes afin de s'en procurer ; qu'une de ces entités se trouvait dans la collection Harvey ; que mon frère était tombé dessus aujourd'hui ; qu'il l'avait volée et avait tué un gardien ?

Ça ne tenait pas debout. D'ailleurs, George n'avait pas versé de sang ; il avait frappé l'autre gardien avec une statuette et s'était enfui. Il devait s'agir d'un bijou : il l'avait vu et n'avait pu s'empêcher de s'en emparer ; son compagnon l'avait vu faire et était intervenu. George avait paniqué et l'avait frappé avec la statuette de pierre. Et, dans ce cas, Shotwell avait inventé son histoire de toutes pièces. Il savait que je ne répéterais jamais une chose pareille à qui que ce soit, mais en même temps il me transmettait le message. George avait un bijou et Shotwell voulait probablement s'en emparer, lui. Je devais servir d'homme de paille, prendre l'objet à George et le remettre à Shotwell. Pas étonnant que celui-ci n'ait pas voulu faire du bruit — si le bijou avait de la valeur. Shotwell pouvait donc s'en emparer en toute tranquillité, si personne d'autre ne savait qu'il figurait dans la collection.

Ça m'avait l'air beaucoup plus plausible. C'était le genre d'histoire qui pouvait se passer dans mon petit monde — le monde du Club où chacun ne pense qu'à deux choses, l'argent et le plaisir. Et il n'y a pas de mystères, seulement des psychoses et des névroses qui naissent lorsque les gens sont frustrés dans leur recherche d'argent et de plaisir.

Et pour le moment, ces gens étaient en train de dépenser leur argent assis devant de petites tables ; alors, c'était à moi de leur procurer du plaisir. C'est ce que je fis. Je leur débitai toute ma tirade, leur sortis le boniment du genre vous-et-moi-savons-de-quoi-nous-parlons, chaque plaisanterie les confirmant dans la certitude qu'ils étaient des êtres intelligents, infaillibles et supérieurs dans un monde de conformistes stupides.

Enfin le rideau tomba. Je saluai, m'éclipsai et quittai le Club. Je savais où j'allais maintenant, où je devais aller. Le studio de Sarah était dans la même rue. J'y trouverais George et aurais une explication avec lui. Je lui demanderais de m'exposer toute l'affaire. S'il avait encore la cuite, je veillerais à ce qu'il se dessoûle afin d'être en état de voyager. Mais surtout, il fallait que je lui fasse quitter le studio.

La porte d'entrée de l'immeuble était ouverte, comme toujours, aussi bien de jour que de nuit. Et la lumière, comme d'habitude, ne fonctionnait pas dans la cage d'escalier. Arrivé au quatrième étage, je pouvais voir une lumière tamisée filtrer sous la porte du studio. Cette porte-là non plus n'était jamais fermée à clef.

Je suppose que j'aurais pu frapper. C'était ce qu'il fallait faire, vu les circonstances. Mais les circonstances actuelles étaient telles que j'oubliai de me conduire en galant homme.

Il était passé minuit, le couloir était sombre et la terreur m'avait gagné pendant que je montais les escaliers. La terreur m'avait gagné parce que, là, dans l'obscurité, il était difficile de se souvenir de mots comme fantaisie et hallucination, maladie mentale ou autres dénominations savantes que nous utilisons pour essayer d'expliquer et d'anéantir nos terreurs secrètes. Et c'était si difficile de ne pas se laisser dominer par le souvenir et la menace ataviques du mythe — une vie hostile et inconnue surgissant des profondeurs de la Terre ou fondant sur nous des espaces stellaires, une vie qui se repaissait de nous, s'accrochait à nous pour puiser sa nourriture en nous par une myriade de bouches monstrueuses.

Alors, je n'ai pas frappé. Je suis entré directement dans le studio. Et Sarah ne s'en formalisa pas. Elle resta bien tranquillement devant le grand chevalet et elle continua à peindre.

Elle peignait manifestement depuis un moment déjà et je ne pense pas qu'elle s'était seulement rendu compte qu'il y avait quelqu'un d'autre dans la pièce. Peut-être qu'elle ne se rendrait plus jamais compte de la présence de quelqu'un. Non qu'elle fût ivre, ou dans un état de choc. Ses gestes étaient les gestes raides et saccadés du premier stade de la catalepsie (comme les mots viennent facilement et comme ils expliquent en fait très peu de chose !) et ses yeux fixaient la toile avec une concentration vitreuse.

Elle peignait l'ours rose, bien sûr, mais elle n'avait pas pris la peine de le prendre pour modèle. Son ours à elle était immense, il avait été esquissé à grands traits et couvrait toute la toile ; ses contours avaient été grotesquement déformés. Ce n'était pas du cubisme ou du surréalisme, ni rien d'abstrait d'ailleurs. Elle avait simplement apporté quelques additions et modifications, et l'ours était maintenant un monstre difforme avec un seul et unique œil, effroyable mutation d'un ours en peluche en un cyclope. Et ce n'était plus un ours rose. Il était rouge et visqueux, et d'épaisses plaques de peinture s'étaient déjà figées en masses sombres.

De temps à autre, Sarah se penchait sur le divan pour tremper ses pinceaux dans la couleur et je regardai sa palette.

Sa palette était le corps de mon frère George étendu sur le divan, ses bras sans vie tenant toujours l'ours rose contre sa poitrine. Il avait été ouvert de la poitrine au bas-ventre à l'aide d'une amassette, et Sarah trempait son pinceau dans la blessure, elle trempait son pinceau dans le sang et les entrailles de mon frère, et le monstre qu'elle peignait était plein de vie, de sa vie à lui...

J'aurais bien hurlé. J'aurais pu hurler, la frapper et courir chercher de l'aide. Mais à présent, il n'y avait plus rien à faire. George était mort et elle était possédée. Non pas psychopathe, mais possédée. Forcée de faire ce qu'elle devait faire ; « choquée » par le meurtre jusqu'à en perdre la raison, son subconscient rationnel avait fusionné avec un phénomène de catharsis et elle était retournée à son art. Elle rachetait son crime en peignant un portrait symbolique du criminel.

Aussi, je ne poussai pas un cri. Je me rendais compte maintenant que ce que Shotwell avait essayé de me faire comprendre devait être vrai. *Il y a plus de choses dans le ciel et sur la Terre...*

Il y a plus de choses qui viennent *sur la Terre,* en provenance du ciel ou d'un enfer inconnu inconcevable. George était tombé sur l'une de ces choses et avait tué. Il l'avait apportée à Sarah et, à son tour, elle avait tué. Et cela continuerait sans fin, à moins que je n'intervienne à temps.

J'intervins donc. Je m'approchai du cadavre et pris l'ours rose. Elle ne m'entendit pas, ne me vit pas. Elle peignait la bouche du monstre. Une bouche affamée qui béait sous le regard fixe de l'œil affamé.

Je m'emparai de l'ours puis je fis demi-tour et m'enfuis du studio. Mes pas cognaient contre les marches et l'ours cognait contre ma poitrine. Il cognait et recognait, je pouvais l'entendre, je pouvais le sentir battre contre ma poitrine tout le temps que dura le trajet jusqu'à la maison. Ce n'était pas très long. Il faisait très sombre à présent et les rues étaient désertes. N'importe quoi peut arriver dans une rue déserte, la nuit, vous savez, même dans une grande ville. Un vampire peut sortir d'une bouche d'égout. Un cadavre boursouflé peut émerger des brumes flottant sur la rivière. Une pluie de vie incandescente peut tomber des espaces stellaires.

Un ours rose, un stupide ours rose, gagné à la foire, peut faire battre le cœur comme un tambour diabolique.

Je ne pouvais qu'espérer que Lucy ne m'entendrait pas lorsque je rentrerais. Je ne pouvais qu'espérer qu'elle dormirait, depuis longtemps rentrée de son cours du soir, trop fatiguée pour m'attendre. D'habitude, elle allait au lit directement. Je priais pour qu'il en soit ainsi cette nuit. Alors je pourrais téléphoner à Shotwell et lui demander de venir. Peut-être pourrais-je lui remettre ce qu'il voulait sans que Lucy le sache. Il vaudrait mieux qu'elle ne soit pas au courant, qu'elle ne soit jamais au courant.

J'avais la chance pour moi.

Lucy était allée se coucher, laissant la lumière allumée dans la cuisine. Elle avait mangé un petit quelque chose avant d'aller au lit et les restes de son repas de minuit étaient encore sur la table. Je repoussai la tasse, l'assiette et le couvert, et assis l'ours sur la table.

Maintenant que je ne le tenais plus contre moi, je n'entendais plus les terribles battements. C'était de nouveau un simple jouet ; un jouet idiot et inoffensif. Et c'était, bien sûr, tout ce qu'il avait jamais été. Il n'avait rien de maléfique, rien de cyclopéen. George l'avait gagné à la foire et, dans son ivresse, il l'avait emporté partout avec lui. Une oreille était un peu abîmée et un côté de la tête était déchiré…

Déchiré ? On l'avait *coupé*.

George l'avait coupé et nullement sous le coup de l'ivresse. Il l'avait coupé et avait emporté l'ours partout avec lui ; rien d'étonnant s'il cognait : le météorite était à l'intérieur. C'était là que George l'avait caché. Et il l'avait emmené dans le studio ; et Sarah s'était doutée de sa présence, et alors…

Et alors, *quoi* ?

Est-ce que les choses s'étaient passées comme Shotwell l'avait dit ? Est-ce que la simple présence de la pierre avait suffi pour influencer un psychisme réceptif et déjà déséquilibré ?

Je n'en savais rien. Et ça m'était égal. Ce qui importait maintenant, c'était de trouver la carte de Shotwell, lui téléphoner et lui demander de venir ici et d'emmener ce foutu truc. Le foutu truc qui avait déjà été lié à deux meurtres en un seul jour, et Dieu seul sait à combien d'autres depuis des années. Si Shotwell n'était pas aussi fou que les autres… Aussi fou que Sarah l'était, aussi fou que George l'avait été.

Mais George n'était pas fou. Et je ne l'étais pas non plus. Il n'y a pas de monstres. Un météorite est juste un fragment de métal. Il peut être fourré dans le crâne mou d'un ours en peluche rose et il peut en être retiré très facilement.

On ne peut pas le sentir dans sa main, parce qu'il cogne. Ce n'est pas froid et ce n'est pas chaud : il bat, c'est tout. Il bat, là, dans votre paume ouverte et vous le regardez.

Et il vous regarde.

Il vous regarde parce que c'est un œil.

Qu'est-ce que Shotwell avait dit ? Qu'un jour quelqu'un, quelque part, l'avait taillé et poli pour qu'il ressemble à un bijou ? Il s'était trompé. Ça n'avait pas été taillé artificiellement et ça ne ressemblait pas à un bijou. Ça ressemblait à un œil. C'était un œil.

C'était le genre d'œil qu'on pourrait trouver sur le front d'une idole primitive. Et on pouvait facilement l'imaginer sur le front d'un Cyclope. Mais le regardant, je n'avais pas besoin d'imaginer, parce que je voyais.

Je regardais dans l'œil et je voyais tout…

L'immense plaine arctique était vierge de neige depuis l'arrivée du printemps. Des cairns semblables à des stalacmites marquaient par endroits la terre balayée par les vents, grands rochers qui semblaient enfouis dans le sol mais qui auraient pu être tombés du ciel. Il n'y avait pas de vie, pas de vie telle que nous la connaissons, sous le ciel menaçant.

Puis la vie vint. Les anciens de la tribu s'avancèrent à travers la plaine en une lente procession, brandissant des flambeaux trempés dans de la graisse. Devant eux marchait l'*angekok*, le chaman. Il portait la fille dans ses bras.

Elle ne se débattait pas, car elle avait été droguée et elle reposait, nue et insensible, entre les bras du chaman. Il la déposa sur le rebord plat d'un cairn et les tambours battirent tout autour de lui. C'était l'élue, la vierge immolée lors du sacrifice du printemps. Elle resterait là, le corps offert à la sauvagerie du ciel gris, jusqu'à la tombée de la nuit. Et avec la tombée de la nuit, les frères noirs sortiraient des ténèbres pour festoyer. Les loups de la nuit viendraient dévorer leur dû et chercheraient ensuite un antre où se terrer pendant une saison entière. Ainsi le printemps pourrait venir en toute tranquillité sur ces vastes étendues arides, car les dévoreurs de vie auraient été apaisés par ce sacrifice.

C'est ainsi que parlaient les tambours. Et c'est ainsi que parla le chaman. Puis les hommes de la tribu s'éloignèrent et leurs flambeaux s'éteignirent dans le lointain. Le corps restait étendu sans réaction sur l'autel, tandis que le soleil s'engouffrait lentement dans la gueule noire de l'horizon.

Puis le tonnerre éclata de nouveau, mais, cette fois, il ne provenait pas des tambours. Le ciel trembla et une nouvelle lueur illumina le firmament. La jeune fille s'agita, s'éveilla. Elle s'assit et regarda autour d'elle. Ses yeux s'agrandirent d'horreur, car là, dans l'ombre au-delà du cairn, elle voyait les rôdeurs, ceux qui attendaient. Les loups étaient venus. Ils grognèrent contre le ciel et se rapprochèrent. Le tonnerre retentissait toujours.

Soudain, les loups firent volte-face et s'enfuirent à toute vitesse en hurlant. Et la lueur écarlate tachait leurs dos de sang. Car une pluie rouge tombait.

La jeune fille se leva et se laissa glisser jusqu'au sol, frissonnante. La terre tremblait autour d'elle et les cairns basculaient, chancelant et vacillant dans la lumière irréelle. La lumière venait du ciel, elle tombait du ciel !

Elle voulut s'enfuir, mais la lumière la poursuivit. Et soudain, la lumière se fondit, se condensa en une seule flamme, qui s'élevait, s'avançait, dansait entre les cairns comme un œil unique et immense. Un œil qui poursuivait la fille. Un œil qui tissait une toile de lumière autour de sa nudité, un œil qui vint se poser à ses pieds. Elle s'arrêta, se baissa et le prit dans ses mains, le lâchant immédiatement avec un cri de douleur et d'horreur, la chair des paumes brûlée comme par un fer rouge.

Mais elle resta là accroupie à le regarder. Le tonnerre s'éloigna, la lumière disparut et la nuit vint : elle continuait à regarder l'œil. Elle resta là jusqu'à ce que l'œil se fût refroidi. Alors, elle le ramassa et le serra contre sa poitrine ; c'était un œil vivant et qui regardait entre les deux yeux aveugles de ses seins. Elle s'avança à travers la plaine aride, marcha dans les ténèbres jusqu'à l'endroit où vivait sa tribu, endormie autour de ses feux mourants.

Elle regarda l'œil et prit le couteau de pierre, elle marcha parmi les siens et elle frappa. Le couteau s'élevait et retombait, s'élevait et retombait encore, et tous se réveillèrent et hurlèrent. Mais lorsqu'ils virent ses yeux, lorsqu'ils virent le troisième œil qu'elle portait, ils ne résistèrent pas, ils ne tentèrent pas de s'enfuir. Elle frappa jusqu'à ce que son couteau fût rouge jusqu'à la garde, jusqu'à ce que le bras qui maniait le couteau fût maculé de sang. Alors, le chaman se prosterna devant elle et les anciens l'adorèrent également car ils savaient qu'elle était l'épouse d'un dieu. Et par la suite, ce fut elle qui accomplit les sacrifices ; elle portait l'œil dans une amulette tissée qui pendait entre ses seins...

Elle mourut, mais l'œil continua à vivre. Et il voyagea. Je vis les Tartares envahir la plaine et, lorsqu'ils rentrèrent chez eux, l'œil partit vers le sud, dans le sac d'un chef. Et celui-ci passait des heures à le regarder avant de mener une bataille ou un raid, et alors il tuait et tuait...

Puis un Mongol l'enleva au Tartare et l'œil partit vers l'Inde où il fut pendant un certain temps l'œil d'une déesse Kali, la Mère Noire dont les *phansigars* tuaient au moyen d'une corde de soie...

Ensuite, un musulman le déroba ; un aventurier seldjoukide l'enleva au musulman et un soldat de Napoléon le trouva lors du pillage d'Aboukir. Il rentra à Marseille et pendant de nombreuses années, cette ville fut terrorisée par un meurtrier qui sortait à minuit pour trancher les gorges à la baïonnette...

La police parisienne trouva l'œil sous la Commune, et il passa de main en main. Un Prussien le garda pendant un certain temps (il y eut alors une série de meurtres effroyables à Prague) et un marin l'emporta plus tard à Londres où il échoua chez un gentleman excentrique qui se mit soudain à conduire une croisade sanglante contre les belles de nuit...

Puis l'œil retourna en Russie, dans la sainte mère Russie et chez le saint père Raspoutine. Regardant dans ses profondeurs, le moine suscitait des visions en lui-même et en d'autres qui devinrent ses victimes...

Le pillard bolchevique qui trouva l'œil perdit la raison. L'antiquaire de Saint-Pétersbourg qui le vendit à un marchand grec se pendit. Le marchand grec le perdit lorsqu'il fut condamné pour meurtre. L'agent de Chandler Harvey l'acheta lorsque le gouvernement grec tomba et qu'un officiel corrompu vendit au plus offrant une pièce remplie de trésors artistiques. L'œil ne fut jamais déballé jusqu'à ce matin où mon frère George le trouva, placé par erreur dans une caisse contenant des collections de monnaies coptes. Et l'autre gardien le vit empocher l'œil ; et George prit une statuette sur la table à côté de lui et fracassa le crâne de son compagnon...

Et George mit l'œil à l'intérieur de l'ours en peluche rose qu'il avait gagné à la foire et l'emporta partout avec lui. Il régnait une grande confusion dans l'esprit de mon frère. Il ne pouvait comprendre pourquoi il avait tué. Il n'avait pas voulu tuer. Bien sûr, il avait vu ce gros bijou et il s'était dit qu'il devait avoir de la valeur, qui sait ? On pouvait obtenir quelques briques pour un truc comme ça, et personne ne se rendrait compte de sa disparition. Alors, il l'empocha et lorsque ce type, ce Ray Brice, le vit, il paniqua et commença à se battre. Seulement, ce foutu truc était là, par terre : c'était tombé de sa poche et ça le regardait. Il ne pouvait en détacher les yeux et, sans même s'en rendre compte, il avait pris la statuette et l'avait écrasée sur le crâne de Ray Brice...

Je savais ce que mon frère avait pensé. Je savais parce que l'œil le savait. Il savait ce que tous avaient pensé : la vierge nue, le Tartare au teint terreux, le Mongol barbu, les prêtres ténébreux de Kali, le Mamelouk qui avait péri à Aboukir, le monstre qui se pourléchait dans la nuit de Whitechapel, le moine qui étranglait de blanches colombes au cours des orgies de Saint-Pétersbourg.

Et je savais ce que Sarah avait pensé dans son ivresse, ce qu'elle avait senti en amenant George dans son studio. Ce que son intuition artistique déséquilibrée et inquiétante avait deviné sans même le voir — la simple présence de l'œil dans l'ours fut suffisante pour la mettre en branle. « Embrasse-moi, George. » Un bras autour de son cou, comme ça, et l'autre bras libre, la main libre pour saisir l'amassette et frapper, ensuite le rouge et le bouillonnement du sang, et puis le choc, le trauma de l'acte accompli et la prise de conscience, enfin la fugue dans la dénégation de la réalité combinée à un phénomène de catharsis, la peinture aveugle de la bête homicide.

C'était ça que l'œil voulait. C'était pour ça qu'il était venu des étoiles : il était venu se nourrir. Se nourrir et festoyer. Shotwell avait raison ; il y a d'autres formes de vie, d'autres modes de vie. Et cette entité avait besoin de nourriture. Sarah s'était servie d'un couteau pour amener du sang, mais George avait employé un instrument contondant et d'autres avaient utilisé la corde, le nœud coulant, leurs mains nues. L'instrument ne comptait pas, parce que ce n'était pas le sang qui comptait. Ce n'était pas du sang que l'être voulait, ni même l'assassinat. Il se nourrissait de quelque chose d'autre : l'émotion libérée chez le meurtrier. C'est de cela qu'il avait besoin. *Il se nourrissait d'émotion.*

Je regardais l'œil, l'œil me regardait et nous savions tous deux.

Nous savions ce qui était bon et ce qui était mauvais : la

réponse réside dans l'être. Etre et devenir. Etre est la seule fin, et devenir plus le seul but. On devient plus en détruisant l'être inférieur et en l'incorporant dans sa propre essence. On doit dévorer les sensations des autres, les ajouter à ses propres connaissances et capacités. C'est une fête sans fin, une vie sans fin.

Rechercher l'émotion dans la sexualité est un piège et une illusion, car on dépense sa propre substance ; exactement comme on se mange soi-même en essayant d'accroître ses sensations au moyen de la drogue ou de l'alcool. Ainsi, les beatniks sont des idiots et leurs noubas ne sont que spasmes convulsifs d'un cadavre en train de raidir. Et les bourgeois sont tout aussi idiots, parce qu'ils fuient les sensations et craignent leurs effets.

Moi, j'étais doublement idiot et doublement damné parce que j'essayais de vivre en m'accommodant de ces deux mondes possibles. Ne sachant pas, jusqu'à présent, qu'il est plus de deux mondes possibles. Il y a les mondes inconcevables au-delà des mondes, au-delà des étoiles, des mondes de sensations au-delà des sensations que je pouvais rechercher et partager.

J'avais pressenti l'existence de ces mondes lorsque j'avais vu ce que l'œil avait vu. Maintenant, je savais pourquoi certains hommes tuaient — pas parce qu'ils étaient des fanatiques, pas parce qu'ils étaient des sadiques, pas parce qu'ils étaient déséquilibrés. Ils tuaient à cause de la faim que l'on pouvait ressentir et rassasier, la faim qui n'avait jamais de fin. Et en ressentant cette faim, ils secouaient les étoiles. Psychose, névrose : étiquettes sans signification, plus démentes que ce qu'elles essaient de décrire si inadéquatement. Tous les mots ne signifient rien. *Creuser... Dingue... Nouba... Homme... Froid...*

L'œil pouvait se creuser un chemin dans votre cerveau.

L'œil était dingue.

L'œil était une nouba.

L'homme ? Qu'est-ce que l'homme ? On peut être supérieur à l'homme lorsqu'on partage la sensation d'un être supérieur, une connaissance supérieure d'un monde supérieur.

Froid. L'œil était froid dans ma main. Il battait parce qu'il vivait. Il vivait et me regardait.

Pourquoi me regardait-il ?

Pour me dire ces choses.

Pour me dire de l'aider.

Pour me dire de me servir.

Pour partager avec moi tout ce qu'il était et pouvait devenir.

L'œil me regardait. Il me regardait avec voracité. C'était cela. L'œil avait faim. Il aurait toujours faim et j'aurais toujours faim, mais si je le prenais avec moi maintenant, il y aurait des années de festins.

Et c'était bien la chose à faire. L'œil et moi partirions ensemble. Loin du monde idiot des bourgeois et du monde non moins idiot des beatniks.

Maintenant, je savais ce qu'ils avaient tous ressenti, les meurtriers célèbres et redoutés du passé !

Je me préparai à partir. C'était mon unique intention, simplement partir.

Je ne m'étais pas attendu à trouver Lucy debout dans l'encadrement de la porte. Je pouvais à peine la voir, en fait, parce que les yeux m'entouraient de toutes parts, un cercle d'yeux affamés. Je ne voyais pas plus Lucy que je ne pouvais voir le couteau à pain sur la table.

Tout ce que je pouvais voir, c'était l'œil.

Et tout ce que je pouvais faire, c'était ce qui devait être fait.

Je saisis Lucy.

Je saisis le couteau.

Et je nourris l'œil affamé.

# LA CHAMBRE NOIRE

## Théodore Sturgeon

Le monde s'écroula au cours de cette foutue soirée chez Beck.

Du moins, s'il avait été englouti par le soleil ou était entré en collision avec une comète, cela ne m'aurait pas dérangé. Je veux dire que j'aurais pu regarder ce type chez le coiffeur, et cette fille sur le petit écran, et quelqu'un fraîchement arrivé de Tasmanie, et j'aurais pu dire : « C'est quand même terrible, hein, vieux ! » et on m'aurait regardé d'un air dégoûté, partageant mes sentiments.

Mais c'était en fait bien pire que ça. Là où vous êtes, c'est là que se trouve le centre de l'univers. Tout ce que vous voyez de là forme des cercles autour de vous, et vous en êtes le centre. D'autres personnes partagent une partie de ce monde avec vous, mais ils tournent eux aussi dans ces cercles qui vous entourent. La seule personne qui se trouve au centre avec vous, qui regarde tout du même endroit que vous, c'est la personne que vous aimez. C'est ça votre monde. Et puis, un soir, vous allez à une réception et celle que vous aimez disparaît avec un crétin de beau parleur. Vous tournez la tête et ils sont partis, et vous vous inquiétez, et vous continuez à parler comme si de rien n'était ; ils reviennent et le crétin vous appelle « vieux », et est bien trop poli avec vous, et elle... elle évite de vous regarder. Alors le centre de l'univers n'est plus qu'un grand néant douloureux ; c'est la fin de votre monde. Tout l'univers se met à vaciller, avec plus rien au centre.

Bien sûr, je me suis dit qu'il ne s'agissait que de soupçons idiots et que toi, Tom Conway, tu devrais baisser la tête et présenter des excuses. C'est le genre de chose qui arrive aux autres gens, pas à nous. Les femmes font ça à leurs maris, mais Opie ne peut me faire ça à moi, n'est-ce pas. Pourtant !...

Nous nous sommes éclipsés aussi rapidement qu'il me fût possible de le faire sans pousser Opie dehors comme une brouette. Nous avons laissé les bruits de la réception derrière nous et je me souviens d'un rire particulièrement guttural que je pris pour une offense personnelle, quoique j'eusse dû mieux le comprendre. Il faisait nuit noire dehors et il nous fallut repérer le bord du sentier sous nos semelles avant que nos yeux ne s'habituent à l'obscurité. Nous nous taisions. Je pouvais presque sentir la souffrance contenue, prête à éclater, d'Opie et je savais qu'elle devinait la même chose en moi, parce que chacun de nous deux sentait toujours ce qui se passait dans l'autre.

Je me dis : il s'est passé quelque chose, quelque chose de mauvais ; il faudra bien que je lui demande. Je sais, me dis-je encore, avec une brusque montée insensée d'espoir, je vais lui demander ce qui s'est passé ; je lui demanderai si c'est la pire chose possible et elle dira non, et puis je lui demanderai si c'est un peu moins grave que ça, et ainsi de suite, jusqu'à ce que j'arrive à pouvoir dire que ce n'est pas si grave que ça après tout.

Alors, je murmurai :

— Toi et ce type, vous avez...

La fin de la phrase, j'aime autant ne pas la répéter. Je dois lui rendre justice en reconnaissant qu'il ne s'écoula pas une seconde avant qu'elle me réponde :

— Oui.

Et ce fut la fin du monde.

Perdre la conscience du monde extérieur est une chose trop complexe pour qu'on puisse la décrire en détail. C'est une chose trop considérable pour qu'on puisse s'en souvenir avec netteté. Mais, par la suite, je me rappelai qu'il y avait de nouveau du gravier sous mes pieds et que les bruits de la réception étaient devant moi, et qu'Opie, me dépassant en courant, me frappait la poitrine pour m'arrêter.

— Où vas-tu ? haleta-t-elle.

— Je retourne, dis-je. Je vais le tuer.

— Pourquoi ?

Je ne répondis pas parce que je ne voyais pas la nécessité de répondre à pareille question, mais elle dit :

— Il ne l'a pas fait tout seul, Tom. J'étais... J'ai probablement fait plus que lui. Tue-moi.

Je regardai le reflet de lune à l'endroit où devait se trouver son visage. Je chuchotai, parce que c'était tout ce que je parvenais à tirer de mes cordes vocales :

— Je ne veux pas te tuer, Opie.

Elle dit, avec une lassitude infinie :

— Il y a encore moins de raisons pour le tuer, lui. Allons, viens, rentrons...

Je crus qu'elle allait dire « chez nous » et tiquai, mais elle se rendit compte aussi bien que moi que ces mots ne voulaient plus rien dire.

— Rentrons, dit-elle.

Quand le subconscient s'écroule, il ne le fait pas en une fois. Il se relève et s'écroule de nouveau, parfois deux ou trois fois par minute, parfois à plusieurs mois d'intervalle, mais pendant plusieurs jours consécutifs. Il s'écroula donc encore une nouvelle fois pour moi, parce que la première chose dont je me souviens, c'est que j'étais en train de conduire la voiture. Près de moi, là où se tenait normalement Opie, il y avait une étendue de banquette vide. Et là où il y avait normalement une étendue de banquette vide, près de la portière droite, se tenait Opie.

Là-bas, sur le sentier, Opie m'avait posé une question et il n'y avait pas eu de place en moi pour elle. Maintenant, brusquement, il n'y avait plus de place en moi pour autre chose. Le mot déborda de mes lèvres, sortit tout seul.

*Pourquoi ?*

Opie resta silencieuse. J'attendis jusqu'à ce que je ne puisse plus tenir le coup, puis je la regardai. La lumière d'un réverbère passa rapidement et jeta un moment sur son visage une lueur pâle et dorée. Elle semblait parfaitement calme, mais ses yeux étaient grands ouverts et je sentis qu'elle les avait gardés ainsi assez longtemps pour que les globes soient secs et lui fassent mal.

— Je t'ai demandé pourquoi, hurlai-je.

— Je t'ai entendu, dit-elle d'une voix douce. J'essaie de réfléchir.

— Tu ne sais pas pourquoi ?

Elle secoua la tête.

— Tu dois savoir pourquoi. On ne fait pas... On ne fait pas un truc pareil sans avoir une raison valable.

— C'est pourtant ce que j'ai fait, dit-elle de sa voix si lasse.

J'avais dit qu'on ne faisait pas des choses comme ça sans raison, donc il n'aurait servi à rien de le répéter. Ce qui fait que je n'avais plus rien à dire. Et comme elle ne dit plus rien non plus, les choses en restèrent là.

Quelques jours plus tard, Hank s'engouffra dans mon bureau. Il ferma la porte — ce que les gens ne font pas normalement — et vint s'asseoir sur mon bureau, balançant une longue jambe.

— Qu'est-il arrivé ? demanda-t-il.

Hank est mon patron, un type bien, et le frère d'Opie.

— Qu'est-il arrivé à qui ? lui demandai-je.

J'étais aussi désinvolte que peut l'être un gars qui est brutalement forcé de penser à une chose qu'il essaie désespérément d'enterrer au fond de lui-même.

Il secoua sa grosse tête.

— Fais pas l'idiot, Tom. Qu'est-ce qui s'est passé ?

Je cessai de jouer la comédie.

— C'est donc là qu'elle se trouve ? Retournée chez maman, hein ?

— Tu voulais vraiment savoir où elle était ?

— Ça va, Hank. Le genre « Qu'as-tu fait à petite sœur, salaud ? » ne te ressemble pas.

— Tu sais bien que non. Toi et Opie êtes des adultes et vous

vous conduisez en général en adultes.

— Pas maintenant ?

— Je ne sais pas, Tom. Je n'essaie pas de protéger Opie. Pas contre toi. Je vous connais trop bien tous les deux.

— Alors, qu'est-ce que tu essaies de faire ?

— Je veux seulement savoir ce qui s'est passé.

— Pourquoi ? lâchai-je d'un ton sec.

Toujours la même question : pourquoi, pourquoi, pourquoi !

Il se gratta la tête, l'air perplexe.

— Je veux savoir, parce que je pense que toi et Opie, vous êtes les deux bipèdes les plus chouettes qui se soient mis en ménage. Tu vois, je suis un de ces esprits logiques. Un fait, plus un fait, plus un peu d'énergie donnent un résultat. Si vous connaissez tous les faits, vous pouvez en déduire quel sera le résultat. J'ai cru pendant de nombreuses années que je connaissais tous les faits qui vous concernaient tous les deux, tous les faits qui comptaient. Et ceci, eh bien, ça ne cadre pas avec l'ensemble. Tom, qu'est-ce qui s'est passé ?

Il commençait à m'énerver.

— Demande à Opie, crachai-je.

C'était plutôt moche de ma part. Et pourquoi pas ? C'était moche, oui.

Hank balança son pied et me regarda. Soudain, je me rendis compte que ce type souffrait.

— Je lui ai demandé, dit-il, d'une voix enrouée.

J'attendis.

— Elle m'a dit…

Ça me secoua.

— Elle t'a dit quoi ?

— Ce qui s'était passé. Samedi soir, à la réception chez Beck.

— Elle te l'a dit ? Je n'en revenais pas. — Pourquoi a-t-elle fait ça ?

— Je l'ai obligée à le faire. Elle a tenu le coup pendant longtemps, puis c'est sorti en mots d'une syllabe. Je suppose que c'était pour que je la boucle.

Je sautai sur mes pieds et hurlai :

— Alors, tu sais ce qui s'est passé et tu viens ici en bêlant, demandant ce qui s'est passé ! Pourquoi me le demander, puisque tu le sais ?

— Tu m'as mal compris, Tom, dit-il. Sa voix était si douce comparée à mes hurlements que cela me fit l'effet d'un couperet. Ouais, je sais ce qu'elle a fait. Ce que je veux savoir, c'est ce qui s'est passé pour qu'elle le fasse.

Je ne dis rien.

— En as-tu parlé à quelqu'un ? demanda-t-il.

Je secouai négativement la tête.

Il écarta les mains.

— Parle, veux-tu ? Et comme je ne bronchais toujours pas, il se pencha vers moi. Qu'as-tu à me dire, Tom ?

— Je dis, soufflai-je, que j'ai du travail. Il y a une revue à sortir. On me paie pour travailler.

D'un bond, il quitta le bureau. Est-ce que vous avez jamais écouté quelqu'un s'éloigner de vous alors que vous ne le regardez pas, et su, au bruit de ses pas, qu'il était blessé et furieux ?

Il ouvrit la porte et hésita.

— Tom... Si tu n'as rien à faire ce soir..., téléphone-moi, je passerai.

Je lui jetai un regard furieux.

— Mon œil !

Il ne dit plus rien. Il s'en alla. Je restai là à regarder la porte ouverte. Il y avait un gars qui se vantait de tout savoir sur moi, qui croyait que j'allais lui téléphoner, lui parler...

Mon œil !

Je ne l'ai pas appelé. Pas jusqu'après huit heures. La sonnerie de son téléphone retentit à peine une seconde. Il devait avoir la main sur le récepteur.

— Hank, dis-je.

— J'arrive, répondit-il en raccrochant.

J'avais déjà servi les boissons lorsqu'il arriva. Il entra en lançant, l'air idiot :

— Comment ça va ?

— Je suis mort, dis-je. Et c'était vrai. Deux nuits d'insomnie : mort de fatigue. Pas d'Opie dans la maison. Mort. Mort à l'intérieur.

Hank ne dit rien. Je me couvris le visage de mes mains et me balançai d'avant en arrière.

— Je suppose que ça arrive à un tas de gars que leurs femmes aillent avec quelqu'un d'autre. Parfois, ça les démolit, parfois pas. Comment vivent-ils quand ça ne les démolit pas ?

Hank jouait avec un briquet. Je pris mon verre vide et le regardai ; brusquement, la tige se cassa en deux, m'entaillant le poignet. Le sang se mit à couler à flots. Hank poussa un glapissement ; à l'aide de son mouchoir, il serra autour du poignet et tira si fort que cela me fit mal.

— Pourquoi est-ce si important qu'Opie et moi nous nous raccommodions, Hank ? Pour toi, je veux dire ?

Il me regarda d'un drôle d'air et partit vers la salle de bains. Je l'entendis fourrager dans l'armoire à pharmacie.

— Ça ne concerne pas qu'Opie et toi, Tom, cria-t-il. Il revint, porteur d'une bande. Je suppose que tu es tellement rempli de cet incident que tu ne vois plus rien d'autre, mais il y a un tas de choses qui se passent dans le monde, tu sais.

— Je suppose que oui, mais ça ne m'a pas l'air d'avoir de l'importance.

— Tiens-toi tranquille, dit-il. Ceci va te faire mal. Il versa de la teinture d'iode sur la coupure. Ça faisait un mal de chien, mais j'aurais voulu que toutes les douleurs soient aussi faciles à supporter. Il reprit :

— Il se passe des choses étranges chez Beck. Depuis combien de temps connais-tu Beck ?

— Des années.

— Tu le connais bien ?

— Aussi bien qu'on puisse connaître un type avec qui on est allé à l'école, avec qui on a logé, à qui on a prêté de l'argent et avec qui on a partagé ses repas quatre fois par semaine pendant huit ou neuf ans.

— Jamais rien remarqué de bizarre chez lui ?

— Non. Pas chez Beck. Le type tout ce qu'il y a de banal. Républicain de droite, cravate assortie, revenus personnels, pense que *Les Voix du Printemps*, c'est de l'opéra, boit du vermouth-soda quand il fait chaud et ne touche pas un martini avant seize heures. Aime être entouré de gens, toutes sortes de gens. Plus ils sont excentriques, mieux cela vaut. Mais, lui, de toute sa vie, il n'a jamais fait, dit ou pensé une chose excentrique.

— Jamais ? Tu as dit jamais ?

— Jamais, sauf…

Je regardai le pansement qu'il m'avait fait. C'était du beau travail.

— … Cette ancienne salle de billard… Je ne sais pas ce qui lui a pris de l'aménager comme ça. Je suis presque tombé raide mort quand je l'ai vue.

— Pourquoi ?

— Y es-tu jamais allé ?

Il opina de la tête. Quelque chose qui passa à ce moment au fond de ses yeux me rappela tellement Opie que je grognai comme on peut le faire quand on se cogne contre un obstacle dans l'obscurité. Je pris une bonne rasade du verre que Hank avait apporté et enchaînai :

— Alors, tu y es allé. Est-ce que ça ressemble à un type qui s'est entouré toute sa vie de Queen Anne ?

— Aucune pièce ne pourrait être plus moderne que celle-là, dit Hank.

— Mousse de polyester et chrome, dis-je lentement. Une cheminée de marbre noir et du Formica noir et brillant sur les tables. Des tentures allant d'un mur à l'autre et des tapis aux formes modernes. De l'éclairage indirect partout. Une bibliothèque qui a l'air d'un bar et un bar qui a l'air d'une volée d'escaliers.

— C'est peut-être un masochiste qui cherche à se faire souffrir en vivant dans une maison meublée contre son goût.

— Ce n'est pas un masochiste, à moins que tu ne penses à certains des cinglés dont il recherche la compagnie. Et il ne vit nullement dans une maison meublée dans le style de la science-fiction. Il vit dans une maison où alternent du Chippendale chinois et ce Queen Anne dont je t'ai parlé. Il n'y a que cette chambre, cette unique chambre, qui soit moderne ; pourquoi il a fait ça, je ne le saurai jamais. Ça a dû lui coûter les yeux de la tête.

— Ça lui a coûté encore plus que ça, dit Hank froidement. J'ai les chiffres.

Je cessai brusquement de me vautrer dans des souvenirs.

— Ah non ! Hank, pourquoi ce brusque intérêt pour Beck et son décor ?

Hank se leva, s'étira, se rassit et se pencha en avant avec tant de sérieux et de ferveur que je reculai, saisi.

— Tom ! dit-il. Ce qui t'est arrivé..., je veux dire, au sujet d'Opie..., et si je pouvais prouver que ce n'était pas du tout de sa faute ?

Je réfléchis à la chose. Finalement, les dents serrées, je lâchai :

— Si tu pouvais réellement le prouver, je connais un type qui se ferait descendre.

— Pas question d'idioties pareilles, répliqua-t-il d'un ton sec.

Je levai les yeux sur lui et décidai de ne pas protester. Il pensait vraiment ce qu'il disait. Il poursuivit :

— Il faut que tu comprennes exactement ce que je veux dire. Il s'interrompit pour peser ses mots, puis il lâcha : Je ne veux pas que tu te leurres de faux espoirs. Je ne vais pas pouvoir prouver qu'Opie n'a pas... n'a pas fait ce qu'elle a fait samedi soir. Elle l'a fait et on ne peut rien y changer. Ferme-la, Tom ! Ne dis rien ! Pas à moi. Elle est ma sœur ; crois-tu que tout ceci me fasse particulièrement plaisir ? Lorsqu'il me vit un peu plus calme, Hank reprit : Tout ce que je peux prouver, c'est que ce qui s'est passé, s'est passé indépendamment de sa volonté et qu'elle est entièrement innocente du point de vue des intentions, même si elle est coupable du point de vue des actes.

— Ça me plairait, dis-je du fond du cœur. Ça me plairait même beaucoup. Seulement, je ne vois pas très bien comment on pourrait prouver une chose pareille. Puis je saisis brusquement la signification de ce qu'il venait de dire. Qu'est-ce que tu veux dire ? demandai-je alors d'un ton hargneux. Tu veux dire qu'elle a été hypnotisée ?

— Non, dit-il d'un ton tranchant. Aucune dose d'hypnotisme n'aurait pu l'amener à faire quelque chose qu'elle ne voulait pas faire et je pars du principe qu'elle ne voulait pas le faire.

— De la drogue, alors ?

— Je ne pense pas. Avait-elle l'air droguée ?

— Non. Je réfléchis un peu, puis : d'ailleurs, je n'ai jamais entendu parler d'une drogue qui pourrait si rapidement et sans effets secondaires faire ça à une femme.

— Il n'y en a pas et, s'il y en avait, ce n'était de toute façon pas ça.

— Cesse de jouer aux devinettes alors, et dis-moi ce que c'était.

Il me regarda et son visage changea.

— Désolé, dit-il doucement. Je ne peux pas. Je ne sais pas ce que c'était. Mais j'ai l'intention de le découvrir.

— Tu ferais mieux de m'en dire plus long, lui dis-je. Je ne te suis plus.

— Tu sais où Klaus s'est fait pincer ?

Je sursautai.

— L'espion atomique ? Non. Mais qu'est-ce que cela a à voir avec ceci ?

— Peut-être beaucoup, dit Hank. Juste une idée. En tout cas, il s'est fait pincer lors d'une soirée chez Beck.

— M… alors, lâchai-je. Je ne le savais pas.

— Beaucoup de gens ne le savent pas. On a étouffé toute l'affaire. Il y avait un agent de la C.I.A. à la réception ; Klaus est allé le trouver et lui a tout raconté. L'agent l'a fait sortir et l'a arrêté, puis a fait vérifier son histoire. Ça collait effectivement. Connais-tu *Cry for Clara* ?

— Si je le connais ! Je voudrais bien ne jamais l'avoir entendu. Il est depuis dix-sept semaines en tête du « hit parade » et il n'est pas un transistor, un magasin de disques ou un juke-box qui ne le fasse entendre. Si je le connais !

— Sais-tu qui l'a écrit ?

— Non.

— Un type appelé Willy Simms. Il n'avait jamais écrit une chanson de sa vie et n'en a jamais plus écrit depuis.

— Et alors ?

— Il en a écrit la première ébauche lors d'une soirée chez Beck.

— Je ne vois pas ce que cela vient faire…

Il m'interrompit.

— La dispute au cours de laquelle Marie Munro a eu le visage défiguré eut lieu chez Beck. C'est une institutrice qui a fait cela. Une vieille dame inoffensive et respectable qui n'avait jamais vu un film de Munro et n'avait jamais parlé au Visage jusqu'à ce soir-là. L'homme qui...

— Attends, attends, commençai-je, mais il ne voulut pas attendre.

— L'homme qui tua un prédicateur dans la Webb Street il y a deux semaines — tu t'en souviens ? — eh bien, il l'a fait avec le tisonnier de Beck qu'il a lancé par la fenêtre de Beck comme si c'était un javelot. Cette histoire hilarante — je t'ai entendu la raconter toi-même — au sujet de l'horticulteur aux floralies...

— Ne me dis pas que ça vient aussi de chez Beck.

Je souriais malgré moi.

— Si. Quelqu'un a fait un jour la réflexion qu'on ne connaissait jamais l'auteur d'une histoire salée. Et vlan ! On lui a immédiatement signalé l'auteur de cette histoire-là. Il s'arrêta un instant. C'était Lila Falsehaven.

— Lila ? Tu veux dire cette grand-mère aux cheveux blancs qui écrit des livres pour enfants ?

J'assimilai la chose. C'était trop beau.

— Hank, où veux-tu en venir ?

Hank se caressa l'oreille.

— Tous ces faits que j'ai énumérés — tous différents, tous arrivant à des gens différents —, je crois pourtant qu'ils ont un dénominateur commun.

— Tu me l'as déjà dit : ils sont tous arrivés au cours d'une soirée donnée par Beck.

— Ce dont je parle, moi, fait que des choses arrivent chez Beck.

— Allons donc ! C'est pure coïncidence...

— Coïncidence, m... alors ! grommela-t-il. Tu ne peux donc pas comprendre que je suis au courant de tout ceci depuis longtemps ? Je ne suis pas en train de te dire que j'ai fait tous ces rapprochements depuis qu'Opie... euh... depuis samedi soir. Ce que je suis en train de te dire, c'est que ce qu'Opie a fait n'est qu'une autre de ces choses.

Je grognai pensivement.

— Un dénominateur commun... La seule chose que ces gens ont en commun, c'est qu'ils n'ont rien en commun, justement.

— Exactement, approuva Hank. Ça semble être le principe de base de Beck : les mélanger. Un riche, un intellectuel, un dingue et un barbant.

— Où veux-tu en venir ? Pourquoi s'inquiéter au sujet de Beck ? C'est son affaire, qui il invite. Il se passe des choses étranges, bien sûr, ce serait la même chose si tu remplissais ta maison de numéros pareils.

— Voilà où je veux en venir. Je veux que tu y retournes et que tu découvres quel est le dénominateur commun.

— Pourquoi ?

— Pour la revue peut-être. Ça dépend. En tout cas, considère-toi comme envoyé en reportage.

— Minute, dis-je. Je n'ai pas l'intention d'y retourner.

— Tom, fit-il doucement. Ça ne sert à rien de te mettre dans tous tes états. Je veux savoir pourquoi tu ne veux pas y retourner. Est-ce l'endroit que tu ne peux pas supporter ou est-ce l'idée d'y revoir Opie ?

— L'endroit ne me dérange pas, dis-je d'un ton morne.

Il en fut si manifestement soulagé que ça m'étonna :

— Alors, tu peux y retourner. Elle n'y retournera jamais.

— Tu as l'air très sûr de toi.

— Je le suis. Des choses étranges arrivent aux gens au cours des soirées chez Beck. Mais celui à qui elles arrivent, n'y retourne jamais.

— Je ne saisis pas.

— Moi non plus. Mais c'est une des choses que je veux que tu étudies sur place.

— Hank, toute cette histoire est complètement loufoque !

— Sûr qu'elle est loufoque. Et tu es juste le type qu'il me faut.

— Pourquoi moi ?

— Parce que tu connais Beck mieux que la plupart des gens. Parce que tu es personnellement concerné. Parce que tu es un on reporter. Et puis parce que tu es tout ce qu'il y a de plus ain d'esprit et de plus équilibré.

Je ne me sentais ni sain d'esprit ni équilibré. Je dis :

— Si tu t'intéresses tellement à Beck et à ses réceptions, pourquoi est-ce que tu ne joues pas au détective toi-même ? Tu embles savoir ce qu'il faut chercher.

Ne voyant pas venir de réponse, je levai les yeux et vis qu'il me tournait le dos. Après un long silence, il répondit :

— Je suis un de ceux qui ne peuvent pas y retourner.

Stupéfait, je lui demandai :

— Tu veux dire qu'il t'est arrivé quelque chose à toi aussi ?

— Oui, il m'est arrivé quelque chose à moi aussi, lâcha-t-il d'un ton rageur. Et ça, c'est un sujet que tu es prié de laisser tomber

J'allai voir Lila Falsehaven. Je n'eus aucune difficulté à obtenir son adresse des Kiddy-Joy Books, Inc. Lorsque je lui téléphonai, elle m'invita à aller prendre le thé. Le thé, rien de moins. Moi, Tom Conway.

C'était une véritable grand-mère de carte postale. Des lunettes à monture d'acier, avec un bord inférieur plus large. Souriante, parfaite, même des fausses dents. Une voix qui vous faisait penser à un plat en argent rempli de galettes à l'ancienne mode. Et justement, sur la table, devant nous, il y avait un plat en argent rempli de galettes à l'ancienne mode.

— Un peu de crème, demanda-t-elle, ou du citron ?

— Sec, répondis-je. Je veux dire aucun des deux, merci. Cette maison ressemble exactement au cadre où se déroulent les histoires de Lila Falsehaven.

— Merci, dit-elle, inclinant sa gentille petite tête. Elle me tendit une tasse de porcelaine chinoise que j'aurais pu faire tomber d'une cheminée rien qu'en éternuant à cinquante pas. On m'a déjà dit, poursuivit-elle, que mes livres et ma maison et même mon aspect général sont ceux d'une grand-mère idéale. Je n'ai jamais eu d'enfants, vous savez. Mais je suppose que j'ai plus de petits-enfants que qui que ce soit sur terre. Elle eut un petit rire perlé qui faisait penser à de la vieille dentelle. Et maintenant, que puis-je faire pour vous ? Votre affreuse revue ne veut certainement pas une de mes histoires. Ni même une histoire sur moi.

— Ce n'est pas une affreuse revue, dis-je, l'air offensé. Simplement conforme à la réalité. Nous disons ce qui est.

— Il y a des vérités, dit-elle doucement, qu'il vaut mieux ne pas dire.

— Mais le monde n'est pas tel que vos petits-enfants le voien dans vos livres.

— Mon monde l'est, dit-elle avec conviction.

J'étais venu la voir pour quelque chose de bien défini, e c'était le moment ou jamais d'y penser. Je secouai la tête.

— Pas entièrement. Dans votre monde, il y a aussi place pour des horticulteurs et des floralies.

Elle ne souffla mot. Elle ferma les yeux et son teint lisse e ridé devint ivoire puis blanc. J'attendis. Finalement, elle ouvrit les yeux. Elle me regarda fixement, leva une main, puis l'autre les écarta et en posa une sur chacun des bras sculptés du fauteuil. Je regardai les mains et les vis se détendre l'une après l'autre comme sous un profond effort de volonté. Je me redressa dans mon fauteuil en voyant son regard. Tout au fond de ses yeux, il y avait une étincelle, un point, aussi lumineux, aussi ardent qu'un arc à souder.

— Monsieur Conway, fit-elle d'une voix faible mais claire, je crois en la vérité comme je crois en l'innocence et en la beauté aussi je ne vais pas vous mentir. J'ai compris maintenant que vous êtes venu pour savoir si c'était vraiment moi qui avais lancé cette anecdote dégoûtante. C'est bien moi. Mais si vous êtes venu pour savoir pourquoi je l'ai fait, ou ce qui m'a incitée à faire une chose pareille, je ne peux pas vous aider. Je suis désolée. Si je savais, si seulement je savais, je vous le dirais peut-être Maintenant, vous feriez mieux de partir.

Alors je découvris que le feu si pur qui brillait tout au fond de ses yeux pouvait repousser aussi bien qu'attirer, et je me retrouvai à la porte, chapeau à la main, disant :

— Je suis dés…

L'air qu'elle avait, la façon dont elle se tenait là à me regarder sans bouger, firent que je ne pus ni parler ni m'incliner, ni faire quoi que ce soit si ce n'est partir. Je savais aussi que je ne reviendrais plus jamais, et c'était dommage. C'était quelqu'un de bien. Et elle habitait dans une maison convenable...

Tout était gâché et je me sentais moche, moche...

Ma carte de presse me permit d'arriver jusqu'au colonel Briggs, et le souvenir de l'époque où j'avais sauvé Briggs lors d'une descente de police dans une boîte pour homosexuels, juste après la guerre, me permit de franchir les autres barrières. Sans ces deux atouts, je n'aurais jamais vu Klaus. Il est presque aussi difficile d'entrer dans la cellule d'un condamné à mort que de s'en échapper.

On m'accorda dix minutes et on me laissa seul avec lui, quoiqu'un garde se tînt à un endroit d'où il pouvait nous surveiller. On voyait bien à la tête de Klaus qu'il n'aurait pas sorti le service à thé en argent pour moi, s'il en avait eu un. Tout ce qu'il fit lorsque j'entrai fut de prononcer à voix basse le nom de la revue, me faisant sentir son hostilité. Je m'assis sur le lit à côté de lui et il se leva immédiatement. Je ne dis rien et après un certain temps, ce silence l'ennuya. Je ne pense pas que quelqu'un ait jamais agi de cette façon avec lui.

— Et alors, qu'y a-t-il ? Qu'est-ce que vous voulez ? me demanda-t-il finalement d'un ton hargneux.

— Vous ne devinerez jamais, dis-je.

— Si je suis coupable ? Oui. Si je savais ce que je faisais ? Oui. Si c'est vrai que tout ce que je désire, c'est que cette foutue race humaine soit radiée de cette foutue planète aussi vite que possible ? Oui. Si j'ai des regrets ? Oui, de m'être fait prendre ! Sinon, aucun. Il haussa les épaules. Voilà toute l'histoire, vous la connaissez d'ailleurs, tout le monde la connaît. J'ai été vidé de ma substance. Pourquoi est-ce que des types comme vous ne me foutez pas un peu la paix ?

— Il y a encore une chose que j'aimerais savoir.

— Vous ne lisez pas les journaux ? demanda-t-il. A partir du moment où on m'a pincé, je n'ai plus eu de secrets.

— Ecoutez un peu, dis-je. Ce Stevens ?... Stevens était l'homme de la C.I.A. qui l'avait épinglé.

— Ouais, Stevens, ricana Klaus. Notre héros national. Non seulement il est à la une des journaux grâce à moi, mais on trouve même sa photo sur les boîtes de céréales. Il faut vraiment être un héros pour figurer sur les boîtes de corn-flakes.

— Ce n'était pas un héros, dis-je. Il ne vous connaissait ni d'Adam ni d'Eve et ne faisait pas attention à vous jusqu'à ce que vous ayez lâché le morceau.

Klaus cessa de marcher de long en large et se tourna lentement vers moi.

— Vous croyez ce que vous dites ?

— Pourquoi pas ? C'est pourtant ce qui s'est passé, non ?

Il vint s'asseoir près de moi, me regardant comme si j'étais subitement devenu une girafe à deux têtes.

— Vous savez, j'ai dit ça à six millions de personnes différentes et vous êtes le premier à le croire. Comment avez-vous dit que vous vous appeliez ? Si ça ne vous dérange pas…

— Conway, dis-je.

— Je suis content que vous soyez venu, dit-il. Et venant de lui, c'était vraiment quelque chose.

— Pourquoi l'avez-vous fait ?

Il me jeta un regard noir et j'ajoutai rapidement :

— Pas l'histoire des secrets atomiques. Ce que je voudrais savoir, c'est pourquoi vous avez parlé.

Le regard noir disparut, mais il ne dit rien. Je le poussai donc encore un peu.

— Vous n'avez jamais commis une autre erreur. Personne de toute l'histoire n'a jamais agi aussi discrètement et aussi intelligemment que vous. Personne ne vous a jamais soupçonné et, pour autant que j'aie pu vérifier, personne n'était sur le point de le faire. Alors, vous vous retrouvez brusquement à une soirée en même temps qu'un type de la C.I.A., vous allez le trouver et vous lâchez le morceau. Pourquoi ?

Il réfléchit un instant.

— C'était une bonne réception, dit-il après un moment. Puis Je suppose que je me suis dit que ça avait duré assez longtemps c'est tout.

— Vous ne croyez pas vraiment ce que vous dites.

— Non ?

— Non, dis-je d'un ton catégorique. C'est une raison à laquelle vous avez songé après coup.

— Vous lisez sans doute dans mes pensées, dit-il d'un ton sarcastique.

— Sûr et certain, dis-je, et comme il se taisait, j'ajoutai : Ce n'est pas vrai ?

— Ouais, grogna-t-il. Ouais. Il ferma les yeux pour mieux se concentrer, puis il dit : Vous m'avez justement demandé la seule chose que je ne sais pas. A un moment donné, j'étais là, en train de m'amuser, puis je me suis retrouvé en train de coincer ce faux frère dans un coin pour lui raconter ma vie de pécheur. Ça m'avait paru une bonne idée sur le moment.

Le garde arriva alors pour m'emmener.

— Merci d'être venu, dit Klaus.

— De rien. Vous êtes certain que vous ne pouvez rien me dire de plus ?

— Oui, certain.

— Voulez-vous que je revienne ? Peut-être qu'après y avoir réfléchi pendant un certain temps…

Il secoua la tête.

— Ça ne changerait rien, affirma-t-il. Je le sais parce que je n'ai fait que réfléchir à ça depuis que c'est arrivé. Mais je suis content de savoir qu'en tout cas quelqu'un me croit.

— A un de ces jours. Envoyez-moi un mot si vous parvenez à éclaircir la chose.

Je ne sais pas s'il y est jamais parvenu. Il est passé à la chaise électrique quelques jours plus tard. Je n'ai jamais reçu de mot.

Je pris un autre nom dans la liste que j'avais dressée. Willy Simms, compositeur de chansons.

J'entrai chez un disquaire et demandai au type s'il avait *Cry for Clara*. Il me regarda comme s'il avait trouvé de l'eau gazeuse dans une bouteille de gin.

— Encore ? soupira-t-il avec une sorte d'étonnement excédé, et il partit chercher le disque.

— Entre nous, lui dis-je, je trouve que c'est le plus affreux truc qu'on ait jamais pondu sur terre.

Il ne m'arrive pas souvent de chercher à me justifier, mais je ne pouvais pas supporter l'idée que même un parfait inconnu croie que j'aimais cette chanson.

Le commerçant se pencha par-dessus le comptoir.

— Savez-vous, dit-il d'une voix beaucoup plus aimable, que les Beatles l'enregistrent cette semaine ?

Je partageai son étonnement dégoûté pendant un long moment, puis m'en allai.

Un million trois quarts de disques déjà vendus et encore Dieu sait combien à vendre, et pourtant Willy Simms vivait encore à un quatrième étage sans ascenseur. Je trouvai la porte et m'appuyai contre le chambranle, essayant de retrouver mon souffle. Lorsque les minuscules lumières eurent disparu de mes yeux, je frappai. Un petit homme tout ridé ouvrit la porte.

— Pourrais-je parler à Willy Simms ?

Il me regarda puis regarda le disque emballé que je portais.

— Qu'est-ce que c'est que ça ?

— *Cry for Clara,* dis-je. Il le prit et me demanda combien je l'avais payé. Je le lui dis. Il tint la porte entrebâillée à l'aide de son pied, ramassa une poignée de monnaie sur une étagère par ailleurs vide, compta le montant dans ma main. Puis il cassa le disque en deux sur sa cuisse, mit les morceaux l'un sur l'autre et les cassa encore une fois ; il jeta le tout dans la cheminée à sa droite.

— Je suis Willy Simms, dit-il. Entrez donc.

J'entrai mais restai près de la porte. On ne savait jamais ce qu'un type comme ça pourrait faire ensuite. Je dis :

— Je m'appelle Tom…

— Posez votre chapeau là, m'interrompit-il. Il traversa la pièce.

— Je suis juste venu pour…

— Un verre ? demanda-t-il.

Comme c'est le genre de chose que je ne refuse jamais et qu'il n'était pas nécessaire que je dise oui puisqu'il était déjà à l'œuvre, je me contentai d'attendre.

Il m'apporta un verre en souriant. Il avait de belles dents.

— Whisky, dit-il. Une boisson pour hommes. J'ai su dès que

je vous ai vu que vous étiez un type à whisky.

— Je préfère franchement le gin, dis-je ; de temps à autre...

— C'est ça, dit-il. Rien ne vaut le whisky. Asseyez-vous.

— Monsieur Simms, dis-je.

— Willy. Personne ne m'a jamais appelé monsieur. Dans le temps, j'étais un type trop minable pour ça, et maintenant je suis trop bien. Il sauvegarda sa modestie en agrémentant ces paroles d'un large et chaud sourire. Vous pensez peut-être que je n'aurais pas dû bousiller votre disque ?

— A vrai dire, dis-je en souriant, j'ai trouvé la chose un peu étrange.

— Je n'en ai pas un seul exemplaire ici et je n'ai pas l'intention d'en laisser entrer un seul. Pour deux raisons, ajouta-t-il, levant deux doigts secs et osseux. Tout d'abord, je ne l'aime pas. Ce que je n'aime surtout pas, c'est la façon qu'ont les gens de vouloir que je m'assoie près d'eux pour l'écouter et les entendre me dire que tel ou tel passage est si bon, et comment ai-je pensé à passer de la sous-dominante à une gamme mineure non correspondante. Ouais, il y en a un qui m'a demandé ça.

— Je me souviens de ce passage. C'est...

— En second lieu, dit Willy Simms, chaque fois que je brise un de ces disques, ça me rappelle que je peux me permettre de le faire, et j'aime m'en souvenir.

— Ouais. C'est...

— D'autre part, chaque fois que j'en bousille un, la personne à qui il appartenait s'en va en acheter un autre. Ce n'est pas les droits d'auteur qui m'intéressent. C'est le score final. On m'a dit qu'on en vendrait deux millions un quart.

— Deux millions un...

— Votre verre est vide, dit-il, ne cessant de m'interrompre. Il me l'enleva de la main et le remplit. J'aurais voulu que ce soit du gin, mais je levai mon verre à sa santé et bus une gorgée.

— Willy, commençai-je...

— Je n'ai jamais écrit de chansons auparavant, dit Simms.

— Oui, répondis-je. C'est pourquoi...

— Et je vais vous dire quelque chose que je n'ai encore dit à personne. Je vais vous le dire à vous, et à partir de maintenant j'ai décidé que j'allais le dire à tout le monde.

Il se pencha vers moi, tout excité. Je compris alors qu'il avait la cuite. Je savais instinctivement que ça ne changeait rien, qu'il était probablement comme ça aussi lorsqu'il était complètement dégrisé.

— Alors vous serez le premier à qui je le dirai : je n'écrirai jamais d'autres chansons.

— Mais vous avez tout juste commencé à...

— Il y a une raison bien simple à ça, dit-il. Puisque vous me la demandez, je vais vous la dire. Je n'écrirai pas d'autres chansons parce que je n'en suis plus capable. Ce n'est pas parce que je ne sais pas lire ou rédiger de la musique. On dit que Leadbelly ne pouvait pas lire de la musique non plus. Et ce n'est pas parce que je n'en ai pas envie. J'en ai bel et bien envie. Mais avez-vous jamais entendu parler du vieux dicton qui dit que la foudre ne tombe jamais deux fois au même endroit ?

— Bien sûr, répondis-je, mais on dit aussi que la nuit n'est jamais aussi noire qu'avant l'aube et ça ne signifie pas que...

— La véritable raison, c'est la suivante. Willy Simms s'arrêta pour ménager son effet. Je suis maintenant incapable de distinguer un ton d'un autre. Je ne pourrais pas transposer un accord dans un autre ton. Voyez-vous un piano ici ou même un harmonica ?

— Allons, une personne incapable de distinguer un ton d'un autre ne pourrait avoir...

— La foudre, fit-il gravement. Elle a frappé, c'est tout. Tout au fond de moi, il y avait une petite graine appelée *Cry for Clara,* et la foudre est tombée et l'a fait éclater. Mais il n'y avait qu'une seule et unique graine et maintenant il n'y en a plus.

— Allons donc. Peut-être...

— Et il se peut même que je me trompe en affirmant ça, dit-il morosement. Je ne crois pas vraiment que la petite graine existait. Ce que j'ai fait, c'est quelque chose qui ne peut pas être fait, pas par moi en tout cas. Comme un homard qui écrirait un livre. Comme un tourne-disque qui ferait sortir de la musique d'une tarte aux pommes. Comme si nous ne prenions pas un autre verre.

Il passa immédiatement à l'action pour bien prouver l'impossibilité de sa dernière remarque. Je parvins à dire :

— Il y a certaines choses qu'un homme peut faire et certaines choses...

— Comme de retourner à une de ces réceptions de Beck, coupa-t-il. Il y a des choses qui ne peuvent pas arriver. Il me jeta brusquement un regard noir. Vous n'êtes pas un ami de Beck, par hasard ? C'est le gars qui me pousse à me haïr moi-même.

— Moi ? Mais je...

— Si jamais vous l'étiez, je vous flanquerais en bas de l'escalier là dehors, tout costaud que vous soyez.

Il se leva à demi et pendant une fraction de seconde j'eus réellement peur. Il était une de ces personnes qui, parlant de colère, se prennent au jeu, tempes battantes, yeux rétrécis, et tout et tout. Mais il se cala de nouveau dans son fauteuil et retrouva son sourire désarmant.

— C'est moi qui ai tenu le crachoir jusqu'à présent. Pourquoi vouliez-vous me voir ?

J'ouvris la bouche et hésitai. A mon grand étonnement, il attendit.

— Je suis juste passé pour... Je m'arrêtai. Il me fit un signe d'encouragement. Pour savoir comment..., commençai-je, puis je m'arrêtai.

— Je reçois tout le monde, me confia-t-il. Il y a des gens qui trient les personnes qu'ils reçoivent. Pas moi. Je... Mais, où allez-vous ?

J'étais près de la porte, chapeau en main.

— Merci pour le ver...

— Mais ne partez pas comme ça !

Je cherchai fébrilement un mot qui pourrait m'aider.

— Au revoir ; dis-je et je m'éclipsai en vitesse.

— Beck, dis-je au téléphone, je voudrais te voir.

— Bien sûr, dit-il. Tu viens samedi, n'est-ce pas ?

— Euh... oui. Mais je voudrais te voir avant.

— Ça peut attendre, dit-il calmement.

— Non, dis-je, et il devait y avoir une intonation spéciale

dans ma voix, car il me demanda s'il y avait quelque chose qui n'allait pas.

— Je ne sais pas, Beck, avouai-je franchement. Je veux dire, il y a quelque chose qui ne va pas, mais je ne sais pas quoi. J'eus soudain une idée. Puis-je amener quelqu'un avec moi samedi ?

— Tu sais bien que oui, Tom. Amène qui tu veux.

— Mon beau-frère Hank.

Il y eut un long silence à l'autre bout du fil. Puis, d'une voix légèrement forcée, Beck dit :

— Pourquoi lui ?

— Pourquoi pas ?

De nouveau le silence. Puis, comme s'il venait d'avoir une idée subite, Beck dit calmement :

— Pourquoi pas ? S'il veut venir, amène-le.

— Merci. Et maintenant, à propos de notre rendez-vous, que dirais-tu de ce soir ?

— Tom, j'aimerais bien, mais je suis retenu. Ça peut attendre samedi, non ?

— Non, dis-je. Demain ?

— Je ne serai pas en ville demain. Je regrette vraiment, Tom.

Brusquement, je lâchai :

— C'est au sujet du dénominateur commun.

— Quoi ?

— Tes réceptions, dis-je patiemment. Les gens qui vont à tes réceptions.

Il partit d'un grand éclat de rire.

— La seule chose qu'ils ont en commun, c'est qu'ils n'ont rien de commun.

— Ça, je le sais, dis-je. Je veux dire les gens qui allaient à tes réceptions et qui n'y vont plus.

Le silence, mais cette fois beaucoup moins long.

— Je regarde mon agenda, dit-il. Peut-être que je parviendrai à te voir pendant quelques minutes demain.

— Quelle heure ? dis-je, veillant à garder ma voix froide et calme.

— Deux heures. Le Kelly te convient ?

— D'accord. Devant le bar. J'y serai, Beck, et merci.

Je raccrochai et me grattai le menton. Dénominateur commun ?

La phrase de Hank. Hank ! Le type qui m'avait lancé sur cette affaire loufoque. Le type qui m'avait dit que s'il vous arrivait quelque chose au cours d'une réception chez Beck, vous n'y retourniez plus jamais. Le type qui avait dit qu'il n'y retournerait pas...

Et qui ne voulait pas dire pourquoi.

Eh bien, pour autant que j'aie quelque chose à y voir, il y retournerait.

Opie, Lila Falsehaven, Klaus, Willy Simms, Hank. Chacun avait fait quelque chose qu'il n'aurait pas dû — peut-être que pu était le mot exact — faire. Aucun ne voulait — ou ne pouvait — retourner chez Beck. Parfois, c'était un truc idiot comme la blague salée de Lila Falsehaven. Parfois c'était meurtrier, comme les folles confidences de Klaus.

Entre-temps, je ferais mieux de parler à Hank.

Cette fois, ce fut moi qui me rendis à son bureau et qui fermai la porte. Il s'empara du téléphone et dit :

— Sue, ne fais pas sonner ce truc jusqu'à ce que je te le dise... Je sais, je sais. Je m'en fous. Dis-lui d'attendre. Puis il se laissa aller contre le dossier de son fauteuil et me regarda.

— A propos de ce reportage, Hank dis-je ; jusqu'à quel point es-tu prêt à m'aider ?

— Jusqu'au bout.

— O.K. ! fis-je. Samedi soir, tu as un rendez-vous.

— Ah oui ? Où ?

— Chez Beck.

Il se redressa brusquement, me fixant toujours.

— Non.

— C'est ça que tu entends par m'aider « jusqu'au bout » ? demandai-je tranquillement.

— J'ai dit que je t'aiderais. Que j'y aille, ça n'aiderait à rien. D'ailleurs, Beck ne le permettrait pas.

— Beck m'a dit de t'amener.

— Pas possible !

— Ecoute, Hank, quand je te dis...

— O.K ! O.K ! Calme-toi, tu veux bien ? Je ne dis pas que tu mens. Il se tritura la lèvre. Dis-moi exactement ce que tu as dit et ce qu'il a dit. Essaie de te souvenir des termes exacts.

— Je lui ai demandé si je pouvais amener quelqu'un avec moi et il a dit : « Oui, bien sûr ». Puis j'ai mentionné ton nom et alors il a paru hésiter. Ensuite, quand j'ai voulu savoir pourquoi, il a immédiatement trouvé une réponse. Il a dit : « S'il veut venir, amène-le »…

— Le sale petit futé renard ! dit Hank entre ses dents serrées.

Il se leva, se frappant la paume du poing.

— Il voulait dire exactement ce qu'il disait, Tom. Amène-moi, si je veux bien venir. Et, inversement, si je ne veux pas y aller, ne m'amène pas. Je ne veux pas, Tom.

— Même pas pour m'aider « jusqu'au bout » ? demandai-je d'un ton sarcastique.

Il grogna.

— C'est bien ça.

Je dus avoir un air particulièrement lugubre, car il tenta de s'expliquer :

— Si j'étais sûr que ça aiderait à résoudre l'affaire, Tom, je ferais n'importe quoi. Si tu peux me convaincre que cette unique action est tout ce dont tu as besoin pour réussir, alors je viendrai. Peux-tu le faire ?

— Non, avouai-je franchement. Mais ça pourrait vraiment aider. D'accord, concédai-je de mauvais cœur. Si tu ne veux pas venir avec moi, tu ne le feras pas et l'affaire est close. Et maintenant, mis à part ce point, veux-tu toujours m'aider ?

— Evidemment, dit-il avec soulagement.

Alors je pointai un index vers lui et lâchai brusquement :

— Bien. Alors tu vas me dire ce qui t'est arrivé là-bas et pourquoi tu ne veux pas y retourner. Tu vas me le dire sur-le-champ et tu n'essaieras pas de trouver un faux-fuyant.

Un profond silence plana soudain dans le bureau. Les yeux de Hank se fermèrent à demi et j'avais déjà vu ce regard endormi auparavant. Chaque fois que je l'avais vu, ainsi, il donnait l'impression de quelqu'un qui venait d'être profondément blessé.

— En mettant un vrai reporter sur quelque chose qui me

concernait, j'aurais dû me douter du résultat, dit-il au bout d'un moment. Tu veux vraiment ce renseignement ?

J'approuvai de la tête.

— Tom ! fit-il, et sa voix fut presque un bâillement paresseux. Je vais t'envoyer un coup de poing sur ta grande gueule.

— Pour t'avoir posé une question professionnelle alors que tu m'as confié cette affaire ?

— Pas exactement, dit Hank. Je vais te raconter la chose et tu vas rire, et quand tu riras, mon poing partira.

— Jusqu'à présent, je n'ai rien trouvé de drôle dans toute cette affaire.

— Bon, dit-il. Il fit le tour de son bureau, serra le poing et regarda attentivement mon visage. Je suis allé à une de ces soirées de Beck et, en plein milieu de la fête, j'ai mouillé mon pantalon.

Je me mordis l'intérieur des joues, mais je ne pus me retenir. Je lâchai un hurlement de rire et puis je dégringolai du distributeur d'eau, glissai plusieurs mètres sur le côté et heurtai le mur de l'autre côté de la pièce. Un grand nuage de brouillard lumineux tourbillonna autour de moi puis se dissipa peu à peu. Je m'assis. Il y avait du sang sur ma bouche et sur mon menton. Hank se penchait sur moi, l'air triste. Il laissa tomber un mouchoir propre où je pouvais l'atteindre. Je m'en servis, puis ramenai mes pieds sous moi.

— M..., Tom, je suis désolé, fit-il. (De la manière dont il le disait, je le crus.) Je t'avais dit de ne pas rire.

Je chancelai jusqu'à la chaise près du bureau et m'assis. Hank me versa un peu d'eau et me l'amena.

— Trempe le mouchoir dedans, ordonna-t-il. Tom, tu comprendras mieux tout ceci lorsque tu y auras un peu réfléchi. Pourquoi est-ce que tu ne laisses pas tomber ?

— Je suppose que je ne dois pas le faire, articulai-je péniblement. Je suppose que si une chose pareille arrivait à...

— Si ça arrivait, dit Hank sombrement, ce ne serait pas drôle et Dieu protège celui qui en rirait. Ça bousillerait toute ton assurance, au-delà de tout ce que tu peux imaginer. Tu y penserais dans le bus, à une réunion, dans la salle de composition. Tu y penserais pendant que tu marches de long en large dans ton bureau, en train de dicter. Tu te souviendrais que quand c'est arrivé, c'est arrivé sans prévenir et que tu n'as rien pu faire d'autre qu'attendre que ce soit fini. C'était le genre de chose qui ne pouvait pas arriver — et tu serais toujours en train de te demander si ça n'allait pas arriver encore une fois...

— Et l'endroit où tu ne retournerais pour rien au monde, c'est l'endroit où c'est arrivé.

— Je me ferais plutôt damner, dit-il d'une voix épaisse comme s'il prononçait un sermon. Et pour comble ce... ce foutu Beck...

— Il a ri ?

— Il n'a pas ri, dit Hank haineusement. Tout ce qu'il a fait, alors que je m'éclipsais, c'est me rejoindre à la porte pour me dire que je ferais aussi bien de ne plus revenir. Il était tout ce qu'il y a de plus poli, ça oui, mais il pensait ce qu'il disait.

Je trempai le mouchoir encore une fois dans l'eau et me penchai par-dessus la tablette en verre du bureau pour me regarder. Je tamponnai mon menton.

— Ce Beck, dis-je, il prend certainement toutes ses précautions. Hank, toutes les autres personnes qui avaient l'habitude d'aller chez Beck et qui n'y vont plus..., crois-tu que Beck leur a aussi dit de ne pas revenir ?

— Je n'ai jamais réfléchi à la question. Mais probablement que oui. Sauf peut-être Klaus. Il ne pouvait plus aller nulle part après ce qu'il avait fait.

— J'ai vu Willy Simms, lui dis-je. Il était fou furieux contre Beck et il a dit quelque chose comme quoi retourner chez lui était tout aussi impossible que d'écrire une nouvelle chanson. Il est incapable de distinguer un ton d'un autre, tu sais.

— Non, je ne le savais pas. Et Miss Falsehaven ? Tu l'as vue ?

— Elle n'y serait retournée pour rien au monde. Elle est à moitié folle à l'idée de ce qu'elle a fait. Pour toi ou moi, ce ne serait rien. Pour elle, c'était la fin du monde.

La fin du monde. La fin du monde.

— Hank, je commence seulement à entrevoir ce que tu

voulais dire au sujet... d'Opie. Que ce qu'elle a fait n'était pas son œuvre.

Soudain, comme en état de choc — je crois que j'en fus plus saisi que Hank — je hurlai :

— Mais c'était en elle ! Il fallait qu'il y ait en elle un seul grain de... de ce qu'il fallait pour le faire.

— Peut-être, peut-être..., fit-il doucement. Mais j'aimerais bien pouvoir croire que non. J'aimerais pouvoir croire qu'il y a quelque chose chez Beck qui met un grain de folie dans la tête des gens. Un grain, totalement étranger à cette personne, qui ne pourrait pas exister chez elle dans n'importe quelle autre circonstance. Il rougit. Je me sentirais mieux si je pouvais le prouver.

— Je ferais mieux de partir. J'ai un rendez-vous avec Beck, dis-je après avoir regardé la pendule sur le mur du bureau. Je me levai.

— Tom...

— Oui ?

— Je suis désolé d'avoir dû te frapper. Il fallait que je le fasse. Tu comprends ?

— Bien sûr que je comprends, dis-je avec un sourire forcé. Si je ne comprenais pas, on serait en train de préparer un plâtre pour ton dos.

Je m'en allai.

Beck m'attendait quand j'entrai presque en courant chez Kelly. Je pris son verre et me dirigeai vers un coin du local.

— Pas à une table, bêla-t-il, en me suivant. Je dois prendre le train, Tom. Je te l'ai dit.

— Allez, dis-je. Cela ne prendra qu'une minute. Il vint avec moi en grommelant entre ses dents et me laissa le manœuvrer vers le coin capitonné d'un box. Je m'assis de manière à ce qu'il fût obligé de grimper sur moi, si jamais la conversation prenait un tour qui lui déplaisait trop.

— Désolé d'être en retard, Beck. Mais je suis content que tu sois pressé. Je vais pouvoir aller directement au but.

— Où veux-tu en venir ? dit-il, regardant sa montre d'un air irrité et fermant un instant les yeux pendant qu'il comptait les minutes.

— D'où vient ton argent ? demandai-je brutalement.

— Mais je... Ça alors, Tom. Tu n'as jamais... je veux dire... Il changea de tactique et commença à se fâcher. Je n'ai pas l'habitude qu'on me fasse la morale au sujet de mes affaires personnelles, mon vieux. Nous sommes de vieux amis, oui, mais après tout...

— Boucle-la, dis-je. Je suis le type qui te connaît à merveille. Souviens-toi... Nous avons logé ensemble à l'université et, à moins que ma mémoire ne m'abuse, il s'agissait de l'université d'Etat, donc à peine plus qu'une école technique. Nous avions en tout et pour tout trois cravates et une bonne couverture à nous deux, et nous sautions des repas à vingt francs pour pouvoir nous taper une sortie. Il n'y a pas si longtemps de ça, Beck. Puis tu es allé gribouiller pour une compagnie d'assurances, d'accord ? Et quand tu as abandonné ce boulot, tu n'en as pas cherché d'autre. Mais voilà que tu habites une grande et sombre maison remplie de meubles affreux et imposants, avec une salle de réception aménagée par Hilton et que tu organises de grandes soirées bruyantes une fois par semaine.

— Puis-je demander, dit-il entre ses dents de cheval, pourquoi tout cela t'intéresse tout à coup ?

— Tu ressembles plus que jamais à un rat, dis-je d'un air nonchalant, me disant que ça ne lui ferait pas de tort de se mettre en colère. Il lâche toujours des âneries quand il est énervé. Allons, Beck, quand on travaille à une revue comme la nôtre, on est toujours au courant de certaines choses qui sont sur le point d'éclater. J'essaie juste de te rendre service.

— Je ne vois pas...

— Comment te débrouillerais-tu, lui demandai-je, si on contrôlait tes déclarations d'impôts des quatre dernières années et si on faisait le relevé de tes possessions réelles ?

— Je me débrouillerais très bien, dit-il d'un air suffisant. Si tu veux absolument savoir, mes revenus proviennent d'investissements. J'ai fait d'excellentes affaires.

— Où as-tu pris le capital initial ?

— Ça ne te regarde vraiment pas, Tom, fit-il sèchement, et j'admirai presque la façon dont il me tenait tête. Mais puis-je te rappeler, continua-t-il, qu'il faut très peu de capital pour se lancer dans les affaires et si on peut acheter à la baisse et vendre à la hausse plusieurs fois de suite, on n'a plus à s'inquiéter d'avoir un capital.

— Tu n'es pas un spéculateur, Beck, ricanai-je. Pas *toi*. Tu n'aurais pas été capable d'inventer le fil à couper le beurre. Qui te refile les tuyaux ?

Pour une raison ou pour une autre, ces mots l'ébranlèrent plus que tout ce que j'avais dit jusque-là.

— Tu commences à m'énerver, fit-il d'un air pincé. Et tu vas me faire rater mon train. Il faut que je parte maintenant. Je ne sais pas quelle mouche t'a piqué, Tom. Je ne peux pas dire que j'apprécie beaucoup ce genre de questions et je ne vois vraiment pas où tu veux en venir.

— Je vais t'accompagner, dis-je, et t'expliquer.

— Pas la peine de te déranger, répliqua-t-il sèchement. Il se leva et je fis de même. Je le laissai sortir de derrière la table et le suivis vers la porte. La préposée au vestiaire fouilla dans ses affaires et lui tendit une valise en porc. Je m'en emparai avant qu'il n'ait pu mettre la main dessus.

— Donne-moi ça, hurla-t-il.

— Ne reste pas là à protester, dis-je. Tu vas être en retard.

Je me précipitai dehors et sifflai un taxi. Je siffle plutôt bien. Les taxis s'arrêtèrent à trois pâtés à la ronde ; je le poussai dans le plus proche et grimpai derrière lui en disant :

— Tu sais bien que tu n'as jamais pu appeler un taxi aussi bien que moi. J'essaie juste de t'aider.

— Gare Centrale, dit Beck au chauffeur. Tom, qu'est-ce que tu veux ? Je ne t'ai jamais vu comme ça.

— J'essaie juste de t'aider, répétai-je. Il y a un tas de gens qui commencent à parler de toi, Beck.

Il pâlit.

— Vraiment ?

— Oh oui. Qu'est-ce que tu croyais : revenus cachés, grandes réceptions où tout le monde peut entrer et tout et tout ?

— Un tas de gens donnent des réceptions.

— Personne n'en parle comme on parle des tiennes après

coup.

— Que disent-ils, Tom ? Il détestait se faire remarquer.

— Pourquoi as-tu dit à Willy Simms de ne plus jamais remettre les pieds chez toi ? C'était un coup frappé au hasard, mais il porta.

— Je crois bien que je me suis conduit tout à fait convenablement avec lui, protesta Beck. Il parlait tout le temps et il m'assommait. Il assommait tout le monde lorsqu'il venait.

— Il parle encore tout le temps, fis-je mystérieusement, puis je changeai de sujet. Beck commença à s'agiter. — Personnellement, je crois que tu obtiens quelque chose des gens qui viennent à tes réceptions. Et dès que tu l'as, tu les laisses tomber.

Beck se pencha en avant pour parler au chauffeur, mais pour Dieu sait quelle raison, sa voix s'étouffa. Il toussa et essaya une nouvelle fois.

— Plus vite, chauffeur.

— Alors, ce que je veux savoir, c'est ce que tu obtiens de ces gens et comment tu l'obtiens.

— Je ne sais pas ce que tu veux dire et je ne vois pas en quoi ces choses te regardent.

— Il est arrivé quelque chose à ma femme, samedi soir.

— Oh, dit-il. Oh là là... Et alors, qu'est-ce que tu crois que j'ai obtenu de ta femme ?

Je mis mes mains sous mes cuisses, et m'assis dessus.

— Je te connais très bien, grinçai-je ; c'est une question qui vient de te sauver la vie. Tu ne pensais pas ce que tu viens de dire, n'est-ce pas ?

Il vira au blanc.

— Bonté divine, Tom..., non. C'est ce que tu m'as dit : que j'obtenais quelque chose de chacune de ces personnes. Je suis plus désolé que je ne peux le dire au sujet de... d'Opie... Je n'y pouvais rien, tu sais, j'étais occupé, il y avait beaucoup à faire, il y a toujours beaucoup à faire... Non, Tom, je ne voulais pas dire ce que tu crois...

Et c'était vrai. Il y avait certains actes qui n'étaient pas dans les cordes de Beck. Je respirai un bon coup et demandai :

— Pourquoi as-tu dit à Hank de ne plus revenir ?

— Je préfère ne pas répondre, dit-il d'un ton sincère. C'était pour son bien, cependant. Il... euh... s'était rendu plutôt ridicule et je pensais lui rendre service en lui permettant de tourner sa colère contre moi plutôt que contre lui-même !

Je lui jetai un regard pesant. Il n'avait jamais été très malin, mais il avait toujours été aussi spécieux qu'un jésuite. Le taxi vira devant la gare juste à ce moment-là, et je lançai ma dernière question.

— Beck, est-ce que toute personne qui va à tes réceptions finit par se ridiculiser à un moment donné ?

— Oh non ! répondit-il. Et je crois que s'il n'avait pas été en train de regarder sa montre et de s'inquiéter, il n'aurait jamais dit les mots suivants : Certaines personnes sont immunisées.

Le taxi s'arrêta et il sortit.

— Je paierai, dis-je lorsqu'il se mit à fouiller dans sa poche. Dépêche-toi, plutôt. Je sortis la tête par la portière, le regardant et attendant, me demandant si les mots attendus viendraient, même après ce qui venait d'être dit. A quelques mètres de la voiture, il se retourna pour crier :

— A samedi, Tom !

Voilà. Je ne pouvais pas irriter Beck au risque d'être exclu d'une de ses réceptions — et de l'une ou l'autre façon, les riches et les pauvres, les grands et les gens de nulle part, tous ceux qui y venaient étaient condamnés à se ridiculiser — et Beck retirait quelque chose de ce qu'ils faisaient — et qu'est-ce qu'il voulait obtenir de moi ? Et qu'est-ce qu'il voulait dire par « certaines personnes sont immunisées » ? Immunisées... Drôle de mot à utiliser. Immunisées. Il y avait quelque chose dans cette maison — dans cette pièce — qui amenait les gens à faire quelque chose qui... Minute. Hank et Miss Falsehaven et, si on voulait, Opie, dans une certaine mesure, s'étaient ridiculisés. Mais le type qui avait tué le prédicateur avec le tisonnier de Beck..., et Klaus l'espion..., ce n'était vraiment pas ce qu'on pourrait appeler se ridiculiser ! Et puis Willy Simms... Est-ce que créer un « tube » est une chose ridicule ?

Dénominateur commun...

A défaut de connaître la réponse, on peut chercher où elle se trouve.

Beck était parti avec le train.

Il n'y avait qu'une seule chose qui formait un lien entre tous ces faits étranges : la salle de réception de Beck.

Il ne faisait pas tout à fait nuit quand j'arrivai chez Beck, mais cela n'avait pas d'importance. La maison était construite, en retrait, dans un grand jardin. De hautes palissades la séparaient des maisons voisines et une épaisse haie de troènes la cachait de la rue. Passé le portail et marchant sur la pelouse, je pouvais aisément passer inaperçu. La maison était une de ces horreurs début de siècle qui ont quelque chose du chalet et du presbytère, avec un peu trop de décorations pour le style moderne et pas assez pour le style victorien. Elle avait des pignons et des tourelles, et des chambres à tous les niveaux : les fenêtres évoquaient irrésistiblement les trous d'une fiche I.B.M.

Je soulevai le paquet que j'avais acheté chez un quincaillier et, longeant la haie, je me dirigeai furtivement vers l'arrière du bâtiment.

Un seul regard suffit pour m'indiquer que je n'avais aucune chance d'accès de ce côté-là. La maison avait été construite tout au fond de la propriété et derrière la maison, en contrebas, il y avait une petite rue ou une large allée, si vous préférez. L'arrière de la maison la surplombait comme une falaise, et il y avait du trafic et des voisins de l'autre côté. Non, il allait falloir m'attaquer à un côté. Je jurai parce que je savais que la salle de réception donnait sur l'arrière, avec ses immenses baies vitrées ; puis je me souvins qu'il y avait l'air conditionné dans cette pièce ; les fenêtres ne seraient donc pas ouvertes et je ne pourrais pas couper le verre puisqu'il y aurait certainement des doubles vitres.

J'essayai d'ouvrir deux fenêtres du rez-de-chaussée, mais elles étaient verrouillées. Une autre était ouverte mais il y avait des barreaux. Puis, tout un espace feuillu sans la moindre fenêtre. Pris d'une inspiration subite, je m'en approchai en marchant dans un parterre de fleurs. Là, à hauteur de poitrine, cachée derrière une touffe de roses trémières, il y avait une petite fenêtre.

Je pris la lampe de poche que je venais d'acheter et jetai un regard à l'intérieur. La fenêtre était verrouillée au moyen d'une de ces serrures de sécurité en fonte d'acier, avec une bague en caoutchouc qui se place contre le châssis. Ça me convenait parfaitement. J'ouvris la boîte de mastic pour aquarium et formai un cône de mastic que je plaçai contre le verre. Puis je sortis le coupe-verre et coupai tout autour du cône. Je frappai une fois sur le cercle que je venais de découper et il se détacha, toujours collé contre le cône de mastic. Je plaçai le mastic et le verre sur le rebord de la fenêtre, dévissai la serrure de sécurité, ouvris la fenêtre et entrai. Avec ma spatule de vitrier, j'enlevai soigneusement la vitre cassée et la brisai, ainsi que le cercle de verre, en petits morceaux, que j'enveloppai dans le papier fort qui avait entouré le paquet que j'avais apporté. Je pris les mesures de la vitre et découpai l'unique vitre que j'avais apportée avec moi, puis je la mis en place au moyen du mastic pour aquarium, plutôt foncé et ne brillant pas comme du nouveau mastic ordinaire. Je nettoyai la nouvelle vitre à l'intérieur et à l'extérieur, fermai et verrouillai la fenêtre, puis balayai soigneusement le rebord et le sol en dessous. Je dissimulai tous les déchets, fourrai les outils dans mon veston et mon pantalon. Ainsi, personne ne saurait que j'étais passé par-là.

Je me trouvais dans un grand cabinet de débarras qui donnait sur l'office. L'office me conduisit à la cuisine et de la cuisine à la salle à manger ; à partir de là, je savais où aller. Je sortis dans le hall d'entrée et me dirigeai vers l'arrière de la maison. La porte de la salle de réception était fermée. De ce côté-ci, elle était surchargée de lambrissage sculpté, chêne clair et colonnes ioniques. C'était une porte coulissante ; je la fis glisser et, de l'autre côté, il y avait une plaque de bouleau conforme au modernisme effarant de la salle. Je ressentis de nouveau cette étrange sensation d'étonnement au sujet de Beck et de son unique folie.

Je fermai la porte et traversai la pièce sombre en direction des baies vitrées. Là, je touchai le bouton qui commandait la fermeture des lourdes tentures. Il y eut un léger bourdonnement et elles se mirent en mouvement. Au fur et à mesure qu'elles se fermaient, une lumière artificielle envahissait la pièce, et lorsqu'elles se touchèrent, la pièce tout entière baignait dans une chaude lumière dorée.

Et au milieu du tapis que je venais tout juste de traverser, à des mètres des portes et à bonne distance de tout meuble, se tenait une jeune femme.

Le choc en fut presque physique. Et pendant une fraction de seconde, je crus être victime d'un éblouissement, comme après un éclair. Puis je repris possession de mes moyens et rencontrai le regard calme et assuré de ses yeux verts.

Si une femme peut dégager en même temps une impression de force et de fragilité, celle-ci le faisait à coup sûr. Ses cheveux étaient bleu noir, avec un étrange reflet rougeâtre. Sa peau était sans défaut, comme celle d'une effigie de cire, mais elle était vivante et chaude. Elle souriait et je pouvais voir ses dents au dessin parfait. Sa robe décolletée était en brocart or et pourpre et elle devait avoir une bonne douzaine de jupons en dessous. Seizième siècle ? Dix-septième siècle ? Dans *cette* pièce ?

— C'était bon, dit-elle.

— Ah oui ? fis-je, surpris.

— Oui, mais ça n'a pas duré. Je suppose que vous êtes immunisé.

— Ça dépend, dis-je, regardant son décolleté. Puis je me rappelai l'étrange remarque de Beck.

Elle dit :

— Vous ne devriez pas être ici. Pas tout seul.

— Je pourrais dire la même chose pour vous. Mais puisque nous sommes là tous les deux, nous ne sommes pas seuls.

— Je ne le suis pas, dit-elle. Mais vous, vous l'êtes. Et elle rit. Vous êtes Tom Conway.

— Ainsi, il vous a parlé de moi ? En tout cas, il ne m'a jamais parlé de vous.

— Bien sûr que non. Il n'oserait pas.

— Vous habitez ici ?

Elle opina de la tête.

— J'ai toujours vécu ici.

— Que voulez-vous dire par toujours ? Beck habite ici depuis trois, non, quatre ans maintenant. Et vous étiez ici pendant tout ce temps ?

Elle approuva.

— Depuis bien avant.

— Ça alors ! dis-je. Chapeau pour Beck ! Je croyais qu'il n'aimait pas les femmes.

— Ce n'est pas nécessaire.

Je vis son regard passer par-dessus mon épaule et fixer quelque chose derrière moi. Je fis volte-face. Accrochée à la tenture, il y avait une araignée grosse comme un sombrero. Je ne savais pas si elle allait bondir ou non. Poursuivant mon mouvement tournant, je saisis un lourd cendrier fait de maillons de chaîne soudés ensemble. Avant que j'aie eu le temps de le balancer sur l'araignée, la fille était à mes côtés, tenant le cendrier des deux mains.

— Ne faites pas ça, dit-elle. Vous allez casser la fenêtre et les voisins vont accourir. Je veux que vous restiez un petit peu ici.

— Mais l'ar…

— Elle n'est pas réelle.

Je regardai : l'araignée avait disparu. Je me tournai vers la fille :

— Qu'est-ce qui se passe ici, nom de Dieu ?

Elle soupira.

— Ce n'était pas aussi bon, dit-elle. Vous auriez dû avoir peur. Mais vous vous êtes tout simplement mis en colère. Pourquoi est-ce que vous n'avez pas eu peur ?

— J'ai peur maintenant, dis-je en regardant les tentures. Je suppose que je me fâche d'abord et que j'ai peur ensuite. A quoi rime tout ceci ? C'est vous qui avez mis là ce truc ?

Elle fit oui de la tête.

— Pourquoi ?

— J'avais faim.

— Je ne vous suis pas.

— Je sais.

Elle se dirigea vers le canapé. Ses jupons froufroutaient merveilleusement. Elle se laissa choir dans le caoutchouc mousse et tapota la place à côté d'elle. Je traversai la pièce lentement. On n'a pas besoin de savoir à quoi rime une chose pour apprécier cette chose. Je m'assis à côté d'elle.

Elle baissa les yeux et lissa sa jupe. Visiblement, elle attendait...

Je ne la fis pas attendre plus longtemps. Je l'attirai vers moi et cherchai la fermeture de sa robe. Elle glissa facilement en arrière lorsque ma joue rencontra les poils rêches de la sienne.

Les poils...

Avec un cri, je sautai en arrière, les yeux grands ouverts. Là, sur le canapé, s'étalait un homme corpulent, avec de mauvaises dents et une barbe de quatre jours. Il éclatait d'un rire de baryton.

On n'a pas besoin de comprendre une situation pour ne pas l'apprécier. Je m'avançai et balançai mon meilleur coup de poing. Il partit de ma dernière côte droit devant et lorsqu'il arriva là où il devait arriver, tout mon poids était sur lui. Mais cette fois, il arriva nulle part. Mon poing ne rencontra que le vide et mon coude craqua sous l'effort. Mais du siège du canapé, bondit un énorme chat noir. Il sauta à terre et fila à travers la pièce. Je tombai en avant, rebondis sur le canapé et courus derrière l'animal. A l'autre extrémité de la pièce, il fit demi-tour, échappa facilement à ma main tendue et se mit à grimper le long des tentures, main à main.

Oui, *main à main*. Le chat avait des mains à trois doigts et un pouce.

Arrivé à deux mètres environ du sol, il se roula en boule et il... je crois qu'il *tournoya*. Je secouai la tête pour m'éclaircir les idées et regardai de nouveau. Il n'y avait plus trace de l'animal ; en revanche, il y avait là un écran de haut-parleur que je n'avais pas remarqué auparavant.

Ecran de haut-parleur ?

Toute personne qui connaît l'ultra-moderne sait qu'il existe une convention en bannissant les haut-parleurs et les lampes visibles. Tout doit être dissimulé ou adroitement camouflé.

— Ça, dit le haut-parleur d'une voix neutre et asexuée, c'était déjà meilleur.

Je reculai et me laissai tomber sur le canapé d'où je pouvais regarder l'écran.

— Même si vous êtes immunisé, je peux obtenir quelque chose de vous.

— Que voulez-vous dire par immunisé ? demandai-je.

— Il n'y a rien que vous ne feriez pas, dit la voix impersonnelle. Or, lorsque j'amène quelqu'un à faire quelque chose qu'il ne peut pas faire, je me nourris. Tout ce que je peux faire avec vous, c'est vous mettre en colère. Et encore, vous n'êtes jamais en colère contre vous-même, mais seulement contre la fille ou 'araignée, ou tout autre phénomène similaire.

Je me rendis soudain compte que le haut-parleur n'était plus à. Mais il y avait maintenant un énorme serpent tacheté sur le apis, à mes pieds. Je fonçai dessus et ma main se referma sur la heville de la fille que j'avais vue précédemment. Je reculai et me 'assis.

— Vous voyez, dit-elle de sa voix de velours. Vous n'avez nême pas peur maintenant.

— Je n'aurai pas peur du tout, affirmai-je.

— Je suppose que non, fit-elle comme à regret. Puis son 'isage s'éclaira. Mais c'est `bientôt samedi, reprit-elle. Alors, 'aurai à manger.

— Qu'êtes-vous finalement ?

Elle haussa les épaules.

— Vous n'avez pas de nom pour me désigner. Une chose omme moi peut-elle seulement avoir un nom ? Je puis prendre 'importe quelle forme.

— Restez comme cela pour le moment. Je la détaillai des ieds à la tête. Vous êtes très bien ainsi. Pourquoi ne venez vous as ici bien gentiment ?

Elle recula d'un pas, secouant la tête.

— Pourquoi pas ? Ça n'aurait guère d'importance pour vous, bservai-je.

— C'est vrai. Mais je ne le ferai pas. Comprenez-moi, ça 'aurait pas d'importance pour vous non plus.

— Je ne vous suis pas.

Elle expliqua patiemment :

— A votre place, beaucoup d'hommes me désireraient, certains en dépit d'eux-mêmes. Et lorsqu'ils découvriraient ce que je suis — ou ne suis pas — ils se détesteraient. De ceux-là, je pourrais me servir, roucoula-t-elle en se léchant voluptueusement les lèvres. Mais vous, vous me désirez telle que je suis pour le moment et il n'est d'aucune importance pour vous que je sois un reptile, un insecte ou tout simplement une hypocrite, dès lors que vous obtenez ce que vous voulez.

— Minute ! Cette nourriture... Vous vous nourrissez de haine ?

— Oh non ! Ecoutez-moi : lorsqu'un être humain fait quelque chose qu'il serait normalement incapable de faire, comme... oh, comme cette vieille fille qui griffa si horriblement la belle actrice, il se produit une réaction glandulaire qui ne peut être comparée à aucune autre. Dans tout être humain, il existe une force qui le pousse à vivre et une force qui le pousse à mourir, une force qui le pousse à construire et une force qui le pousse à détruire. Chez la plupart des gens, ces forces sont assez bien équilibrées. Mais ce que je fais, c'est leur envoyer une forte décharge de l'une ou l'autre de ces forces, pour créer un déséquilibre, un conflit ouvert. Ce conflit crée un, appelons-le un champ, une aura. C'est de ça que je me nourris. Vous avez compris maintenant ?

— Un peu comme un moustique qui injecte un diluant dans le sang. Je la regardai. Vous êtes un parasite !

— Si vous voulez, dit-elle d'un ton détaché. Vous aussi d'ailleurs, si vous appelez parasite un être qui se nourrit d'autres formes de vie.

— Et maintenant, parlez-moi de l'immunité.

— Oh ça ! C'est très ennuyeux. C'est comme avoir faim et découvrir que vous ne possédez que des conserves et pas d'ouvre-boîtes. Vous savez que la nourriture est là, mais vous ne pouvez l'obtenir. C'est très simple. Vous êtes immunisé parce que vous êtes capable de n'importe quoi, oui, de n'importe quoi.

— Superman en somme ?

Elle retroussa la lèvre.

— Vous ? Non, malheureusement.

— Alors, quoi ?

Elle réfléchit un moment.

— Vous vous souvenez m'avoir demandé ce que j'étais ? Eh bien, tout au long de votre histoire, on a inventé une multitude de noms pour les êtres de mon espèce. Tous erronés, bien sûr. Mais celui qu'on utilise le plus souvent, c'est le terme de conscience. Lorsqu'un homme a fait quelque chose de mal, sa conscience naturelle l'en avertit. Mais chaque fois que vous voyez la conscience d'un homme le torturer, essayer de le détruire, vous pouvez être certain que l'un d'entre nous est passé par-là. Dès que vous voyez un homme agir d'une façon qui ne cadre absolument pas avec son éducation, son milieu, soyez sûr que l'un de nous est là avec lui.

Je commençais à comprendre beaucoup de choses.

— Pourquoi me dites-vous tout ceci ?

— Pourquoi pas ? J'aime parler, tout comme vous. Cela ne peut me faire aucun tort. Si vous répétiez ce que je vous dis, personne ne vous croirait. Après un certain temps, vous-même ne croirez plus à ce que je vous ai dit. Les hommes ne peuvent pas croire en des choses qui n'ont pas une taille, une forme, un poids ou une conduite bien déterminés. Si une mouche supplémentaire se met à tourner autour de votre table, si votre volubilis a une nouvelle pousse qui n'y était pas dix minutes plus tôt, vous ne le croirez pas. Ces choses-là arrivent auprès de tous les hommes, tout le temps, et ils n'y prêtent jamais attention. Ils expliquent tout en fonction de ce qu'ils croient déjà. Comme ils ne croient pas en quelque chose qui nous ressemble, ne fût-ce que vaguement, nous sommes libres d'aller et venir devant leur regard idiot, nous nourrissant quand et où nous voulons…

— Vous ne vous en tirerez pas comme ça. Les hommes finiront par vous rattraper, lâchai-je. Les hommes commencent à penser selon de nouvelles voies. Avez-vous entendu parler de la géométrie non euclidienne ? Savez-vous quelque chose sur les systèmes non aristotéliciens ?

Elle rit.

— Nous sommes au courant. Mais d'ici à ce qu'ils soient acceptés par tous, nous ne serons plus des parasites. Nous serons des symbiotes. Certains d'entre nous le sont déjà. Moi, par exemple.

— Des symbiotes ? Voulez-vous dire que vous dépendez d'une autre forme de vie ?

— Oui, et qu'elle dépend de moi aussi.

— Laquelle ?

Elle montra la pièce au décor incongru :

— Votre idiot d'ami Beck, bien sûr. Certains des personnages attirés dans mon antre sont des spéculateurs, des gens très malins. Pour rien au monde, ils ne refileraient des secrets relatifs à des investissements. Mais je veille à ce qu'ils en parlent à Beck. Et, oh, comme ils le regrettent ! Comme ils se sentent idiots ! Et comme je mange ! En échange, Beck les amène ici.

— Je savais qu'il était incapable de faire cela tout seul, dis-je. Et maintenant, dites-moi pourquoi il tient tant à ma présence lors de ses réceptions ?

— Ça, c'est mon œuvre. Elle me regarda froidement.

— Un de ces jours, je vais vous manger, dit-elle. Un de ces jours, je trouverai l'ouvre-boîtes. J'apprendrai comment fermer une porte à votre nez, comment écrabouiller votre visage avec un fer à repasser et alors, je vous dégusterai comme une praline.

Je ris.

— Il vous faudra d'abord trouver quelque chose que je regretterai d'avoir fait.

— Il faut bien qu'il y ait quelque chose. Elle bâilla. Il faut que je me mette en appétit, dit-elle d'un ton paresseux. Partez maintenant !

— Elle se trompe, dit Hank lorsque je lui eus tout raconté.

Il était accouru chez moi lorsque je lui avais téléphoné et il m'avait laissé parler.

— Elle se trompe ?

— Oui quand elle prétend qu'aucun homme ne te croirait. Parce que, bonté divine, moi, je te crois !

— J'ai l'impression que j'y crois, moi aussi, dis-je. Puis : Pourquoi ?

— Pourquoi ? répéta Hank. Il mordit nerveusement sa lèvre

inférieure. Peut-être parce que je ne demande qu'à croire en toute théorie qui innocente Opie, qui implique que ce qu'elle a fait n'est pas du tout de sa faute.

— Opie, dis-je. Oui...

Il me jeta un regard rapide.

— Il y a une chose à laquelle je pensais, Tom. La nuit où c'est arrivé, avec Opie, je veux dire...

— Vide ton sac si ça te soulage, dis-je, reconnaissant son expression.

— Merci, Tom. Eh bien... Indépendamment de ce qui a pu influencer Opie, indépendamment... euh... de son éventuel consentement, ces choses-là prennent un certain temps. On les voit arriver.

— Et alors ?

— *Où étais-tu quand ce type s'est mis à tourner autour d'Opie ?*

Je réfléchis. Je commençai à sourire, mais m'arrêtai. Puis je me fâchai.

— Je ne me souviens pas.

— Oh si, tu t'en souviens. Où étais-tu, Tom ?

— Dans les environs.

— Tu n'étais pas dans la salle.

— Ah non ?

— Non.

— Qui t'a dit ça ?

— Toi, dit-il. Il prit de nouveau son air endormi. Tu es un piètre menteur, Tom. Quand tu évites une question, c'est que tu dis oui. Qui était la fille, Tom ?

— Je ne sais pas.

— Quoi ?

— J'ai dit que je ne savais pas, dis-je d'un air renfrogné. Juste une fille.

— Oh ! Tu ne lui as même pas demandé son nom ?

— Je ne pense pas.

— Et tu as fait tout ce tintouin pour Opie !

— Laisse Opie en dehors de cela ! hurlai-je. Il y a un monde de différence.

— Tu devrais être pendu par les pouces, dit-il en me jetant un regard plein de pitié. Mais je suppose que ce n'est pas ta faute Il ricana. Pas étonnant que ce parasite de Beck ne puisse t'atteindre ! Tu ne fais jamais quelque chose que tu regrettes, parce que tu ne regrettes jamais ce que tu fais. Jamais rien !

— Et alors, pourquoi pas ? Je me levai d'un bond. Ecoute-moi, Hank. Je suis vivant. Je suis bien vivant. Tous les gens que je connais sont en train de tuer telle ou telle partie d'eux-mêmes : tout ce qui ne reçoit pas de nourriture finit par mourir. Ne bois pas ceci, ne regarde pas cela, ne mange pas ceci, alors que pendant tout ce temps, il y a en eux quelque chose qui a justement faim de ces mêmes choses. Ce quelque chose est facilement rassasié… et dès qu'il est rassasié, il vous fout la paix. Je suis vivant nom de Dieu, et j'ai bien l'intention de le rester !

Hank se dirigea vers la porte.

— Je vide les lieux, dit-il d'une voix mal assurée. Je dois penser à ma sœur. S'il t'arrivait quelque chose, elle pourrait m'en vouloir.

Il claqua la porte derrière lui. Je donnai un coup de pied à la petite table et brisai un de ses pieds. La porte s'ouvrit de nouveau. Hank lança :

— Je vais avec toi chez Beck samedi soir. Je passerai te prendre ici. Ne pars pas sans moi.

Chez Beck, la porte d'entrée était grande ouverte, comme toujours le samedi. Il n'y avait rien qui pût empêcher Hank, ou n'importe quel autre « baptisé » d'entrer. A moins que l'empêchement ne résidât au fond d'eux-mêmes. Hank, en tout cas, sentait manifestement sa présence. Je le voyais bien à la façon dont il enfonçait ses mains dans ses poches, affichant un air nonchalant Sous sa mine assurée, il était la tension personnifiée.

C'était la réception ordinaire, rassemblant tout ce qu'il peut y avoir de gens peu ordinaires. Beck jouait les chaperons pour une vingtaine de personnes formant l'assortiment le plus loufoque qu'on eût jamais vu depuis la semaine précédente. Une célèbre économiste. Un magistrat. Un gauchiste boutonneux. Un couple de touristes allemands, avec jumelles et tout. Un fermier a visage ahuri et aux vêtements de confection. Un homme qui jouait du piano. Une fille qui le regardait jouer avec admiration (elle ne pratiquait manifestement pas le piano). Quelqu'un qui regardait avec dégoût le pianiste (ce gars-là jouait manifestement du piano, lui).

Quand nous entrâmes, Beck se précipita vers nous, gloussant des formules de bienvenue qui moururent sur ses lèvres quand il reconnut Hank.

— Hank, fit-il, le souffle coupé. Vraiment, je ne sais pas si...

— 'Jour, Beck, dit Hank. Ça fait un bout de temps.

Et il entra dans la salle de réception et se dirigea vers le bar qui se trouvait dans le coin le plus éloigné, laissant Beck complètement estomaqué.

— Tom, dit Beck, vous n'auriez pas du courir le risque de...

— J'ai tout aussi soif que lui, dis-je, et je suivis Hank.

Je me fis servir un gin.

— Hank ?

— Quoi ? Ses yeux surveillaient la foule.

— Vas-tu enfin m'expliquer ce que tu mijotes ?

Il me regarda : la tension dans laquelle il vivait devait le faire souffrir. .

— Eh ! continuai-je, détends-toi. Il ne va rien t'arriver. Notre petite amie affamée est une épicurienne. Je ne crois pas qu'elle s'intéresse à autre chose qu'à la première vague d'angoisse qu'elle provoque. Tu es du passé.

— Je sais, marmonna-t-il. Je sais... euh... Je suppose que tu as raison. Il s'épongea le front. Est-ce que tu la vois ?

— Non, dis-je. Mais aussi, comment pourrais-je la reconnaître si je la voyais ? Peut-être n'est-elle pas dans cette pièce.

— Je crois que si, dit-il. Je crois qu'elle est coincée ici.

— Ça, c'est une idée. Oui ! Sa spécialité, c'est l'incongru, d'accord ? Tout ce qui est exceptionnel. Eh bien, cette pièce regorge d'exceptionnel et d'incongru.

Il approuva de la tête.

— C'est ce que je veux dire. Et c'est ce que je veux vérifier, et bien vérifier. Tiens.

Il se rapprocha du bar et me passa d'un geste rapide et discret quelque chose de volumineux et de plat.

— Hank ! chuchotai-je. Un revolver ! Qu'est-ce que…

— Prends-le. J'en ai un aussi. Fais ce que je dis lorsque je te ferai signe.

Je n'aime pas les revolvers. Mais celui-ci fut enfoui dans ma poche avant que j'aie pu protester. Je me demandai si Hank avait perdu la raison.

— Des balles n'auraient aucun effet sur elle.

— Elles ne sont pas pour elle, dit-il en regardant de nouveau la foule.

— Mais…

— Boucle-la, Tom, dit-il sèchement. Est-ce que quelqu'un fait toujours quelque chose d'idiot à une de ces soirées ? Chaque fois, je veux dire ?

Je me souvins des tuyaux au sujet des investissements, de toutes les fois, inconnues de tous, où des gens devaient avoir fait des choses insensées et humiliantes qu'ils avaient regrettées immédiatement après.

— Peut-être bien que oui, Hank.

— Au début ou à la fin de la réception ?

— Je n'en sais rien, Hank. Vraiment rien.

— Je ne peux pas attendre, marmonna-t-il. Je ne peux pas courir de risques. Peut-être que la chose ne se nourrit qu'une fois par soirée. Alors, allons-y, fit-il d'une voix claire.

Je l'appelai, mais il enfonça sa tête entre ses épaules et se dirigea vers le piano. Je regardai autour de moi. Beck suivait Hank des yeux ; son visage était blanc et tendu.

Hank grimpa sur le piano, un pied sur le banc, un pied sur les touches, puis les deux pieds sur le bois précieux. Le pianiste hésita, puis s'arrêta. La jeune fille qui regardait le musicien avec tant d'admiration, poussa un petit cri. Les gens se retournèrent. Ils se dépêchaient de terminer leur phrase tout en se retournant. D'autres ne firent même pas attention. Après tout, ces réceptions de Beck…

— Parasite ! hurla Hank.

Chose curieuse, les quatre cinquièmes des gens devinrent brusquement attentifs.

— Il n'est pas immunisé, continua Hank. Il parlait, apparemment, à l'endroit où le mur rencontrait le plafond : Voilà ton ouvre-boîtes, parasite. Ecoute-moi bien !

Il s'arrêta, et dans le brusque silence embarrassé qui suivit, la voix de Beck s'éleva, tremblotante et suffoquante :

— Descendez de là, vous m'entendez ? Descendez...

Hank sortit son revolver.

— Boucle-la, Beck !

Beck tomba assis par terre. Hank leva sa grosse tête et cria :

— Tout ce qu'il veut, c'est vivre. Il détesterait mourir. Mais comment crois-tu qu'il se sentirait s'il se tuait lui-même ?

Il ne devrait pas y avoir des silences pareils. Mais bientôt quelqu'un pleurnicha, quelqu'un remua les pieds. Et puis, articulée par cette voix que j'avais déjà entendue ici, le jour où j'avais vu l'araignée et le chat avec des mains, j'entendis une unique syllabe.

Privez un homme de nourriture pendant un jour et demi, puis mettez un morceau de bifteck bien saignant dans sa bouche. Mettez sur une table des verres de vin rouge ordinaire, puis versez un grand cru de Bourgogne dans un des verres. Posez un manteau de vison sur les épaules d'une fille sans le sou qui se regarde dans une glace. Faites une de ces choses et vous entendrez un son qui se déclenche brusquement, puis baisse d'un ton, se transformant en un soupir, en un souffle :

— M-m-m-m-m... !

— Tu n'auras pas beaucoup de temps pour te servir, mais il ne te faut guère de temps, n'est-ce pas ? demanda Hank.

De quoi diable est-il en train de parler ? De qui ? me demandai-je.

Et puis je sortis le revolver de ma poche.

Maintenant, je dois décrire toutes les pensées qui peuvent s'enchaîner à une vitesse folle dans le cerveau d'un homme. Le temps qu'il me fallut pour lever le revolver, viser et presser la détente, j'avais déjà pensé :

C'est de Tom Conway qu'il parle au parasite.

Hank veut que le parasite me prenne.

C'est le parasite, pas Hank ni moi, qui est en train de lever ce revolver, de viser.

C'est ainsi que Hank se venge de moi. Et pourquoi se venger ? Simplement parce que je ne pense pas comme lui. Est-ce que Hank ne sait pas qu'à mes yeux, ma façon de penser est valable et n'a pas besoin de justifications ?

C'est une vengeance stupide parce qu'il agit au nom d'Opie et qu'Opie n'aimerait sûrement pas ça ; ça ne l'avancerait à rien.

Le revolver visait ma tempe et je pressai la détente.

Je suis vivant, je suis bien vivant. Tout le monde doit mourir un jour, mais se rendre compte qu'on a bêtement essayé de se tuer soi-même ! Qu'on s'est laissé se tuer, qu'on a laissé son propre doigt presser la détente !

Un coup de feu est bref, perçant, net ; celui-ci fut différent. Ce fut un bruit qui commença par un coup de feu, mais qui se poursuivit ; c'était un grondement continu qui emplit la pièce tout entière, qui gronda, qui rugit ; la pièce s'embruma, tournoya et se coucha sur le côté lorsque ma joue rencontra le tapis. Le grondement continuait toujours pendant que la lumière s'éteignait, mais je pouvais néanmoins entendre leurs cris et la voix de Hank, lointaine mais bien distincte :

— Tout le monde dehors ! Cette maison va sauter ! Au feu ! cria-t-il une seconde plus tard. Au feu ! Puis :

— *Beck, nom de Dieu, aide-moi à porter Tom !*

Puis plus rien, si ce n'est la sensation du temps qui s'écoule ; puis l'air frais, l'obscurité et un moment de lucidité. Je voyais trop distinctement, j'entendais trop distinctement. Tout me faisait mal. Le grondement continuait toujours en guise de bruit de fond. J'entendais le coup de feu, je le goûtais amèrement, je le voyais, comme une auréole illuminant tout ce qui m'entourait, je sentais son odeur âcre et dure — et je le sentais. J'étais étendu sur le gravier du sentier et des gens effrayés débouchaient en courant de la maison.

— Reste avec lui ! hurla Hank, et ma tête fut bercée sur les genoux tremblants de Beck.

— Mais il n'y a pas le feu, pas le feu, fit Beck d'une voix geignarde et apeurée.

Et Hank fut une grande ombre noire dans l'obscurité et sa voix me parut très lointaine lorsqu'il courut vers les buissons.

— Attends, cria-t-il. Attends.

Il se pencha sur quelque chose et il y eut une explosion assourdie dans la maison, puis une autre encore et une lumière blanche apparut aux fenêtres du rez-de-chaussée, vira au jaune, tremblota puis prit de l'extension.

Hank revint.

— Il y a le feu maintenant, dit-il.

Beck hurla :

— Vous allez le tuer ! Il essaya de se lever. Hank l'attrapa par sa chemise et l'obligea à se rasseoir.

— Oui, je vais le tuer, Judas !

— Vous ne comprenez pas, pleurnicha Beck. Je ne peux pas vivre sans lui.

— Retourne dans ta compagnie d'assurances. Fais ton chemin tout seul et ne rançonne pas des gens meilleurs que toi pour nourrir des monstres.

Des flammes jaillissaient des fenêtres du second étage.

— Et si tu ne peux vraiment pas vivre sans lui, meurs, dit Hank et il hurla : Tout le monde est sorti ?

— Tout le monde est là, cria une voix.

Je me souviens de m'être dit qu'ils avaient vérifié si tout le monde était bien sorti : alors qui pouvait bien crier dans le feu ?

Et puis le grondement cessa.

Tout d'abord la douleur et puis assez de lumière pour filtrer à travers mes paupières closes. J'essayai de remuer la main droite et n'y parvins pas. J'ouvris les yeux et vis un plâtre sur mon avant-bras droit. Je tournai la tête.

— Tom ?

Je levai les yeux vers la forme confuse qui parlait. Puis ce ne fut plus une forme confuse, mais Hank.

— Tout va bien, Tom. Tu es à la maison. Chez moi.

Je détournai la tête et regardai le plafond, la fenêtre puis de nouveau Hank.

— Tu as essayé de me tuer, dis-je.

Il secoua la tête.

— Je t'ai utilisé comme appât. Il me fallait savoir si elle allait manger. Il me fallait savoir ce qu'elle pouvait faire, ce qu'elle allait faire. J'ai essayé de viser ton revolver pour que tu le lâches. Je n'ai pas réussi à le faire et je t'ai blessé à l'avant-bras. Tu as une fracture. Ta balle t'a éraflé le crâne. Tu l'as échappé belle.

— Et si je m'étais tué ?

— Un appât court un certain risque en général.

— Tu as piégé la maison, n'est-ce pas ?

— Après ton cours de cambriolage de A à Z, ça n'a pas posé de problèmes.

— Tu as essayé de me tuer, dis-je à nouveau.

— Non, fit-il péremptoirement.

Je me demandais — je me demandais vraiment — pourquoi ce que j'avais fait était si important. Et c'était comme si Hank avait lu dans mes pensées.

— C'est à cause de la différence entre toi et Opie, dit-il. Superficiellement, toi et Opie, vous avez fait exactement la même chose cette nuit-là. Mais Opie en souffrira toute sa vie. Et toi, tu ne te souviens même pas avec qui tu étais.

Je restai là comme un bloc de bois. Hank partit. Peut-être que j'ai dormi. Tout ce dont je me souviens, c'est qu'Opie fut soudain là, agenouillée près du lit.

— Tom, fit-elle d'une voix entrecoupée. Oh, Tom, je voudrais être morte. Je passerai le reste de ma vie à essayer de te faire oublier…

Je me dis : je voudrais que cette chose, quelle qu'elle fût, n'ait pas péri dans l'incendie. Je sais ce que je suis maintenant. Je suis immunisé. Et cette découverte me remplit d'une angoisse qui pourrait nourrir un être pareil pendant des millions d'années.

# L'EVE ETERNELLE

## John Wyndham

L'homme sortit des arbres, se détachant telle une petite tache de lumière contre les troncs noirs, Amanda régla ses jumelles. Les vêtements de l'homme étaient encore plus abîmés que les siens : les pantalons avaient des accrocs pittoresques et il ne restait presque plus rien de la chemise. Il était arrivé quelque chose de bizarre à ses cheveux et à sa barbe. Il aurait pu obtenir cet effet s'il les avait laissés pousser jusqu'à ce qu'ils le gênent, puis se soit mis à les tailler à la diable à l'aide de ciseaux. Sur le dos, il portait un ballot. A son épaule gauche, il portait un fusil en bandoulière. Quand Amanda le reconnut, elle serra encore un peu plus les lèvres et elle tendit la main pour saisir son fusil.

Après avoir marché quelques mètres à découvert, il s'arrêta, scrutant la colline devant lui. Derrière lui, les pâles arbres-banderoles flottaient dans la brise légère comme des herbes dans un ruisseau, balançant mollement leurs hautes crêtes ; les frondes des arbres-fougères ondulaient paisiblement, créant l'impression que des vagues mouvantes déferlaient sur la plaine. L'homme resta immobile pendant une minute ou deux. Son regard passa sur l'endroit où Amanda se trouvait, sans marquer d'arrêt. Puis il remit son ballot en place et s'avança.

Derrière une touffe de buissons rabougris, Amanda attendait, le regardant calmement, sans la moindre émotion. Puis, avec des gestes lents et méthodiques, elle plaça son fusil devant elle et régla le viseur télescopique. Sa main droite glissa vers la poignée de la crosse, son doigt sur la détente. Puis elle s'immobilisa. Elle le laissa s'avancer encore quelques centaines de mètres, obliquant légèrement vers la gauche, puis elle réajusta le viseur...

Quand elle tira, il s'arrêta, jetant des regards éperdus autour de lui. Il n'y avait rien pour se mettre à couvert. Elle tira de nouveau...

Il tomba et ne bougea plus. Elle posa le fusil et reprit les jumelles pour s'en assurer. Il resta là toute la journée, rougissant la végétation pâle sous son corps. Vers le soir, elle descendit la colline, portant une corde. A l'aide de la corde, elle tira péniblement le corps jusqu'au bord des falaises. Là, elle détacha soigneusement la corde avant de le pousser dans le vide.

Puis elle retourna à la grotte.

Amanda était étendue sur une couverture à l'entrée de la grotte. Elle s'appuyait sur ses coudes, la tête entre les mains. Devant elle, le sol descendait en pente raide vers le bord de la falaise. Au-delà, dans l'obscurité croissante, il y avait la mer, une mer effrayante et mystérieuse sur laquelle aucun bateau n'avait jamais navigué.

Chez elle, dans un tel cadre, il y aurait eu des mouettes grises et blanches tournoyant plaintivement, mais ici, sur Vénus, les oiseaux étaient des êtres sombres et toujours affairés, sans la moindre grâce nonchalante. Le jour, la mer était vert pâle et légèrement laiteuse et on ne pouvait rien voir sous l'eau. Elle renfermait beaucoup de vie — plus, semblait-il, que la terre dans des parages identiques. Les oiseaux qui plongeaient pour attraper du poisson ne réapparaissaient pas en général. Au large, de grandes formes non identifiables émergeaient tout à coup et restaient en surface pendant quelques minutes. Parfois, l'on voyait d'énormes créatures ressemblant à des calmars nager lentement dans l'eau. Parfois aussi, une sorte d'étoile de mer mesurant environ quinze centimètres de large et ressemblant à du corail rouge, passait à fleur d'eau, tout près de la terre. Le plus caractéristique, c'était les bancs d'herbes marines qui arrivaient avec les courants septentrionaux, véritables îles flottantes possédant leur propre vie, portant des colonies de petits oiseaux qui picoraient et pêchaient dans leurs lagunes tout en dérivant.

Amanda, qui regardait la mer sans horizon devant elle, ne voyait rien de tout cela. Ses lèvres remuaient pendant qu'elle pensait tout haut, parce qu'elle était seule depuis longtemps déjà.

— Non, dit-elle. Je n'ai rien fait de mal. J'ai le droit de me protéger. Le droit... Il n'avait pas de droits sur moi. Personne d'autre n'a des droits sur moi. Je n'appartiens qu'à moi-même... Il n'avait qu'à ne pas venir ; il ne lui serait rien arrivé s'il m'avait laissée tranquille... Je n'ai rien fait de mal... C'était horrible, mais ce n'était pas mal... S'il en vient un autre, je ferai la même chose... et je recommencerai... jusqu'à ce qu'ils ne viennent plus. Ils ne devraient pas m'obliger à faire ça. Ils n'ont pas le droit...

— C'est horrible... horrible... !

Elle rentra dans la grotte et alluma une petite lampe d'argile pour se tenir compagnie. La petite flamme trouait à peine l'obscurité.

— Je n'ai rien fait de mal... répéta-t-elle. Il n'avait pas le droit... Je suis un être humain, pas un animal... Je veux de l'amour, de la bonté, de la tendresse...

Elle sauta sur ses pieds, levant les bras en l'air, les deux poings tendus et serrés, comme si elle cognait contre quelque chose au-dessus d'elle.

— Mon Dieu ! cria Amanda. Pourquoi moi ? Pourquoi moi ? Pourquoi justement moi alors qu'il y en avait tant d'autres ? Je ne veux pas... Je ne veux pas... Je refuse. Vous m'entendez ? Je refuse...

Elle se laissa tomber. Ses lèvres tremblaient. La flamme de la petite lampe projeta des étincelles puis se brouilla à travers le voile de ses larmes qui s'étaient enfin mises à couler...

Lorsque Amanda Vark avait atterri pour la première fois sur Vénus, dans la colonie de Mélos — et c'était à une époque qui lui paraissait maintenant infiniment plus lointaine que ne l'indiquait le calendrier — elle s'attendait à un travail intéressant mais sans incidents. Elle s'était tellement concentrée sur la nature même du travail qu'elle devrait accomplir, qu'elle avait à peine pensé au fait qu'il lui faudrait vivre pendant dix-huit mois dans un camp de pionniers. Mais elle découvrit immédiatement que l'endroit avait une vie et une mentalité propres devant l'accueil réservé de la colonie. L'arrivée de trois hommes et de deux femmes qui n'avaient aucun rapport avec la prospection, l'exploration ou le commerce, souleva immédiatement des soupçons à leur égard. Le fait qu'ils se fussent présentés comme membres d'une expédition anthropologique et eussent été accrédités comme tels, n'y changea rien. D'ailleurs, très peu de colons savaient en quoi consistait l'anthropologie et ceux qui croyaient que cette discipline avait trait à l'étude des indigènes et le disaient, n'étaient manifestement pas pris au sérieux puisqu'il n'y avait pas d'indigènes humains sur Vénus. On en était donc rapidement arrivé à croire qu'ils n'étaient en fait qu'une commission d'enquête gouvernementale mal déguisée et augurant d'une ingérence étrangère probable. Et s'il y avait une chose contre laquelle la colonie tout entière faisait bloc, de l'administrateur jusqu'au manœuvre temporaire, c'était une ingérence étrangère.

Oncle Joe, (nom donné à l'éminent docteur Thorer par les membres de son expédition), se mit patiemment à l'œuvre pour essayer de dissiper le malentendu. C'était vrai, reconnut-il, qu'il n'y avait pas d'indigènes humains, mais il y avait les griffas. Du point de vue de la science, ces petits êtres timides à la fourrure argentée, pouvaient être particulièrement intéressants. On savait qu'ils étaient intelligents et qu'ils avaient une certaine forme d'organisation sociale, et on pouvait penser que si l'homme n'était pas arrivé sur la planète, ils seraient, à la longue, devenus les maîtres de Vénus. On pensait donc qu'ils pourraient fournir des renseignements de valeur pour l'étude de la sociologie primitive.

Ses explications firent lentement du chemin. La seule valeur que les habitants de la colonie reconnaissaient aux griffas résidait dans leur fourrure argentée. Il leur était difficile de comprendre que quelqu'un puisse dépenser du bon argent pour une expédition dont l'unique but était d'étudier comment ils vivaient.

Néanmoins, lorsqu'il devint évident que les membres de l'expédition s'intéressaient effectivement, si bizarre que cela pût paraître, à cette question, les soupçons commencèrent tout doucement à s'estomper.

Les hommes du groupe furent graduellement acceptés, quoique avec quelques réserves, mais pour les deux femmes, ce fut plus difficile. La présence de deux filles de père inconnu déjà établies dans la colonie, ne facilita pas les choses.

Maisie et Dorrie étaient de ces filles avenantes et bien roulées qui apparaissent inévitablement dans les camps de prospecteurs. Elles étaient comme ces filles qui accompagnent la ruée vers l'or ou vers le pétrole. Maisie savait marcher avec une langueur toute féline dans des robes scintillantes peu pratiques mais indiscutablement plaisantes. Elle remontait ses cheveux d'un beau blond naturel en un énorme chignon au-dessus de la tête. Lorsqu'elle parlait, c'était d'une voix rauque et profonde qui cherchait à imiter l'accent du Sud. Dorrie, elle, donnait plutôt dans la vivacité. Ses yeux bruns brillaient dans un visage mobile entouré de boucles sombres. Elle avait un nez légèrement retroussé et une bouche rouge comme une blessure. Elle papotait avec volubilité, introduisant, sauf dans les moments de tension, des sons vaguement continentaux.

Avec elles, les habitants de la colonie savaient à quoi s'en tenir, ce qui n'était pas le cas pour Alice Felson et Amanda Vark. Alors, ils attendaient.

Avec Alice, il ne leur fallut pas attendre longtemps. A l'âge de vingt-neuf ans, elle avait déjà acquis deux réputations bien distinctes, dont l'une seulement se rapportait au domaine scientifique. Pour son travail et pour les choses qui l'intéressaient, elle faisait appel à un esprit analytique brillant ; mais quand elle ne travaillait pas, elle mettait son esprit complètement au repos. L'intelligence qui suscitait le respect dans le monde de la science, était alors mise au rebut. Ce qui prenait sa place aurait étonné même chez une adolescente non inhibée et mal équilibrée ; elle ne semblait connaître qu'une loi : foncer. Elle ne perdit pas de temps à s'entourer d'une montagne de crises en puissance très éprouvantes pour les nerfs d'une communauté renfermée sur elle-même.

Mais Amanda était demeurée un problème. Le bruit courait qu'elle était fiancée à quelqu'un sur Terre et qu'elle allait bientôt se marier. Ce n'était pas vrai, mais lorsque Amanda apprit la chose, elle comprit que cette fable pouvait lui être utile et ne la démentit pas. Les colons restèrent donc sur la réserve.

Un mois après son arrivée, elle avait à peine parlé aux deux autres filles. Elle était consciente de leur présence et elle les regardait faire avec une admiration naïve pour leur assurance. Elle se sentait terriblement inexpérimentée à côté d'elles et fort terne dans son chemisier classique et ses pantalons. Et elle pouvait voir qu'elles aussi étaient bien conscientes de la présence d'Alice et de la sienne. Maisie et Dorrie regardaient et enregistraient mais, se basant sur une expérience millénaire, elles ne tentèrent pas un rapprochement.

Les choses en restèrent donc là. Amanda avait beaucoup de travail. Elle était de loin la plus jeune de l'expédition et, par conséquent, celle à qui l'on refilait la majeure partie du travail de routine. Mais cela l'intéressait. Il n'était pas aisé d'établir les premiers contacts avec les griffas. Leur timidité naturelle avait été considérablement accrue par la tendance des colons à tirer d'abord et à penser ensuite — si pensée il y avait. Il fallut beaucoup de patience et de persévérance et une grande quantité de tablettes de chocolat pour obtenir un résultat. Néanmoins, le contact fut établi et c'était un travail qui donnait à Amanda une certaine satisfaction. Elle trouva les griffas amusants et adorables, si avides d'apprendre que la tâche en valait vraiment la peine. Ainsi, l'expédition s'installa dans une routine qui s'annonçait sans imprévus pour Amanda, même si ce n'était pas le cas pour Alice. Dix-huit mois (terrestres) d'observations et d'annotations scrupuleuses, puis le retour sur Terre. Aucun rêve, aucun pressentiment ne la fit se douter qu'un jour viendrait où elle serait toujours vivante sur Vénus, retirée dans une grotte qu'elle appellerait sa maison — parce qu'il n'y avait pas d'autre maison où aller…

Les premiers contacts réels entre Amanda et Maisie et Dorrie furent provoqués par un incident qui révéla que la vie dans la colonie, même au-delà du cercle d'influence d'Alice, n'était pas toujours très paisible.

Markham Renarty raccompagnait Amanda jusqu'à sa baraque après l'habituelle soirée de détente passée au club. Markham avait de bons côtés, il n'était pas nécessaire d'être sur la défensive avec lui, comme avec David Brire qui était le plus jeune membre masculin de l'expédition, ou comme cela aurait été le cas avec d'autres escortes volontaires. Markham était père de famille. Il était en train de raconter une de ses anecdotes interminables et insipides sur une femme et une famille particulièrement assommantes restées sur Terre, quand un cri perçant leur parvint.

Ils se mirent à courir en direction de la baraque d'où provenait le cri. A peine arrivés à la véranda, ils entendirent un nouveau cri. La scène à l'intérieur ne demandait pas d'explications. Dorrie, (dont c'était le refuge,) s'appuyait contre le mur du fond. Du sang coulait d'une blessure à l'épaule sur son bras nu et sur le satin noir de sa robe. Son visiteur se tenait au milieu de la pièce. Il avait un couteau maculé à la main et semblait être en train d'essayer de retrouver son équilibre avant d'attaquer une nouvelle fois. Amanda le laissa à Markham et se précipita vers la fille. Elle arriva juste à temps pour rattraper Dorrie avant que celle-ci ne s'effondre.

Lorsque Markham se retourna après avoir jeté l'ivrogne dehors, elle essayait d'étancher la blessure avec son mouchoir.

— Vous feriez mieux d'aller chercher le docteur, vite. Elle perd beaucoup de sang, dit Amanda.

— Le docteur est ivre mort depuis une bonne heure, rappela Markham.

— Oh non ! dit Amanda. Alors, allez chercher la trousse de secours dans ma baraque, vite !

Dorrie ouvrit les yeux.

— C'est grave ? demanda-t-elle.

— Ça a l'air plus grave et plus vilain que ce n'est en réalité. Tout va bien, dit Amanda, espérant que sa voix était assez convaincante.

— Plutôt bête de ma part, dit Dorrie. Je dois être en train de perdre mon tour de main. D'habitude, je sais comment les prendre.

Et elle s'évanouit de nouveau.

Markham revint avec la trousse de secours et commença à remplir un bol d'eau.

— Est-ce que vous vous y connaissez ? demanda Amanda. C'est plus grave que je ne le pensais.

Il secoua la tête.

— Hélas non.

Amanda serra les lèvres et ouvrit la trousse.

— Moi non plus, mais quelqu'un doit bien faire quelque chose, dit-elle, et elle se mit au travail. Vous feriez mieux d'aller chercher son amie, si vous parvenez à la trouver, ajouta-t-elle.

Maisie arriva une dizaine de minutes plus tard. Elle ne dit rien mais s'assit à côté d'Amanda, la regardant faire et lui passant ce dont elle avait besoin. Lorsque ce fut fini, elles portèrent Dorrie sur son lit.

Maisie regarda Amanda. Elle prit un verre et y versa une boisson forte. Puis elle mit son bras autour des épaules d'Amanda.

— Brave fille, dit-elle. Tiens, bois un coup. Tu en as besoin.

Amanda but sans protester. Elle s'étrangla un peu, en partie à cause de l'alcool, mais en partie aussi à cause de la tension.

— Désolée, dit-elle. Je ne suis pas du genre à... je n'ai pas l'habitude... Et elle éclata en sanglots.

Les yeux de Maisie se remplirent d'une sombre résolution et elle resserra le bras autour des épaules d'Amanda.

— Attends que je voie ce docteur demain, dit-elle. Quand j'aurai fini avec lui, il se mettra à trembler rien qu'en voyant une bouteille, même une bouteille de coca.

Dès le lendemain, la colonie fit, semble-t-il, une place pour Amanda. Les deux filles adoptèrent à son égard une attitude qui allait de l'admiration pour ses connaissances — qu'elles considéraient comme une forme d'intuition très développée mais en fait peu pratique — à un sentiment de responsabilité envers elle, vu son manque d'expérience. Maisie surtout semblait prendre ce dernier point à cœur. Certaines de ses réflexions faisaient froncer les sourcils à Amanda.

— Ce qui m'inquiète, mon chou, dit-elle une fois, c'est ta foutue innocence. Y a pas de place pour ça ici. Peut-être que tu oublies vraiment que tu représentes un quart de la population féminine ici, mais c'est pas le cas pour les autres. Dans un trou comme celui-ci, il faut éviter tout faux pas. Je ne mens pas. Nous en savons quelque chose, n'est-ce pas, Dorrie ?

— Sûr et certain, approuva Dorrie. C'est un peu comme jongler. Tu sais, ces types qui lancent une douzaine de balles en l'air tout en roulant à vélo sur une corde raide. Eh bien, c'est comme ça.

— Je ne vois pas très bien..., commença Amanda.

— C'est justement ça qui me chiffonne. Tu ne vois pas très bien, mais ça viendra, lui dit Maisie. L'ennui, c'est que tu as passé ta vie à apprendre des trucs dans des livres, et il y a un monde de différence entre les trucs qu'on apprend dans les livres et les trucs qu'on apprend avec le temps. Mais quand un de ces types qui se croient irrésistibles te causera des ennuis, fais-le-nous savoir. Nous savons comment les traiter.

Dorrie approuva. Avec une assurance que sa récente défaillance n'avait pas ébranlée, elle ajouta :

— Sûr et certain. Tu n'as qu'à nous en parler. On les remettra à leur place.

Amanda ne les voyait pas beaucoup car elles étaient occupées surtout aux heures où elle-même ne l'était pas, mais elle était heureuse d'avoir gagné leur sympathie. C'était réconfortant, même s'il paraissait peu vraisemblable qu'elle dût jamais faire appel à leur aide. En fait, il fallut l'inconcevable désastre pour les rapprocher encore plus.

De quelque façon que fussent parvenues au camp de Mélos les premières nouvelles du désastre, la foi des colons dans tout ce qu'ils savaient les aurait empêchés d'y croire pendant un certain temps. Certains d'entre eux n'y crurent jamais : ils refusèrent d'accepter la chose et craquèrent pitoyablement. De fait, les nouvelles vinrent par petits paquets, s'additionnant peu à peu jusqu'à l'inconcevable apogée.

Lorsque les hommes de la radio annoncèrent qu'ils n'obtenaient pas de réponse de la Terre, on trouva simplement la chose gênante et on leur reprocha de ne pas avoir bien entretenu leur matériel. Lorsqu'il s'avéra que les appareils étaient en parfait état, on attribua l'anomalie à un banc de radiations qui finirait bien par se dissiper. Quand on parvint à entrer en contact avec le vaisseau *Celestes* et que son opérateur avoua que lui non plus n'obtenait aucune réponse des stations terrestres, on commença à s'inquiéter un peu. Mais ce ne fut que lorsque l'*Astarte*, qui avait quitté Vénus quelques semaines auparavant, annonça qu'il allait essayer de faire demi-tour pour revenir sur la planète — car il n'y avait pas d'autre endroit où aller — qu'on commença à soupçonner l'inconcevable.

A partir de ce moment-là, on ne parla plus que de ça, mais on n'y croyait pas encore vraiment. Même après que le *Diana* eut atterri et que son équipage eut raconté ce qu'il avait vu, on s'obstina à espérer qu'il y avait eu erreur et les gens continuaient à assiéger le bâtiment de la radio, tandis qu'à l'intérieur, l'opérateur tentait frénétiquement d'entrer en contact avec la Station Lunaire, avec le camp de Port Gillington sur Mars, avec les vaisseaux dans l'espace, bref avec n'importe quel endroit d'où l'on pourrait recevoir des nouvelles rassurantes.

Ceux du *Diana* racontèrent qu'un de leurs télescopes était tourné vers la Terre et qu'ainsi plusieurs d'entre eux avaient pu suivre la catastrophe sur l'écran. La Terre était là, suspendue dans l'espace, semblable comme toujours à une perle aux reflets verdâtres. Une seconde plus tard, elle était comme un fruit trop mûr faisant éclater son écorce, mais le jus qui s'en échappait n'était autre que des flammes trouant l'obscurité sur des milliers de kilomètres. Il y avait eu quelques instants terrifiants et aveuglants, puis la Terre avait commencé à se désagréger. La désintégration avait été si rapide qu'une demi-heure plus tard, les télescopes ne trouvèrent plus que quelques rares fragments visibles. L'équipage du *Diana* ne pouvait pas en dire plus...

Les souvenirs que les pionniers gardèrent des jours qui suivirent furent très vagues. Ils étaient pour la plupart hébétés et distraits. Quelques-uns juraient sans cesse ; d'autres se tournèrent vers la prière pour la première fois de leur vie. Le plus grand nombre choisit la route la plus courte vers l'illusion, route qui passait par le bar où ils se saoulèrent jusqu'à l'insensibilité, ou se perdirent en spéculations passionnées mais sans fondements sur l'origine du désastre : phénomène naturel, nouvelle arme qui s'était surpassée ou conséquence d'une négligence atomique. Pour les autres, rechercher la cause véritable semblait une occupation parfaitement stérile. Quelle qu'eût pu être la cause, il ne servait en effet à rien de la connaître maintenant...

Quelques autres vaisseaux arrivèrent. Certains corroborèrent le rapport du *Diana*. D'autres, faisant des vérifications de routine, avaient constaté que la Terre n'était plus là où elle aurait dû être. Les seuls renseignements supplémentaires apportés furent que la Lune dérivait dans l'espace et que les orbites planétaires cherchaient un nouvel équilibre...

La nuit qui suivit l'atterrissage du *Diana*, Amanda était sortie seule, encore assommée et incrédule. Levant les yeux vers les nuages qui encombraient éternellement le ciel vénusien, elle se répétait sans cesse que cela ne pouvait pas être vrai. Quoi qu'ils disent, la Terre devait se trouver quelque part là-haut. Une catastrophe aussi monstrueuse ne pouvait pas se produire...

L'administrateur essaya, mais en vain, de rétablir l'ordre. Son autorité avait été basée sur ses antécédents, non sur sa propre personnalité, et maintenant, il ne faisait plus le poids. Ses efforts ne firent que raviver d'anciennes rancunes, mais il n'en persista pas moins dans sa tentative.

Pendant ces journées irréelles, Amanda passa des heures auprès de Maisie et Dorrie, buvant d'innombrables tasses de café et fumant des cigarettes tout aussi innombrables. Pour l'une ou l'autre raison — peut-être parce qu'elles n'avaient jamais vécu dans un milieu stable — les deux filles semblaient moins affectées que les autres et leur compagnie apportait un certain apaisement à Amanda.

Comme disait Maisie : « C'est les types qui font les plus grands projets qui font les chutes les plus fracassantes. Dorrie et moi avons toujours laissé faire le hasard de toute façon, alors ? Tant qu'on respire, la vie doit continuer. Ils y viendront eux aussi avec le temps. »

Amanda évitait la plupart des autres. Elle ne se précipita pas vers l'aire d'atterrissage avec tout le monde quand les quelques vaisseaux qui étaient parvenus à se dérouter arrivèrent enfin sur Vénus. Elle n'était même pas présente quand le U.S.S. *Annabelle Lee* fit un atterrissage de fortune avec ses derniers litres de carburant, amenant, parmi les membres de son équipage, un jeune homme appelé Michael Parbert...

L'après-midi du jour où quelqu'un poignarda l'administrateur, Maisie s'amena dans la baraque d'Amanda. Amanda travaillait sur certains documents, mais elle les repoussa et jeta une cigarette à l'arrivante.

— Qu'est-ce que tu fais ? demanda Maisie en l'allumant. Ce genre de truc ne sert plus à rien.

— C'est une idée d'oncle Joe, expliqua Amanda. Il dit que pour autant que nous sachions, nous sommes les seuls rescapés, alors c'est à nous de rassembler tout ce que nous savons. Une sorte d'encyclopédie.

— Et pour qui ? voulut savoir Maisie.

— Eh bien, il *peut* y en avoir d'autres — et s'il n'y en a plus, oncle Joe dit qu'il y a toujours les griffas qui seront capables de l'apprendre un jour. Nous avons fait beaucoup de chemin en cinq mille ans ou plus, dit-il, mais nous n'en sommes encore qu'au début, aussi nous devrions sauver ce que nous pouvons pour aider les griffas à progresser.

— Devrions-nous vraiment le faire ? dit Maisie. A voir ce qui nous est arrivé, je serais plutôt pour donner aux griffas ou à qui que ce soit d'autre la possibilité de démarrer à zéro, mais évidemment, je ne suis pas bien placée pour en savoir quelque chose.

— Moi non plus, admit Amanda, mais ça m'occupe toujours. Elle changea de sujet. Qui est-ce qui l'a fait ? Pour l'administrateur, je veux dire ?

Maisie inhala et rejeta la fumée. Elle secoua la tête.

— Ça non plus, je ne le sais pas. J'ai bien mon idée, mais quelle importance cela a-t-il ? Si ça n'avait pas été celui-là, c'aurait été un autre. La chose lui pendait sous le nez, de toute façon. Ce qui compte, c'est qu'on ait plus ou moins mis fin à l'ancien régime.

Elle envoya pensivement un autre nuage de fumée à travers la pièce.

— Ce qui veut dire ? demanda Amanda.

Maisie se pencha en avant et la regarda.

— Mon chou, j'ai l'impression que les choses vont commencer à craquer par ici. Dans un trou comme celui-ci, il faut un chef. Une baudruche pouvait faire l'affaire tant qu'il y avait un gouvernement derrière, mais lorsque le gouvernement a disparu et qu'un type s'est mis en tête de crever la baudruche, alors il y a quelques autres types qui se mettent à avoir des idées de grandeur. Et l'atmosphère risque de devenir irrespirable pendant qu'ils décident qui a l'idée la plus grande.

— Irrespirable jusqu'à quel point ? demanda Amanda.

Maisie secoua la tête.

— Je donnerais cher pour le savoir. Ce qui complique l'histoire, c'est tous ces zigotos qui sont devenus pratiquement cinglés à cause de ce qui est arrivé là en bas. Je sais bien que les pauvres diables n'y peuvent rien, mais cela n'améliore pas les choses.

— Je vois, dit Amanda.

Maisie eut l'air sceptique.

— Peut-être que tu vois ; peut-être que tu ne vois pas très bien. L'ennui avec les filles qui ont de l'éducation, c'est qu'elles voient d'un côté et comprennent de l'autre. Elle s'interrompit, puis ajouta : Tu avais un type là en bas ? Un que tu allais épouser, je veux dire, pas juste le genre de type qu'une fille doit prendre pour la galerie ?

Amanda hésita.

— Il y en avait un..., dit-elle lentement. Mais il n'a pas... Eh bien, c'était le seul que j'aie jamais voulu, et quand il en a choisi une autre, je ne me suis plus intéressée à ce genre de chose. Alors j'ai accepté ce boulot et je suis venue ici.

Néanmoins, les jours qui suivirent semblèrent donner tort à Maisie. Il n'y eut pas d'échange de coups de feu entre aspirants au pouvoir rivaux et aucun gang n'essaya d'imposer un chef de son cru. L'impression qui prévalait était celle d'une lente désintégration qu'il n'appartenait à personne d'essayer d'enrayer. Il s'écoula presque une semaine entière avant qu'Amanda n'eût personnellement des ennuis. Cela se passa un soir alors qu'elle s'apprêtait à se mettre au lit. La poignée de sa porte se mit à tourner.

— Qui est là ? demanda-t-elle.

Une voix épaisse qu'elle ne reconnut pas répondit de façon inintelligible.

— Allez-vous-en, dit-elle. Vous vous trompez de baraque.

Mais l'homme ne partit pas. Elle entendit ses pieds remuer puis quelqu'un donna un coup à la porte qui craqua. Il y eut un second coup et la porte s'ouvrit violemment, le verrou arraché. L'homme qui se tenait dans l'encadrement était grand, corpulent et roux ; il vacillait sur ses jambes. Elle reconnut l'un des membres de l'équipe de l'atelier de réparations.

— Sortez d'ici, Badger, dit-elle d'un ton ferme.

Il chancela et se rattrapa au montant de la porte.

— Allons, allons, 'Manda. C'est pas des façons de traiter-z-un visiteur.

— Fous le camp, Badger.

— C'est pas poli, ça, « fous le camp » ! ricana Badger. Il chercha à tâtons la porte derrière lui et la ferma. 'Coute, 'Manda. T'es une chouette môme. Tu comprends les choses. J'ai plus rien maint'nant, plus rien qui vaut la peine de vivre, je veux me noyer…

— Alors, va te noyer ailleurs, lui dit froidement Amanda. Allez, mets les bouts !

Il resta plus ou moins immobile, la regardant. Puis, ses yeux se rétrécirent et un sourire désagréable se dessina sur ses lèvres.

— Bon Dieu de Bon Dieu ! Elle veut que je m'en aille ! Allons, viens ici !

Amanda ne bougea pas. Elle le regarda sans ciller.

— Sors d'ici ! dit-elle encore une fois.

Son sourire s'élargit.

— Alors, on ne veut pas jouer avec le monsieur ? T'as peur de moi, hein.

Il se mit à avancer, d'une démarche lente et mal assurée.

Amanda fut fort étonnée de constater qu'elle n'avait pratiquement pas peur de lui. Elle resta là, calculant soigneusement la distance. Lorsqu'il fut assez près, elle rassembla ses forces et projeta son pied droit en avant...

C'était inattendu et, de l'opinion de Badger, parfaitement lâche. Mais ce fut un succès. Pour la première fois depuis qu'il était entré dans la pièce, elle sentit qu'elle pouvait se permettre de lui tourner le dos pour chercher son revolver. Alors elle dit à l'individu gémissant plié en deux sur le plancher :

— Et maintenant, mets les bouts, ouste !

La réponse fut une bordée d'imprécations entrecoupée de geignements.

Amanda pressa la détente et envoya une balle qui se ficha dans le plancher, près de la tête de l'intrus.

— Allez, fous le camp, et vite ! répéta-t-elle.

Le bruit du coup de feu déclencha un éclair de conscience dans le corps endolori de Badger. Il se remit péniblement debout et se traîna jusqu'à la porte. Il s'arrêta, la main sur le montant, comme s'il méditait l'une ou l'autre ruse, mais la vue du revolver le découragea. Il s'éloigna dans la nuit et ses marmonnements pittoresques s'estompèrent dans le lointain, laissant Amanda considérer avec quelque étonnement sa propre compétence en la matière.

Ce fut comme le signal de départ de toute une série d'incidents. Le lendemain matin, le flirt actuel d'Alice, un jeune ingénieur bien bâti, eut la tête gentiment transpercée d'une balle par, semblait-il, un de ses « anciens ». Cette perte la rendit inconsolable pendant deux bons jours. Une nuit ou deux plus tard, un astronaute entreprenant qui pillait le grand magasin fut descendu par quelqu'un qui avait manifestement eu la même idée. Le lendemain soir, une rixe ridicule mais sanglante éclata dans le bar au sujet d'un disque sentimental qui plaisait à certains mais paraissait intolérablement nostalgique aux autres. Quelques nuits plus tard, Amanda, qu'un tapage d'une ampleur exceptionnelle, (à moins que ce ne fût une réunion intime dans la baraque de Dorrie), empêchait de dormir, vit la silhouette d'un homme travaillant à sa fenêtre. Sans bruit, elle chercha le revolver sous son oreiller. Elle ne sut jamais si l'un de ses coups toucha le bras qu'elle visait mais, en tout cas, l'homme partit. En courant. Le lendemain, Markham essaya, bien inutilement, de placer quelques barreaux devant les fenêtres de la jeune fille. Le soir même, une balle siffla tout près de sa tête alors qu'il venait de raccompagner Amanda chez elle. Le lendemain matin, elle s'en fut trouver Maisie.

— O.K. Je vais sortir mes antennes, promit Maisie.

Trois heures plus tard, elle s'amenait à la baraque d'Amanda.

— C'est ce rouquin de Badger, dit-elle. Il en a contre toi, mon chou. Il a dit à ses copains que tu allais devenir sa petite amie. Son idée semble être que s'il parvient à écarter tous les autres en leur faisant peur, tu vas finir par t'intéresser à lui, par solitude.

— Ah oui ? dit Amanda. Et alors, qu'est-ce que je dois faire ?

Maisie réfléchit.

— Ce Badger n'a qu'une idée en tête, et il est naturellement plutôt idiot. L'ennui, c'est qu'il a de l'ascendant sur son gang, alors je suppose que ses copains doivent être encore plus idiots. Si j'étais toi, je laisserais aller les choses jusqu'à ce qu'elles se tassent. Il se pourrait que cela s'arrête tout seul.

Et Amanda, n'ayant rien de mieux à suggérer, tomba d'accord avec Maisie, quoique à contrecœur.

Ce fut approximativement vers cette époque qu'elle commença à prendre conscience du fait qu'un certain Michael Parbert, de l'*Annabelle Lee,* semblait faire partie de tous les groupes avec lesquels elle passait la soirée au club. Elle s'appliqua à ne pas lui prêter plus d'attention qu'à n'importe qui d'autre. Il était impossible de ne pas remarquer que c'était un jeune homme bien fait de sa personne — mais il n'était pas le seul. Elle commençait à comprendre ce que Dorrie avait voulu dire en parlant de jongleurs et de cordes raides. Il lui parut bientôt que tout le monde attendait qu'elle fasse un faux pas. Il lui fallut concentrer toute son attention pour ne pas donner l'impression d'être partiale. Certains soirs, elle évita même de se rendre au club pour soulager la tension, restant chez elle dans une solitude irritée.

Quelque trois longues semaines plus tard, Maisie vint de

nouveau chez Amanda.

— Grosse bagarre, la nuit dernière, fit-elle laconiquement, en allumant une cigarette.

— Oui ? fit Amanda. (L'information ne l'intéressait pas particulièrement.) Il semblait en effet avoir des bagarres, grosses et moins grosses, presque toutes les nuits.

— Ouais. Ce Badger s'est fait rosser, ajouta Maisie.

Amanda leva les yeux de la chemise qu'elle réparait.

— Badger ? Qui l'a rossé ?

— Michael. Badger est même dans les pommes, m'a-t-on dit. Elle s'arrêta. Amanda ne dit rien. Maisie poursuivit donc : Ça ne t'intéresse pas de savoir pourquoi ils se sont battus ?

— Non, dit Amanda.

Maisie fit tomber pensivement la cendre de sa cigarette sur le plancher.

— Ecoute, mon chou. Y a rien à faire, il faut que tu regardes les choses en face. Qu'est-ce que tu vas faire ?

Il était inutile de paraître ne pas comprendre Maisie. Amanda l'avait déjà appris. Elle répondit :

— Rien. Pourquoi devrais-je faire quelque chose ?

Maisie secoua la tête.

— Il faut que tu fasses quelque chose.

— Je ne vois pas pourquoi.

— Allez, ne fais pas l'innocente avec moi, mon chou ! Il faut que tu choisisses un petit ami.

Maisie la regarda.

— Dis, pour qui te prends-tu ? Il y a tous ces types qui attendent, tous les hommes qui restent maintenant ; tout ce que t'as à faire, c'est d'en montrer un du doigt et de dire : « Je veux celui-là », et tu le verras accourir. Bonté divine, qu'est-ce qu'il te faut de plus ? Madame est servie ! Et t'as même pas besoin de trouver un Reno local quand tu en auras assez.

— Non, dit Amanda. Je t'ai dit que je n'ai jamais voulu qu'un type, je veux dire un homme.

— Mais écoute-moi donc ! Les choses ont changé. A partir de maintenant, tu dois vivre ici — comme nous tous, d'ailleurs. C'est pas comme si on était juste de passage. Et ça ne sert à rien d'essayer de faire comme si rien n'avait changé. Il est grand temps de changer de disque avant qu'il ne soit trop tard. Tu ne peux plus continuer à jouer à la petite mascotte. Et si tu continues à faire comme si tu l'étais, tu vas causer plus de grabuge que cette Alice ! Peut-être que ça te plaît de jouer à la petite fille bien sage : je n'ai aucune idée là-dessus, ça n'a jamais été mon genre, mais c'est un véritable enfer pour beaucoup de ces gens. Et tu ne peux pas leur jeter la pierre ; c'est des hommes, après tout.

— Des hommes ? demanda Amanda sarcastiquement.

— Bien sûr. Et quoi d'autre ? Tu dois te décider. Il faut te trouver quelqu'un pour qu'ils puissent voir où les choses en sont. Tant que tu continueras à rester là, comme un fruit défendu, y aura pas de tranquillité dans ce bled. C'est certain... Et maintenant, que penses-tu de ce Michael, mon chou ?

— Non, dit Amanda.

— Pourquoi pas ? C'est un bon gars. Je suis bien placée pour le savoir. J'ai connu un tas de types de l'autre genre. Et quelqu'un qui a pu rosser Badger a la poigne nécessaire pour te défendre.

— Non, dit Amanda.

— Ecoute, mon chou...

— Non, non et non ! dit Amanda haussant le ton. Non, tu m'entends ? Je ne veux pas être le trophée d'un vulgaire combat de boxe. Et je ne vais pas courir chez le vainqueur pour me mettre sous sa protection. C'est dégoûtant d'être l'enjeu d'une bagarre, comme si j'étais un buffle femelle ou Dieu sait quoi. Non !

Mais Maisie ne se découragea pas.

— On retourne plus ou moins à l'état sauvage ici, dit-elle. Tu devrais savoir ce que ça signifie, toi, puisque c'est ton boulot. Dans un cas pareil, une fille a deux possibilités : ou bien elle en tire parti, comme Dorrie et moi — mais c'est pas ton genre — ou bien elle prend un type dont tout le monde a la trouille. Réfléchis-y, mon chou, et tu verras que j'ai raison. Tu peux te trouver un bon gars qui veillerait sur toi et te donnerait de beaux bébés et tout et tout... Ce serait chouette, non ?

— Si tu aimes tant les bébés... commença Amanda, puis elle s'interrompit brusquement. Désolée, Maisie.

— Ça va, 'Manda, ça va. La vie est une drôle de chose et je dois bien la prendre comme elle est... Mais pas toi, mon chou. Alors, réfléchis à ce que je t'ai dit...

— Non, dit Amanda en secouant la tête.

Néanmoins, elle passa une bonne partie de son temps à y réfléchir. Il n'y avait plus moyen de fuir le problème. Elle prit de plus en plus conscience de la tension qui régnait autour d'elle au club, de la façon dont les hommes la regardaient et se regardaient. Il y eut encore des bagarres, parfois entre les gens les plus inattendus. Elle devint nerveuse et contrainte, incapable de parler d'un ton naturel par crainte des conséquences possibles d'une parole inconsidérée.

Même oncle Joe se sentit obligé de lui donner des conseils — et quoique la forme utilisée fût plus classique, l'effet fut le même que celui des paroles de Maisie.

Cette sensation d'une tension croissante crispait de plus en plus Amanda, mais elle la raffermit encore dans sa résolution.

« Non, se répétait-elle. Non... On ne me poussera pas dans les bras de quelqu'un. Je suis moi, moi-même. On ne m'obligera pas à devenir la propriété de quelqu'un. Jamais... jamais... Qu'ils aillent au diable, tous autant qu'ils sont. »

Mais sa résistance ne diminua pas la tension. Les choses arrivèrent à leur point culminant lorsqu'elle fut réveillée une nuit par un coup de feu juste devant sa baraque. Elle ne sut jamais ce qui s'était passé. Cela lui parut être une rixe entre deux personnes, rixe qui se transforma bientôt en une bagarre animée lorsque d'autres personnes intervinrent. En tout cas, deux balles volèrent à travers les parois de bois de la baraque et sortirent de l'autre côté de la pièce. Amanda resta au lit, pendant qu'on l'obligeait inconsciemment à prendre une décision. Quand les bruits de la bagarre s'estompèrent, sa décision était prise.

Le lendemain, elle parvint à s'éclipser vers la forêt pour entrer en contact avec les griffas. Les petites créatures la reçurent avec enthousiasme. Depuis la catastrophe, elles avaient été négligées, car les cours qu'elles avaient suivis si assidûment, avides d'instruction et de bonbons, avaient cessé.

Il était difficile de savoir dans quelle mesure les griffas comprenaient la situation, mais ils semblaient avoir bien saisi deux choses essentielles : la nécessité d'une discrétion absolue et le fait qu'Amanda les paierait en chocolat s'ils voulaient bien lui servir de porteurs. Ils purent aller et venir dans le camp sans susciter de commentaires : ce qu'ils firent pendant une semaine, emportant dans la forêt les petits paquets que la jeune fille avait préparés pour eux.

Le dernier jour, Maisie vint de nouveau trouver Amanda. Elle ressortit les vieux arguments et termina par :

— Mon chou, je sais bien que ceci n'est pas ton genre de vie. Je te vois si bien dans une vieille chaumière quelque part en Angleterre, une maison avec un jardin, et toi en robe de cotonnade avec un grand chapeau, etc. Mais, bonté divine, tout ça n'existe plus. Il faut que tu regardes les choses en face...

— Non ! dit Amanda.

Il lui fut difficile de laisser partir Maisie sans lui dire au revoir, mais elle parvint à résister à la tentation. Les yeux pleins de larmes, elle regarda la créature élancée qui s'éloignait en se balançant paresseusement dans sa ridicule robe scintillante.

Le soir, elle écrivit un mot pour Maisie. Puis elle boucla son havresac, attacha l'étui de son revolver à sa ceinture et prit son fusil. Après avoir éteint, elle attendit, surveillant la fenêtre sans rideaux.

La fusée mit plus de temps à éclater que prévu. Puis, juste comme Amanda se disait que quelque chose avait dû aller de travers, il y eut un bruit sourd, et quelques secondes plus tard, des flammes jaillirent des fenêtres d'une baraque vide quelque cent mètres plus loin. Il y eut des cris et un bruit de course. Contre les flammes, elle pouvait voir des silhouettes sombres s'agiter dans tous les sens. Lorsqu'elle fut certaine que l'incendie avait attiré l'attention de tous ceux qui n'étaient pas ivres morts, elle ouvrit la porte et s'élança silencieusement à travers la nuit, vers la forêt.

Si Amanda parvint à tenir le coup et à ne pas perdre la raison, ce fut grâce aux griffas qui ne l'abandonnèrent pas pendant les mois qu'elle passa dans la grotte. Même lorsqu'il n'y eut plus de chocolat, leur curiosité insatiable continua à les faire sortir de la forêt pour venir la trouver, examiner, observer et poser d'incessantes questions, jusqu'à ce qu'elle se mît à organiser des cours. Elle avait cessé depuis longtemps d'utiliser le peu qu'elle avait pu apprendre de leur langue, et maintenant eux aussi semblaient vouloir abandonner leur langage maternel. Elle pouvait les entendre se parler entre eux dans leur étrange anglais flûté et d'autant plus curieux qu'il avait été emprunté aux *Œuvres Complètes* de William Shakespeare et à une anthologie de la poésie anglaise, seuls ouvrages qu'Amanda possédât encore.

Et il ne s'agissait pas d'un arrangement unilatéral. Pour la payer, les griffas lui apportaient des fruits, des légumes et des racines comestibles, lui apprenant à vivre de la terre comme elle n'aurait jamais pu l'apprendre seule.

Près de six mois s'écoulèrent avant qu'elle n'eût des nouvelles du camp, puis un des griffas la stupéfia en lui remettant un paquet ficelé. Elle ouvrit le paquet pour trouver plusieurs feuilles de papier manifestement écrites par une main peu habituée à ce genre d'exercice ; le tout portait la signature de Maisie.

Elle apprit ainsi que la colonie, après une période de crise, était devenue plus disciplinée. Pendant la période la plus sombre, Badger avait trouvé des émules qui menaçaient de dominer tout le camp si on ne les supprimait pas. En conséquence, ils avaient été supprimés et oncle Joe avait été élu président, chef ou ce que vous préférez. Ensuite, Badger avait disparu. Le radio avait capté des sons déformés sur la longueur d'ondes de Mars, montrant qu'au moins quelqu'un était encore en vie là-bas. Alice aussi avait disparu, seule. C'était tellement invraisemblable que tout le monde craignait le pire. Elle avait été déprimée pendant plusieurs jours, puis elle avait disparu. Personne ne l'avait vue partir, elle semblait ne rien avoir pris avec elle et après deux mois, l'on était toujours sans nouvelles d'elle. Dorrie avait été très gravement malade, mais était presque rétablie maintenant ; elle était amèrement déçue ; il semblait qu'elle eût toujours désiré un enfant, même si personne ne s'en était jamais aperçu, et maintenant il ne pouvait plus en être question. Et enfin, pourquoi Amanda ne reviendrait-elle pas ?

L'allusion ne fut pas perdue pour Amanda. Elle était maintenant le tout dernier espoir. Cela accrut encore un peu la tension dans laquelle elle vivait.

« Non, se dit Amanda. Non ! Il n'en est pas question. Ils ne peuvent pas me forcer à le faire ! » Elle répondit brièvement au verso d'une des feuilles, utilisa le reste pour allumer le feu et décida d'oublier.

Un jour avant qu'il n'arrive, Amanda avait déjà appris des griffas qu'un homme venait dans sa direction. Cela ne l'étonna pas outre mesure. Elle savait qu'il arriverait bien un jour où quelqu'un découvrirait sa cachette. Elle ne sut que c'était Badger que lorsqu'elle le vit dans ses jumelles. Elle ne savait pas non plus comment il l'avait retrouvée. Elle le soupçonna d'avoir attrapé et torturé un griffa jusqu'à ce qu'il parle. Si c'était le cas, il avait eu ce qu'il méritait. Il ne torturerait plus de griffas maintenant.

Après un jour ou deux, la mort de Badger la gêna moins. Si un soldat pouvait défendre son pays et les femmes de sa famille la conscience pure, alors elle avait bien le droit de se défendre elle-même.

Sa vie continua comme avant, car si une chose était certaine, c'était que Badger n'avait communiqué à personne le renseignement qu'il avait soutiré, croyait-elle, par la torture.

Néanmoins, quelques semaines plus tard, les griffas lui annoncèrent qu'un autre homme arrivait.

Une fois encore, elle prit son fusil et se dissimula au même endroit. A nouveau, elle vit une figure sortir des arbres. A travers les jumelles, elle vit que c'était Michael Parbert, le « bon gars » que Maisie avait voulu lui faire choisir. Elle abaissa les jumelles en fronçant les sourcils. La chose aurait été plus facile s'il s'était agi d'un des hommes de Badger. Elle hésita un moment, puis appela un des griffas. Quelques minutes plus tard, elle vit celui-ci faire un détour puis descendre la colline à toute vitesse. Arrivée à hauteur de l'homme, la petite créature leva les bras et Amanda sut qu'elle appelait l'arrivant. Elle continua de les observer à la jumelle. Elle put voir le griffa transmettre son avertissement ; sans doute dit-il à Michael de faire demi-tour, mais l'homme n'en fit rien. Pendant un instant, il sembla se disputer avec le griffa, puis celui-ci s'agrippa à ses pantalons, le tirant en direction de la forêt. Mais l'homme ne bougea pas, se contentant de regarder vers le sommet de la colline. Puis, d'un geste impatient, il écarta le griffa et se mit en route.

Amanda fronça les sourcils.

« Si c'est comme ça... », se dit-elle, et elle saisit son fusil.

Plus tard, elle passa le rouleau de corde autour de son épaule et se mit à descendre la pente d'un pas résolu. Ce qu'elle avait fait auparavant, elle était toujours prête à le refaire. Mais lorsqu'elle arriva près de lui, il n'était pas mort. Il était couché sur la végétation entremêlée et pâle et le sang sourdait lentement de ses deux blessures. Il délirait et pleurait comme un enfant. Elle n'avait jamais vu pleurer un homme auparavant. Son cœur chavira et elle tomba à genoux à côté de lui.

— Mon Dieu, dit Amanda, les yeux pleins de larmes, qu'ai-je fait ? Qu'ai-je fait ?

Pendant plusieurs jours, il fut facile de deviner ce qu'elle avait fait, puis, brusquement, quoique Michael fût encore très faible, il commença manifestement à se rétablir.

Amanda, aidée d'une bonne dizaine de griffas, l'avait porté jusqu'à la grotte. Elle lui avait confectionné le lit le plus confortable possible avec un matelas de branches flexibles. Et c'est là qu'il resta, délirant d'abord puis se reposant, les yeux fermés la majeure partie du temps. Il ne se plaignait pas quand elle le déplaçait pour panser ses blessures et au début, il était trop épuisé pour parler. De temps à autre, elle voyait que ses yeux étaient ouverts et qu'il l'avait suivie du regard pendant qu'elle s'affairait dans la grotte. Une fois, il demanda :

— Quelqu'un a tiré sur moi ?

— Oui, répondit Amanda.

— C'était vous ?

— Oui, dit-elle à nouveau.

— Vous tirez mal. Pourquoi ne m'avez-vous pas laissé là ?

— Je ne sais pas.

— Vous allez me tirer dessus encore une fois quand vous

m'aurez retapé ?

— Dormez maintenant et cessez de poser des questions idiotes, dit Amanda.

— J'ai une lettre pour vous. Dans ma veste, poche de droite.

Amanda trouva et prit ladite lettre. C'était bizarre de voir de nouveau une enveloppe adressée à « Miss Amanda Vark ».

— Oncle Joe ? demanda-t-elle.

Il fit oui de la tête. Elle déchira l'enveloppe. Il y avait plusieurs feuilles de papier et cela commençait un peu lourdement. Le docteur Thorer avait tendance à être un peu pompeux sur papier :

*Ma chère Amanda,*

*Cette lettre ne sera pas facile à écrire en ce qui me concerne, ni peut-être facile à lire en ce qui vous concerne. Néanmoins, je vous prie de la lire attentivement et de réfléchir sur son contenu avec l'honnêteté que vous accorderiez à n'importe quel problème social dans le cadre de votre profession...*

Amanda continua de lire, avec une expression qui ne révélait rien de ses sentiments à Michael qui la regardait. Lorsqu'elle eut terminé, elle se dirigea vers l'entrée de la grotte. Elle resta là un certain temps, immobile, regardant la mer. Puis elle reprit la lettre et lut une seconde fois les phrases finales :

*...Il se peut que quelque part ailleurs dans le système solaire, il y ait encore des survivants, mais nous ne le savons pas et nous ne le saurons probablement jamais. Ce que nous savons, c'est qu'ici c'est* vous, *ma chère fille, qui détenez les clefs de la vie et de la mort. Pourquoi c'est à vous que cette chose merveilleuse et terrible arrive, nous ne le saurons jamais. Mais il y a la possibilité que vous ayez des filles... Vous et vous seule êtes la* vas vitae, *le vase de notre vie. Pouvez-vous accepter que ceci soit la fin de tout ? Pouvez-vous porter un pareil fardeau ? Car vous, Amanda, ici du moins, vous êtes Eve.*

Lorsqu'elle leva les yeux, elle vit que Michael la regardait toujours.

— Vous savez ce que dit la lettre ? demanda-t-elle.

Il approuva de la tête.

— Vous aussi d'ailleurs, vous le saviez avant même de l'ouvrir, dit-il.

Amanda se détourna et regarda de nouveau la mer. Elle serrait les poings.

— Pourquoi moi... ? Pourquoi moi... ? Suis-je une bête, une jument ? Je ne veux pas. Je ne veux pas ! Ma vie m'appartient, elle n'appartient à aucun d'entre vous. Je ne veux pas... !

Elle froissa la lettre et la jeta dans le petit feu devant la grotte. Le papier s'enroula, roussit puis s'enflamma.

— Vous pouvez le lui dire ! Vous pouvez le leur dire à tous lorsque vous retournerez.

Et elle se précipita hors de la grotte.

La convalescence fut lente. Au début, il se fatiguait rapidement. Le soir, la faiblesse de la lampe d'argile ne leur permettait pas de faire quoi que ce soit d'autre que parler. Il pouvait beaucoup parler, découvrit-elle, et elle-même avait plusieurs mois à rattraper. Ils causaient un peu de tout, évitant seulement de parler de la situation présente, quoique ce ne fût pas toujours facile. Il était malaisé, lorsqu'ils parlaient de rires, de foules, d'enfants, de ne pas s'arrêter brusquement en se souvenant que ces choses ne seraient plus...

Mais il était naturel qu'ils parlent surtout du passé et il était souvent possible de le faire sans que ce soit trop attristant. Parler d'endroits qu'ils avaient connus les fit revivre un instant. Amanda se familiarisa bientôt avec la Massachusetts Avenue, le Common, la Brattle Street et les salles et les ormes de Harvard. Elle connaissait tous les beaux magasins de Boston, et aurait pu retrouver le chemin de la maison de tante Mary à Back Bay, si cela s'avérait nécessaire. En retour, elle lui fit visiter les collèges d'Oxford, l'amena, un soir d'été, faire un tour sur la rivière et lui montra le lever du soleil du haut de la tour du Magdalen College...

Les griffas continuèrent à venir suivre les cours et lorsque

Michael eut retrouvé un peu de sa force, il se transforma, lui aussi, en professeur. Il fabriqua des outils rudimentaires qu'ils pouvaient copier ; il leur montra comment pêcher au filet et à la canne ; il leur fit un tour de potier et un métier à tisser. Cela amusait Amanda de le voir travailler avec une expression si sérieuse, avec les petits êtres qui s'agglutinaient autour de lui, plutôt comme des enfants. Elle savait qu'il y prenait plaisir et pour une raison inconnue, cela lui plaisait de voir qu'il s'entendait mieux avec eux que ne l'avaient fait les hommes à l'esprit moins pratique de son expédition scientifique…

Lorsqu'il fut capable de se déplacer, elle prit l'habitude de garder la nuit son revolver à portée de main. Elle était consciente du fait qu'il l'avait toujours traitée comme il eût traité un frère plus jeune et qu'il ne semblait pas vouloir changer d'attitude. En fait, il eût été plus normal qu'il… Mais de toute façon, on ne pouvait jamais savoir. Elle ne sut pas qu'il avait remarqué le revolver jusqu'au soir où, en se retournant après l'avoir mis sous son oreiller, elle vit qu'il la regardait. Il souriait. Ce n'était pas un sourire agréable, parce que les coins de sa bouche retombaient au lieu de remonter. Il secoua la tête.

— Ce n'est pas la peine de prendre pareilles précautions. Vous ne risquez rien. Je suis plutôt difficile, allergique, pourrait-on dire, aux filles qui tirent sur moi en restant à couvert. Je suis plutôt bizarre, je suppose : les homicides ne m'intéressent pas particulièrement.

— Oh ! dit Amanda platement. Ça ne semblait pas le genre de conversation qu'on pouvait poursuivre.

Un jour qui avait commencé comme n'importe quel autre jour, il reposa son bol après avoir pris son petit déjeuner et dit :

— Ça va mieux maintenant. Je suis pratiquement guéri, alors je vais me mettre en route.

Amanda ressentit brusquement une douleur…

— Vous… vous ne voulez pas dire que vous allez partir ? dit elle.

— Si. Je suis en état de le faire maintenant, par petites étapes du moins.

— Mais pas aujourd'hui ?

— Ça me paraît un très bon jour pour le faire.

— Mais...

— Mais quoi ?

— Je... je ne sais pas... Etes-vous certain d'être capable de le faire ?

— En tout cas, je me sens rétabli à quatre-vingt-dix pour cent. Si j'ai des ennuis, un des griffas pourra aller chercher quelqu'un qui viendra m'aider.

— Oui, mais... — eh bien, c'est tellement inattendu, c'est tout.

— Pourquoi ? A quoi vous attendiez-vous ?

Amanda le regarda d'un air confus. Elle avait eu toutes les peines du monde à s'empêcher de former des projets d'avenir.

— Je ne sais pas. Je suppose que c'est un au revoir alors.

— C'est ça. Au revoir et merci d'avoir changé d'idée.

— Changé d'i... ? Mais si vous savez que j'ai... commença-t-elle. Puis elle s'arrêta. Que voulez-vous dire ? demanda-t-elle d'un air embarrassé.

— Eh bien, d'avoir décidé de ne pas me tuer. Quoi d'autre ?

— Oh ! fit Amanda. Oh ça !

Comme dans un rêve, elle le regarda mettre son havresac percé d'un trou causé par une de ses balles. Ses articulations étaient blanches. Lorsqu'il ramassa son fusil, elle fit un geste incertain puis s'arrêta.

— Au revoir, fit-il encore une fois.

— Au revoir, dit Amanda, maudissant sa voix qui sonnait bizarrement.

Il sortit de la grotte. Une demi-minute plus tard, elle le suivit et contourna la colline jusqu'à un endroit d'où elle pouvait le regarder partir. Un groupe de griffas émergea des arbres pour se joindre à lui et il entra dans la forêt avec eux. Pas une seule fois, il ne regarda en arrière...

Le paysage tout entier se brouilla devant les yeux d'Amanda.

Après le départ de Michael, la grotte aurait dû redevenir ce qu'elle avait été avant son arrivée. Logiquement, lorsqu'on s'était débarrassé du métier à tisser et des autres objets qu'il avait fabriqués, en les plaçant dans une petite grotte non loin de là, la vie devait reprendre son cours normal, seulement il y avait manifestement quelque chose qui n'allait pas avec la logique. Les choses ne recouvrèrent pas automatiquement leur sérénité antérieure. Amanda était devenue nerveuse. Toute conversation avec les griffas comme uniques partenaires l'agaçait. Elle perdait patience avec eux (à leur grand étonnement et leur consternation), puis regrettait son explosion d'irritation pour découvrir cinq minutes plus tard qu'elle faisait de nouveau exactement la même chose. Plus que jamais, elle était consciente de l'hostilité du monde autour d'elle. Lorsqu'on était seul, il semblait peser sur vous. Elle se rendit compte, comme jamais auparavant, de sa solitude et du silence. Les jours s'écoulaient sans but. Elle semblait incapable de retourner à l'ancienne routine pendant le jour et, la nuit, la grotte était trop silencieuse. Quand elle se réveillait dans l'obscurité, le bruit rassurant de sa respiration lente et régulière lui manquait. La seule chose qu'on entendait, c'était le grattement des crabes sur la plage...

Pour la première fois, elle commença à avoir des doutes sur sa propre force. Il n'était plus aussi simple de rester indifférente. Dans ses moments de lucidité, elle se rendait compte que sa résolution vacillait, mais c'était trop tard. Quelques semaines plus tôt, elle aurait pu céder à la lettre d'oncle Joe. Elle aurait pu retourner au camp pour y faire son choix, l'honneur sauvé par son appel. Mais maintenant, comment pourrait-elle retourner ? Après qu'il l'ait quittée — sans regarder une seule fois en arrière...

Elle oscillait entre des moments de solitude et de détermination, de détresse et de résolution amères. Mais elle savait que sa résolution faiblissait. Plus jamais elle n'aurait l'assurance qui lui avait permis de tirer froidement sur Badger. Elle se demanda ce qu'elle ferait quand les griffas la préviendraient de l'arrivée de quelqu'un... puis remit la décision au moment où le problème se poserait.

En fait, ce fut une décision qu'elle ne fut pas obligée de prendre, parce qu'on ne la prévint pas. Un matin, environ un mois après le départ de Michael, elle entendit les griffas arriver comme d'habitude pour leur cours, mais parmi le trottinement de eurs petits pieds, elle décela un autre pas. Elle tira le revolver de a ceinture et visa l'entrée. Une figure, immense à côté de la ninuscule escorte, s'arrêta à l'entrée de la grotte. Le cœur l'Amanda s'arrêta puis repartit. Contre la lumière, elle ne pouvait pas voir qui c'était ; mais elle savait qui ce n'était pas... La ilhouette resta immobile un moment, puis dit lentement, d'un on de reproche :

— Ça ne te ferait rien d'abaisser ce truc, mon chou ? Ça m'a 'air plutôt nerveux.

Amanda baissa le revolver et regarda d'un air ébahi s'avancer Maisie. Quelque chose sembla se rompre en elle puis déborder. Elle se précipita, mains tendues. Maisie lui tendit les deux bras t la tint serrée contre elle.

— Là, là, chérie, fit-elle. Ce furent les seules paroles échangées pendant un long moment.

— Comment es-tu arrivée jusqu'ici ? demanda Amanda.

Elle avait repris son empire sur elle-même et sortait des aniers de pousses comestibles et de galettes faites avec de la arine de racines.

— Ce n'était pas tellement arriver jusqu'ici, qu'arrriver à y rriver, expliqua Maisie. Je serais venue bien plus tôt, mais s'il y une chose que ces griffas comprennent parfaitement, c'est le ens du mot « secret ». Ça fait des mois que j'essaie de les ersuader ou de les acheter. Mais c'est plutôt difficile avec des riffas, tu sais, maintenant, si ç'avait été des hommes. Enfin, me oici, et ça m'a pris trois jours en tout.

Amanda la regarda avec une gratitude pleine d'admiration. Une expédition à travers la forêt n'était pas une activité que l'on ût associer à Maisie, pas plus qu'on ne pouvait lui associer la enue pratique qu'elle portait.

— Pourquoi es-tu venue, Maisie ? demanda Amanda.

— Eh bien, mon chou, je voulais te voir. Et de plus, je me uis dit que si quelqu'un d'autre venait, il se ferait probablement lescendre. On dit qu'il fait plutôt malsain dans ces parages.

— Alors, il est quand même rentré au camp, sain et sauf ?

— Ouais, dit Maisie. Elle ne s'appesantit pas sur le sujet, mais ommença à fouiller dans les poches de sa veste et de ses pantalons. J'ai un message pour toi quelque part.

— Oui… ? Amanda se pencha en avant, dans l'expectative.

— Sûr et certain. Maintenant, où diable l'ai-je mis ? C'est pa mon genre de tenue, tu sais, se plaignit-elle. Ah, le voilà. Ell défroissa l'enveloppe. D'oncle Joe, ajouta-t-elle en la tendant.

— Oh… ! dit Amanda, déçue.

Elle prit l'enveloppe. Elle l'ouvrit avec répugnance, parc qu'elle savait d'avance ce qui s'y trouvait. Elle ne se trompai pas.

— Non ! dit-elle de nouveau, la chiffonnant dans sa main Non !

Mais sa négation avait perdu de son ancienne vigueur, et l ton aussi était différent.

— C'est tout ? demanda-t-elle.

— Qu'est-ce qu'il pourrait y avoir d'autre ?

— Je me demandais… je ne sais pas…

Et soudain Amanda se mit à pleurer.

Maisie lui prit la main.

— Allons, mon chou, il ne faut pas te laisser aller comme ça Tu es restée trop longtemps toute seule. Abandonne tout ça e viens avec moi.

— Mais, je ne peux pas, pas maintenant, dit Amanda e sanglotant. Il ne veut pas de moi. Il… il ne s'est même pa retourné, pas une seule fois. Il a dit qu'il… qu'il dé… détestai les filles qui tiraient en restant à couvert.

— Ça ne tient pas debout, lui dit Maisie vivement. Toutes le filles malignes tirent en restant à couvert. Alors, t'as le béguir pour ce type, c'est ça ?

— Oui, pleura Amanda.

— Hum, fit Maisie, alors je suppose que ça arrange le choses.

Elle se leva et se dirigea vers l'entrée.

Une minute plus tard, un autre pas à l'extérieur de la grotte fi sursauter Amanda.

— C'est… c'est… Oh, Maisie, tu as triché !

— Moi, mon chou ? Jamais de la vie. C'est juste ce qu'o appelle une enchère forcée peut-être, dit Maisie, et elle s'éclips alors que Michael entrait.

Une heure plus tard, elle revint, marchant d'un pas lourd.

— Cela a duré assez longtemps, vous deux, dit-elle.

Amanda, assise tout près de Michael, leva la tête.

— Pas encore, dit-elle, nous allons avoir une... une sorte de une de miel d'abord.

— Je vais faire préparer une baraque pour vous. Et je dirai à oncle Joe que tu t'es décidée à suivre ses conseils. Il en sera plutôt flatté.

— Non ! dit Amanda, avec toute son ancienne assurance. Je ne suis pas ses conseils. Ceci n'a rien à voir avec mon devoir envers la communauté, ou envers la postérité, ou envers l'histoire, ou envers mes obligations morales, ou envers l'instinct de survie — ou avec quoi que ce soit d'autre si ce n'est envers moi. Je le fais parce que je veux le faire.

— Hum ! fit Maisie d'un ton apaisant. Enfin, c'est ton affaire, alors tu dois savoir ce que tu dis, chérie. Cependant, je ne serais pas plus étonnée que ça d'apprendre qu'un jour, une autre Eve ait dit la même chose...

# JE CHERCHE JEFF

Fritz Leiber

A six heures trente, cet après-midi-là, Martin Bellows était assis devant le comptoir du *Tomtoms*. Devant lui, il y avait un grand verre de bière et derrière le comptoir, il y avait deux hommes en tabliers blancs. Les deux hommes, dont l'un était si vieux qu'il faisait peine à voir, discutaient entre eux — et quoique Martin n'écoutât pas vraiment, la majeure partie de la discussion semblait lui être destinée.

— Si cette fille vient encore une fois, je ne la servirai plus. Et si elle continue à faire des histoires, je lui ferai voir de quel bois je me chauffe !

— T'es un dur de dur, hein, Papa ?

— Il y a eu du grabuge toute cette semaine, depuis qu'elle vient.

— Ecoutez-moi ça ! Allons, Papa, il y a toujours du grabuge dans un bar. Ou bien quelqu'un lorgne la poule de son voisin, ou bien c'est deux vieux copains inséparables…

— Je parle de véritable grabuge. Comme ces deux filles, lundi soir ! Et ce grand gars qui s'en est pris à Jack ! Et Jake et Janice qui ont justement choisi le *Tomtoms* pour rompre ! Et la façon dont ils s'y sont pris ! Elle était derrière chaque fois, je vous le dis. Et l'histoire des morceaux de verre dans la glace pilée ?

— Ferme-la ! S'adressant à Bellows : Papa est complètement sonné, vieux. Il a parfois de ces idées loufoques !

Martin Bellows leva les yeux de sa bière et regarda Sol, le jeune propriétaire du *Tomtoms,* et l'autre homme derrière le bar. Il fit une légère grimace.

— N'importe quoi pour mettre un peu de vie...

— Un peu de vie ! ricana Papa. Ce n'est pas ce qu'elle vous donnerait.

— Parle-moi d'elle, Papa, dit Bellows au vieux serveur. Non, laisse-le faire, Sol.

— Ça va, mais je vous préviens qu'il rêve debout.

Papa ignora la remarque de son patron. Il tourna plus lentement le verre qu'il polissait. Son visage, bouffi par la bière et marqué d'étranges collines et ravins par une vie pleine d'expériences éphémères mais illuminantes, devint pensif.

— S'appelle Bobby, commença-t-il brusquement. Blonde. Environ vingt ans. Commande toujours des fines. Un visage d'enfant bien lisse, avec toutefois une légère cicatrice qui le traverse de part en part. Robe noire qui s'ouvre jusqu'au nombril.

Une voiture s'arrêta dehors avec un crissement de freins. Les trois hommes levèrent la tête. Mais un instant après, ils entendirent la voiture repartir.

— Je ne l'avais jamais vue avant dimanche dernier, continua Papa. Dit qu'elle vient de Michigan City. Demande toujours après un type appelé Jeff. Attend toujours pour commencer son petit jeu.

— Qui est Jeff ? demanda Martin. Papa haussa les épaules.
— Et qu'est-ce que c'est que son petit jeu ?

Papa haussa encore une fois les épaules, mais cette fois en direction de Sol.

— Il ne croit pas en elle, dit-il d'un ton bourru.

— J'aimerais bien la rencontrer, Papa, dit Martin avec un sourire. Un peu de distraction me ferait du bien. Je sens que je vais me taper une de ces sorties. Et Bobby a l'air d'être le genre qu'il me faut.

— Je ne la présenterais pas au petit ami de mon dernier flirt !

Sol eut un sourire léger mais concluant. Il se pencha par-dessus le comptoir, confidentiellement, regardant d'un air narquois le vieux serveur, par-dessus son épaule. Il toucha la manche de Martin.

— Vous avez entendu l'histoire de Papa. Maintenant, retenez bien ceci : je n'ai jamais vu cette fille et je suis toujours ici jusqu'à la fermeture. Pour autant que je sache, personne d'autre que Papa ne l'a vue. J'ai l'impression qu'il s'agit encore d'une de ses hallucinations. Vous savez, le type est un peu fêlé de la cafetière. Il se pencha encore plus près et dit d'une voix ironique, théâtrale et faussement basse : *Il fumait de la marie quand il était jeune.*

Le visage de Papa rougit légèrement.

— Ça va, monsieur sait-tout, j'ai quelque chose pour vous.

Il ajouta le verre à la rangée scintillante, accrocha l'essuie-verres et sortit une boîte à cigares de dessous la tablette du comptoir.

— La nuit dernière, elle a oublié son briquet, expliqua-t-il. Il est recouvert d'un tissu noir et brillant comme sa robe. Regardez !

Les deux autres hommes se penchèrent en avant mais, lorsque Papa souleva le couvercle de la boîte, il n'y avait rien dedans, à part la garniture de papier blanc.

Sol se tourna vers Martin en esquissant un sourire.

— Vous voyez ?

Papa jura et arracha le papier.

— Un des hommes de l'orchestre doit l'avoir chipé.

Sol posa doucement la main sur le bras du vieux serveur.

— Nos musiciens sont tous de bons gars, bien honnêtes, Papa.

— Mais je vous dis que je l'ai mis là la nuit dernière !

— Non, Papa, tu as cru que tu le faisais. Sol se tourna vers Martin. Est-ce qu'il n'arrive pas parfois des choses bizarres dans un bar ? Tenez, depuis quelques jours…

La porte claqua. Les trois hommes se retournèrent. Mais ce devait être le bruit d'une portière de voiture à l'extérieur, car personne n'entra.

— Depuis quelques jours, répéta Sol, je constate quelque chose de très bizarre.

— Quoi ? demanda Martin.

Sol lança de nouveau un de ses regards narquois en direction de Papa.

— J'aimerais t'expliquer, dit-il à Martin. Mais je ne peux pas le faire devant Papa. Ça lui donnerait encore des idées.

Martin descendit de son tabouret, tout souriant.

— Je dois partir maintenant, de toute façon. Je vous verrai plus tard.

A peine cinq minutes plus tard, Papa sentit le parfum. Une odeur écœurante de pourriture. Et ses oreilles perçurent le grincement à peine perceptible du tabouret du milieu, suivi du soupir spectral. Les muscles de son estomac se contractèrent et il eut l'impression qu'on raclait ses os jusqu'à la moelle. Il se mit à trembler.

Puis le grincement et le soupir parvinrent de nouveau jusqu'à lui à travers la pénombre du *Tomtoms,* presque impatiemment, et il lui fallut bien se retourner, quoique ce fût la dernière chose qu'il eût envie de faire. Et il dut regarder le vide du bar. Et là, sur le tabouret central, il la vit.

C'était très vague, juste une ombre superposée sur les dorures et le bleu nuit du mur du fond, comme un bas de soie noir tendu dans une quasi-obscurité. Le blond pâle des cheveux, pareil à des grains de poussière volant dans la lumière d'un projecteur. La pâleur du visage et des mains pareille à de la poudre flottant dans l'air. Les yeux pareils à deux minuscules papillons indécis.

— Qu'est-ce qu'il y a, Papa ? demanda Sol d'une voix sèche.

Il ne répondit pas. Quoiqu'il eût donné n'importe quoi pour ne pas devoir le faire, il longeait le comptoir en tremblant, s'agrippant au bord interne pour ne pas perdre l'équilibre, jusqu'à ce qu'il arrive à hauteur du tabouret central.

Puis il entendit la voix faible mais claire qui semblait voyager sur le bourdonnement d'un moustique, comme on dit que la voix humaine voyage sur une onde hertzienne. La voix qui se vrillait un chemin jusqu'au fin fond de son crâne.

— T'as parlé de moi, Papa ?

Il ne dit rien, mais resta là à trembler.

— Tu as vu Jeff ce soir, Papa ?

Il secoua la tête.

— Qu'est-ce qu'il y a, Papa ? Qu'est-ce que ça fait si je suis morte et en train de pourrir ? Ne tremble pas comme ça, Papa, tu n'as pas la constitution qu'il faut pour faire un danseur de shimmy. Tu devrais être flatté que je me montre à toi. Tu sais, Papa, chaque femme est au fond une stripteaseuse. Mais la plupart ne se montrent qu'au type qu'elles aiment ou dont elles ont besoin. Je suis comme ça. Je ne me montre pas à ceux qui n'en valent pas la peine. Et maintenant, sers-moi à boire.

Mais il resta là, à trembler.

Les deux papillons virèrent vers lui.

— T'as la polio, Papa ?

Pris d'une hâte soudaine, il se retourna d'un mouvement saccadé, se pencha. Tâtonnant aveuglément, il trouva la bouteille de fine sous les rangées de l'étagère, en versa un peu dans un verre, toujours tremblant, avant de la poser sur le comptoir et esquisser un mouvement de recul.

— Qu'est-ce que tu fous là ?

Il n'entendit même pas la question courroucée et ne se rendit pas compte que Sol se dirigeait vers lui.

Il se tenait aussi loin que possible du comptoir et regardait les doigts de poudre s'enrouler autour du verre comme des vrilles de fumée ; il écoutait la voix criarde de chauve-souris rire lugubrement et dire :

— Je n'y arriverai pas comme ça, je n'ai pas encore assez de force.

Et il regarda les deux papillons et quelque chose de rouge et de blanc en dessous se pencher sur le verre.

Pendant une fraction de seconde, Sol sentit son sang se glacer car, alors qu'il n'y avait aucune main sur le comptoir, le verre trembla et un mince filet de liquide glissa le long du rebord et atterrit en flaque sur l'acajou.

— Qu'est-ce qui..., commença Sol... Ces foutus camions, ils font trembler tout le voisinage.

Et pendant ce temps, Papa écoutait la voix criarde de chauve-souris.

— Ça m'a fait du bien, tiens, Papa. Puis, nerveusement cajoleuse : Qu'est-ce qu'il y a au programme ce soir, Papa ? Où est-ce qu'une fille peut aller pour s'amuser un peu ? Et qui était le beau jeune homme noir qui vient juste de sortir ? Tu l'as appelé Martin...

Sol, qui en avait assez, s'approcha de Papa.

— Et maintenant, tu vas m'expliquer...

— Attendez ! La main de Papa jaillit et s'agrippa au bras de Sol, à lui faire mal. Elle se lève, haleta le vieux. Elle en a après lui. Il faut le prévenir.

Le regard de Sol suivit instinctivement celui de Papa. Puis, avec un ricanement, il repoussa la main de Papa et le saisit, à son tour, par le bras.

— Ecoute-moi bien, Papa. Est-ce que tu fumes vraiment de la marie ?

Le vieux serveur tenta de se dégager.

— Il faut qu'on le prévienne, je vous assure, ou sinon il sera trop tard... Elle aura tellement bu que des idées sanguinaires lui viendront à l'esprit !

— Papa ! L'exclamation poussée tout près de l'oreille du vieux serveur le fit se raidir et il resta immobile et soumis pendant que Sol disait : Ils ont probablement des boîtes pour cinglés dans la West Madison Street. Cela ne les dérangerait pas d'avoir des cinglés derrière le comptoir ! Probablement... Je n'en suis pas sûr. Mais tu vas devoir te mettre à en chercher une si tu inventes encore une de ces histoires à dormir debout ou si tu parles encore à quelqu'un de cette Bobby ou de ce verre cassé. Compris ?

Papa avait encore son air égaré. Mais il approuva par deux fois de la tête, avec raideur.

La soirée avait commencé avec une sensation indigeste de lourdeur pour Martin Bellows — quelque chose qui flottait en lui comme les nuages de lumière autour des lampes dans la rue. L'intermède avec Papa et Sol lui avait laissé un drôle de goût dans la bouche, mais il parvint finalement à le dissiper, se traînant de café en café, offrant à l'occasion un verre à un type convenable, en acceptant un de temps à autre, partageant cette politesse silencieusement, parlant à peine, plaisantant un peu avec les filles derrière le comptoir et lorgnant discrètement celles qui rêvassaient dans la salle. Après avoir fait environ cinq cafés et bu quelque huit verres, il découvrit qu'il en avait raccroché une.

C'était une fille petite mais élancée, avec des cheveux qui faisaient penser à un lever de soleil hivernal et une robe noire, montante, très ajustée, qui révélait parfois un étroit ruban de chair tendre. Ses yeux étaient noirs et sympathiques et pas exactement dociles ; son visage avait l'aspect lisse et mat d'une peau de daim. Il était conscient d'un léger parfum de gardénia. Il l'enlaça et l'embrassa légèrement sous une lampe, sans fermer les yeux, et, ce faisant, il vit que son visage avait un défaut. Une ligne presque imperceptible de chair plus claire, comme un fil de toile d'araignée, partait de sa tempe gauche pour traverser sa paupière gauche, l'arête de son nez puis toute sa joue droite. Ces traits rehaussaient sa beauté, se dit-il.

— Et où allons-nous maintenant ? demanda-t-il.

— Que diriez-vous du *Tomtoms* ?

— Encore un peu trop tôt. Puis : Dites ! Vous vous appelez Bobby ? C'est le nom que Papa... Je parie que vous êtes...

Elle haussa les épaules.

— Papa bavarde trop, soupira-t-elle.

— Pas de doute. C'est bien vous. Papa n'a pas cessé de parler de vous. Il lui sourit tendrement. Il prétend que vous avez une influence maléfique.

— Oui ?

— Mais ne vous en faites pas pour ça. Papa est complètement timbré. Ainsi, ce soir même, il...

— Alors, allons ailleurs, interrompit-elle. J'ai besoin d'un verre, chéri.

Et ils se remirent en route. Martin avait le cœur qui chantait parce que ce que l'on cherche toujours sans jamais le trouver venait de se produire : il avait trouvé une fille qui excitait son imagination et son désir. Chaque minute qui passait lui donnait encore plus envie d'elle, tout en le rendant plus fier d'elle. Bobby était la fille parfaite, décida-t-il. Elle ne devenait ni tapageuse, ni querelleuse, ni geignarde ; elle n'éprouvait pas le besoin de raconter sa vie, elle n'avait pas de ces lubies soi-disant amusantes mais qui, en fait, étaient exaspérantes. Bien au contraire, elle était belle, gaie et d'humeur égale. Elle allait comme un gant à son humeur, avec cependant cette pointe de danger et de violence inséparable des vapeurs vertigineuses de l'alcool et des rues sombres des grandes villes. Il découvrit qu'il s'était entiché d'elle. Il se mit même à aimer sa cicatrice arachnéenne comme s'il s'agissait d'une réparation coûteuse effectuée par un spécialiste sur une poupée de luxe.

Ils visitèrent trois ou quatre boîtes sympathiques. Martin passa par tous les stades préliminaires de l'intoxication — l'avide, l'inquiet et le bienheureux —, émergeant dans le monde de cristal où le temps est presque immobile, où rien n'est plus sûr que vos mouvements et rien n'est plus réel que vos sentiments, où la coquille emprisonnant la personnalité est brisée et où même les murs sombres, le ciel enfumé et le ciment gris sous vos pieds font partie intégrante de vous-même.

Peu après, il embrassa de nouveau Bobby dans la rue, la serrant encore plus fort contre lui, enfouissant ses lèvres dans son cou, dans la douceur automnale du parfum de gardénia, murmurant d'une voix mal assurée :

— Tu habites dans le quartier ?

— Oui.

— Alors…

— Pas maintenant, chéri, souffla-t-elle. Allons d'abord au *Tomtoms*.

Il approuva silencieusement et s'éloigna quelque peu d'elle, mais sans colère.

— Qui est Jeff ? demanda-t-il.

Elle leva les yeux vers lui.

— Tu veux savoir ?

— Oui.

— Ecoute, chéri, fit-elle doucement. Je ne crois pas que tu

rencontreras jamais Jeff. Mais si tu le fais, je veux que tu me promettes une chose. Je ne te demanderai rien d'autre. Elle s'interrompit et toute sa violence latente brûlait dans le masque pâle de son visage. Je veux que tu me promettes que tu casseras le fond d'une bouteille de bière et que tu l'enfonceras dans son gros visage bouffi.

— Qu'est-ce qu'il t'a fait ?

Le masque était énigmatique.

— Quelque chose de bien pire que ce que tu penses, lui dit-elle.

Se penchant sur le visage immobile et tendu de Bobby, Martin sentit une vague d'excitation meurtrière le submerger.

— Promis ? fit-elle.

— Promis, répondit-il d'une voix rauque.

Sol et Papa avaient eu fort à faire pendant deux heures, mais maintenant il y avait une accalmie entre les séances de jazz et Sol avait le temps de faire un brin de causette avec un étranger corpulent à l'air intéressant.

— A propos de choses bizarres, j'en ai une bonne à vous raconter, dit-il en se penchant par-dessus le bar avec un sourire confidentiel. Vous voyez ce tabouret là-bas, le deuxième à votre gauche ? Chaque nuit, depuis une semaine, personne ne s'y assoit à partir d'une heure du matin.

— Il est vide maintenant, dit l'homme corpulent.

— Bien sûr, et celui à côté de vous aussi. Mais je dis bien à partir d'une heure du matin. C'est dans quelques minutes... Alors que les affaires battent leur plein. Il peut y avoir autant de monde qu'on veut. Les gens peuvent être entassés les uns sur les autres, personne ne s'assoit sur ce tabouret-là. Pourquoi ? Je n'en ai aucune idée. C'est peut-être le hasard. Peut-être qu'il y a quelque chose de bizarre que je n'ai pas encore découvert et qui fait que les clients l'évitent.

— Simplement le hasard, déclara l'homme corpulent avec assurance. Il avait la mâchoire d'un boxeur et le regard fuyant.

Sol sourit. De l'autre côté de la salle, les musiciens reprenaient leurs places, prenant tout leur temps pour s'installer.

— Peut-être bien que oui. Mais j'ai l'impression que c'est

quelque chose d'autre. Peut-être quelque chose de très logique. Comme un pied qui a un tout petit peu de jeu. Mais je veux bien parier qu'il restera vide cette nuit encore. Surveillez-le. Six nuits consécutives, c'est trop pour être du hasard. Et je jurerais sur une pile de bibles qu'il a été vide six nuits de suite.

— Vous vous trompez, Sol.

Sol se retourna. Papa se tenait derrière lui, les yeux égarés et courroucés comme un peu plus tôt dans la soirée, les lèvres tremblantes.

— Que veux-tu dire, Papa ? lui demanda Sol en essayant de ne pas montrer d'irritation devant son nouveau client.

Papa s'éloigna en marmonnant.

— Je dois aller surveiller les serveuses, s'excusa Sol qui s'éloigna de l'homme corpulent pour suivre Papa. Lorsqu'il l'eut rejoint, il dit à voix basse, sans le regarder :

— Au diable, Papa, est-ce que tu essaies de te rendre désagréable ou quoi ? De l'autre côté de la salle, le chef d'orchestre se leva et sourit à ses musiciens, tandis que Sol ajoutait : Si tu crois que je vais supporter ce genre de choses, tu te goures.

— Mais, Sol ! La voix de Papa tremblait comme s'il cherchait une protection. Il n'y a jamais eu de tabouret vide après une heure du matin cette semaine. Et pour ce qui est de ce tabouret-là…

— Oui ? l'encouragea Sol.

Mais Papa n'était plus conscient de sa présence. Il était une heure du matin et à travers les nuages de fumée du *Tomtoms*, il la regardait s'avancer, sortant de la pénombre de l'entrée ; ce n'était plus une fumée, mais une forme solide qui avait puisé sa force dans la nuit et les puissances mystérieuses de la nuit, masquant les premiers boxes et le vert de la table de jeu sur son passage.

Il enregistra sans surprise ni regret qu'elle avait accroché le type sympathique qu'elle recherchait : elle obtenait tout ce qu'elle voulait. Et maintenant, elle se rapprochait de plus en plus — l'essuie-verres tomba des mains de Papa — dépassant l'orchestre, puis la partie chromée du bar où les serveuses venaient chercher les verres, se hissant finalement sur le tabouret central et lui souriant cruellement.

— 'jour Papa.

Le type sympathique s'assit à côté d'elle et dit :

— Deux fines, Papa. Et deux sodas pour après. Puis il sortit un paquet de cigarettes et se mit à fouiller dans ses poches à la recherche d'allumettes.

Elle toucha le bras du serveur.

— Apporte-moi mon briquet, Papa, dit-elle.

Papa se mit à trembler.

Elle se pencha en avant. Le sourire avait quitté ses lèvres.

— J'ai dit : apporte-moi mon briquet, Papa.

Il se baissa brusquement, comme si on était en train de tirer sur lui. Ses mains engourdies trouvèrent la boîte à cigares sous le comptoir. Il y avait quelque chose de petit et de noir à l'intérieur. Il le saisit comme si c'était une araignée et le posa sans regarder sur le comptoir, retirant précipitamment la main.

Bobby ramassa le briquet, lui donna une chiquenaude et tendit une petite flamme jaune vers la cigarette du type sympathique. Le type sympathique lui adressa un sourire plein d'amour, puis demanda :

— Et alors, Papa, ça vient ces verres ?

Pour Martin, le monde de cristal se transformait peu à peu en un magasin de porcelaine. De plus en plus fort, lentement mais agréablement, tendant irrésistiblement vers son apogée comme le jazz, il pouvait sentir monter en lui le désir d'actes violents et tonifiants. Des actes virils, francs, tranchants, dramatiques, détruisant ou aimant jusqu'à la mort tout ce qui l'entourait. Attendant l'inévitable — quel qu'il fût — il riait presque à l'avance.

Le vieux serveur renversa à moitié leurs boissons, tellement il était pressé de les poser devant eux. Papa avait vraiment l'air cinglé, comme Sol l'avait dit, et Martin retint la remarque qu'il avait eu l'intention de faire : il avait retrouvé la fille dont avait parlé Papa. Il regarda Bobby.

— Bois le mien, chéri, dit-elle, se penchant vers lui pour se faire entendre au-dessus de la musique bruyante. Et de nouveau, il vit sa cicatrice.

— J'ai assez bu.

Martin n'était pas gêné. La double fine lui brûla la gorge et lui fit vibrer les nerfs, activant la froide flamme de violence déjà alimentée par l'orchestre qui tournait en dérision les têtes enflées et les hautes tours de la civilisation.

Un homme corpulent, qui prenait un peu trop de place à côté de Martin, attira l'attention de Sol alors que ce dernier passait derrière le comptoir et dit :

— Jusqu'à présent, vous gagnez toujours. C'est toujours vide.

Sol opina de la tête, sourit et chuchota l'une ou l'autre plaisanterie. L'homme corpulent rit et, pour montrer qu'il appréciait la chose, prononça un mot obscène.

Martin lui tapa sur l'épaule.

— Cela vous dérangerait-il de ne pas utiliser ce genre de mots devant ma femme ?

L'homme corpulent le considéra, puis regarda au-delà de lui et dit :

— T'es saoul, Joe ! et se détourna.

Martin lui tapa à nouveau sur l'épaule.

— J'ai dit : Cela vous dérangerait-il ?

— Ça finira par me déranger, si tu continues, lui dit l'homme corpulent, le visage impassible. Où est la femme dont tu parles ? Aux toilettes ? Je te le dis, Joe, t'es saoul.

— Elle est assise à côté de moi, dit Martin, détachant chaque mot et fixant sinistrement les yeux au milieu du visage impassible.

L'homme corpulent sourit. Il semblait soudain trouver la chose amusante.

— O.K. ! Joe, dit-il. Parlons de cette femme. De quoi a-t-elle l'air ? Décris-la-moi.

— Mais, vous..., commença Martin, esquissant un geste du bras.

Bobby attrapa le bras au vol et dit d'une voix étrangement ardente :

— Non chéri, fais ce qu'il te dit.

— Mais, nom de...

— S'il te plaît, chéri, lui dit-elle. Elle souriait hermétiquement.

Ses yeux brillaient. Fais ce qu'il te dit.

Martin haussa les épaules. Son propre sourire était hermétique lorsqu'il se retourna vers l'homme corpulent.

— Elle a environ vingt ans. Ses cheveux sont blond pâle. Elle est habillée de noir et elle a un briquet noir.

Martin s'arrêta. Quelque chose avait changé dans le visage impassible. Peut-être était-il un peu moins rouge. Bobby le tirait par la manche.

— Tu ne lui as pas parlé de la cicatrice ? dit-elle, toute excitée.

— Ah oui, dit-il, et elle a une cicatrice à peine visible qui part de la tempe gauche, traverse la paupière gauche, l'arête du nez et toute la joue droite jusqu'au lobe de…

Il s'arrêta brusquement. Le visage impassible était pâle comme la mort, ses lèvres tremblaient. Puis une vague de rouge le submergea et les yeux prirent une teinte meurtrière.

Martin pouvait sentir le souffle chaud de Bobby dans son oreille, le contact de sa langue mouillée.

— Maintenant, chéri. Vas-y maintenant. C'est Jeff.

D'un geste rapide mais délibéré, Martin brisa le bord de son verre à soda contre le verre de fine et l'enfonça dans le visage rouge de l'homme corpulent.

Un son perçant qui n'était pas prévu sortit de la clarinette. Quelqu'un dans les boxes se mit à crier hystériquement. Un tabouret se renversa alors que quelqu'un d'autre s'écartait précipitamment. Papa hurla. Puis ce ne furent plus que mouvements tourbillonnants et cris, mains qui s'accrochaient et épaules qui s'entrechoquaient, bousculades et chutes, chocs et coups sourds, alternances d'obscurité et de lumière, des souffles chauds et des courants d'air froids, jusqu'à ce que Martin se rende compte qu'il courait, avec Bobby à ses côtés, à travers des flaques grises de lumière, autour d'un coin, dans une rue plus sombre, autour d'un autre coin…

Martin s'arrêta, agrippant le poignet de Bobby pour qu'elle s'arrêtât aussi. Sa robe s'était ouverte. Il voyait ses seins menus. Il la prit dans ses bras et enfouit son visage dans la chaleur de son cou, aspirant l'odeur douce et lourde de gardénia.

Elle se dégagea convulsivement.

— Viens, chéri, haleta-t-elle avec une impatience angoissée. Dépêche-toi, chéri, dépêche-toi.

Et ils se mirent de nouveau à courir vers un autre pâté de maisons ; elle le fit monter quelques marches creuses, passer par une porte vitrée, devant des boîtes aux lettres en cuivre terni, et monter des escaliers au tapis élimé. Dans sa hâte, elle tâtonna maladroitement sur la serrure d'une porte, puis l'ouvrit brusquement. Il la suivit dans l'obscurité.

— Oh, chéri, dépêche-toi, lui lança-t-elle.

Il claqua la porte derrière lui.

Puis quelque chose le saisit et l'immobilisa. La puanteur effroyable. Il y avait un peu de gardénia dedans mais très, très peu. C'était un mélange de tout ce qu'il y a de pourri et de putréfié dans le gardénia, magnifié jusqu'à devenir une pestilence insupportable.

— Viens, chéri, l'entendit-il appeler. Dépêche-toi, dépêche-toi, chéri, viens ; qu'est-ce qu'il y a ?

Elle alluma la lumière. La chambre était petite et minable, avec une table et des chaises au milieu, et des meubles sombres et pleins à craquer contre les murs. Bobby se laissa tomber sur le canapé affaissé. Son visage était blanc, tendu, inquiet.

— Qu'est-ce que tu as dit ? lui demanda-t-elle.

— Cette odeur effroyable, lui dit-il, grimaçant involontairement de dégoût. Il doit y avoir en cadavre en train de pourrir ici.

Soudain, le visage de la fille ne fut plus que haine.

— Fous le camp !

— Bobby, plaida-t-il, choqué. Ne te fâche pas ! Ce n'est pas de ta faute !

— Fous le camp !

— Bobby, qu'est-ce qu'il y a ? Es-tu malade ? Tu es toute verte.

— *Fous le camp !*

— Bobby, qu'est-ce qui arrive à ton visage ? Qu'est-ce qui t'arrive, Bobby ? Bobby !

Papa tourna le verre autour de l'essuie avec le rythme d'un habitué. Il lorgnait les deux filles de l'autre côté du comptoir avec l'air paternel d'un vieux satyre au nez retroussé. Il fit durer le silence aussi longtemps qu'il put.

— Ouais, dit-il finalement. A peine une demi-heure après qu'il ait envoyé le verre dans le visage de ce type, la police le retrouvait dans la rue, devant l'appartement du type en question, criant et bégayant comme un babouin. Ils crurent tout d'abord que c'était lui qui l'avait tuée, et je suppose qu'ils lui en ont fait voir de toutes les couleurs. Mais on découvrit finalement qu'il avait un alibi solide pour le jour du crime.

— Vraiment ? demanda la rousse.

Papa opina de la tête.

— Sûr et certain. Vous savez qui l'avait fait ? Ils l'ont finalement découvert.

— Qui ? l'encouragea la mignonne petite brune.

— Le type qui a reçu le verre dans le visage, annonça triomphalement Papa. Ce Jeff Cooper. Il paraît que c'était un quelconque gangster. Il a fait la connaissance de Bobby à Michigan City. Ils se sont brouillés, on ne sait pas pourquoi, peut-être qu'elle le doublait. En tout cas, elle a cru qu'il avait cessé de lui en vouloir et il a tout fait pour qu'elle le croie. Il l'a amenée à Chicago. Il l'a fait monter dans son appartement et l'a frappée à mort.

— Ouais, réaffirma le vieux serveur, appuyant sur la chose lorsque la mignonne petite brune grimaça. Il l'a frappée à mort avec une bouteille de bière.

La rousse demanda avec curiosité :

— Est-ce qu'elle n'est jamais venue ici, Papa ? Est-ce que tu ne l'as jamais vue ?

Pendant un instant, le verre à l'intérieur de l'essuie cessa de tourner. Puis Papa fit la moue.

— Jamais, fit-il emphatiquement. D'ailleurs, ça n'aurait pas été possible. Parce qu'il l'a tuée la nuit où il l'a amenée à Chicago. Et c'était une semaine avant qu'on la découvre. Il gloussa. Quelques jours de plus et les inspecteurs du service de santé auraient découvert le corps. Ou les boueux…

Il se pencha en avant, souriant, attendant que la mignonne petite brune lève des yeux involontairement fascinés.

— D'ailleurs, c'est pour ça qu'ils n'ont pas pu coller le cadavre sur le dos de ce Martin Bellows. Une semaine plus tôt, à l'époque où elle a été tuée, il se trouvait à des centaines de kilomètres d'ici.

Il fit tourbillonner le verre scintillant. Il remarqua que la mignonne petite brune le regardait toujours attentivement.

— Ouais, fit-il pensivement. Le spectacle ne devait pas être très beau. Frappée à mort avec une bouteille de bière. Un des derniers coups que le type lui a donnés lui a ouvert le visage de la tempe gauche jusqu'à l'oreille droite…

DES PRESSES DE GERARD & C°
65, rue de Limbourg, B-4800 Verviers (Belgique)
D. 1971/0099/65

# TABLE DES MATIERES

**Les 20 meilleures nouvelles de science fiction,** choisies et présentées par *Hubert Juin* (207***).
**La patrouille du Temps,** *Poul Anderson* (232**).
**Nouvelles de l'anti-monde,** *G. Langelaan* (252**).
**Pour une autre Terre,** *A. E. Van Vogt* (262*).
**Au seuil du futur,** *Howard Fast* (263*).
**Les Solariens,** *Norman Spinrad* (329*).
**Mort au champ d'étoiles,** *Bernard Villaret* (341*).
**Après,** *Asimov, Bradbury, etc.* (345**).
**La guerre des mouches,** *Jacques Spitz* (349*).
**Billenium,** *J. G. Ballard* (356*).
**Univers Zéro,** *Jacques Sternberg* (362*).
**Le gambit des Etoiles,** *Gérard Klein* (373*).

**Les contes d'Edgar Poe** (109****).
**25 histoires noires et fantastiques,** *Jean Ray* (114***).
**Malpertuis,** *Jean Ray* (142*).
**Les derniers contes de Canterbury,** *Jean Ray* (166**).
**Dracula,** *Bram Stoker* (182****).
**Le carrousel aux maléfices,** *Jean Ray* (197**).
**Frankenstein,** *Mary W. Shelley* (203**).
**Les contes noirs du golf,** *Jean Ray* (208**).
**La Malvenue,** *Claude Seignolle* (215***).
**La cité de l'indicible peur,** *Jean Ray* (223*).
**Les mille et un fantômes,** *A. Dumas* (228****).
**Histoires maléfiques,** *Claude Seignolle* (230**).
**Sortilèges,** *Michel de Ghelderode* (234**).
**Les contes du whisky,** *Jean Ray* (237**).
**Cérémonial nocturne,** *Thomas Owen* (242**).
**Contes macabres,** *Claude Seignolle* (244**).
**Le livre des fantômes,** *Jean Ray* (247*).
**Les mémoires du Diable,** (T. 2, *F. Soulié* (249***).
**L'aventure impersonnelle,** *M. Bealu* (257*).
**Harry Dickson,** T. 1, *Jean Ray* (259***).
**Aurélia,** *G. de Nerval* (264*).
**Harry Dickson,** T. 2, *Jean Ray* (265***).
**Le moine,** *M. G. Lewis* (267***).
**Harry Dickson,** T. 3, *Jean Ray* (269***).
**Harry Dickson,** T. 4, *Jean Ray* (275***).
**Les récits cruels,** *Claude Seignolle* (282*).
**Harry Dickson,** T. 5, *Jean Ray* (283**).
**Harry Dickson,** T. 6, *Jean Ray* (292**).
**Harry Dickson,** T. 7, *Jean Ray* (300**).
**Le musée des Diables,** *C. E. Deive* (306*).
**Harry Dickson,** T. 8, *Jean Ray* (309**).
**Le centenaire,** *Honoré de Balzac* (315*).
**Avatar,** *Théophile Gautier* (320*).
**Les drames de la mort,** *Paul Féval* (322***).
**La guerre des salamandres,** *K. Capek* (324**).

# HISTOIRE ILLUSTRÉE DE LA SECONDE GUERRE MONDIALE

## SERIE BATAILLES

**Bastogne,** la bataille des Ardennes, par P. Elstob (GM 1)

Brutale, intelligente, servie par le brouillard et la neige, l'offensive von Rundstedt jette la panique dans les rangs alliés. Prises au piège, plusieurs divisions américaines abandonnent le terrain, d'autres s'accrochent désespérément. Après un bref mais douloureux martyre, Bastogne se voit offrir, le 22 décembre 1944, une « capitulation honorable », offre à laquelle le général Mac Auliffe oppose son célèbre « Nuts ! »...

**La bataille d'Angleterre,** Spitfire contre Messerschmitt, par E. Bishop (GM 2)

Sans relâche, avec une folle audace, les pilotes britanniques assaillaient les lourdes formations de bombardiers allemands protégés par leurs escortes. Six Hurricane contre soixante-dix Dornier, douze Spitfire devant cent Heinkel ! C'était l'été de 1940, et seule une poignée de combattants de la RAF formait encore rempart entre l'Angleterre et la défaite... « Jamais un si grand nombre d'hommes, dira Churchill, ne fut redevable d'autant à un si petit nombre. »

**La chute de Berlin,** la fin du III^e^ Reich, par E.F. Ziemke (GM 5)

Les Américains et les Russes sont à proximité de Berlin. Plongé dans son rêve démentiel, Hitler s'acharne à entraîner l'Allemagne à sa perte. Pour la première fois cependant, généraux et industriels allemands ont refusé d'exécuter sa politique de la « terre brûlée ». Terré dans les profondeurs de son *Führerbunker*, abri bétonné construit sous la Chancellerie, Hitler organise lui-même une vaine et fanatique résistance, tandis que Berlin croule sous les bombes et que s'écroule le III^e^ Reich...

**Le jour J,** « Ils débarquent », par R.W. Thompson (GM 6)

Le débarquement de Normandie est la plus grande opération militaire de tous les temps, et sa préparation fut une entreprise gigantesque. En même temps que se levait l'aube du 6 juin 1944, et tandis que débutait la libération de la France, une longue nuit allait prendre fin. Sur les plages de Normandie, au cours des dix-huit premières heures du jour J, 130 000 hommes débarquaient pour assener le coup — prélude à la fin du nazisme — qui devait enfoncer le fameux mur de l'Atlantique...

**Leningrad**, 900 jours de siège, par A. Wykes (GM 7)

En septembre 1941, alors que s'annonçait l'hiver le plus féroce qu'on ait connu depuis 150 ans, les premiers obus allemands tombaient sur Leningrad encerclé, et le siège le plus long des temps modernes commençait. Trente mois plus tard, il restait 750 000 vivants dans cette ville qui en avait compté 3 000 000, et on ne saura jamais combien sont morts de faim ou de froid, combien furent tués sous les bombes de l'artillerie et de l'aviation, évacués ou enrôlés dans les forces armées. Ce qu'on sait, c'est qu'ils résistèrent...

**Stalingrad,** 300 000 hommes encerclés, par G. Jukes (GM 10)

C'est sur une idée vaine de son prestige et de celui du III^e^ Reich que le Führer refusa obstinément l'abandon de Stalingrad lorsque les Allemands se trouvèrent pris entre les « pinces » soviétiques, il n'y avait plus aux yeux de Hitler, qu'une alternative : vaincre ou mourir. C'est pourquoi, quand Stalingrad capitula finalement, 175 000 hommes étaient morts dans les ruines de la ville encerclée...

**Koursk,** le choc des blindés, par G. Jukes (GM 14)

Le 12 juillet 1943, au sud de Koursk, deux armées s'avancèrent l'une vers l'autre : noyées dans la poussière et la fumée, des silhouettes lourdes et rugissantes se livrèrent la plus formidable bataille de chars de toute l'histoire. Hitler lui-même éprouvait certaines inquiétudes quant à la sagesse de cette opération dont la seule pensée, comme il le confiait à Guderian, « lui retournait l'estomac ». Et s'il avait pu prévoir l'issue de cette bataille décisive ?...

**SERIE CAMPAGNES**

**Afrikakorps,** Rommel et ses hommes, par le major K.J. Macksey (GM 3)

De décembre 1940 à février 1941, l'offensive britannique en Afrique anéantit l'armée italienne de Cyrénaïque et reporte le front à 700 km de la frontière égyptienne. Hitler se décide à soulager son partenaire italien par l'envoi de forces allemandes. C'est la naissance de l'Afrikakorps, commandé par Erwin Rommel, le « renard du désert », dont Winston Churchill dira : « Nous avons contre nous un adversaire audacieux, habile et, je dois le dire malgré les ravages que cause la guerre, un grand général ».

**La Sicile**, débarquement surprise, par M. Blumenson (GM 8)

Le 10 juillet 1943, lorsque les Alliés débarquent en Sicile, déclenchant l'opération « Husky », la surprise des Allemands est complète, car ceux-ci attendaient une attaque par la Sardaigne, par la Crête ou par les îles du Dodécanèse. Malgré les importants renforts allemands accourus de la péninsule, l'île est conquise en 38 jours : 1 000 avions saisis, 500 détruits au sol, 132 000 prisonniers... La campagne de Sicile est un succès.

**Les Raiders,** patrouilleurs du désert, Arthur Swinson (GM 11)

Si les étendues désertiques du Sahara facilitaient la progression des raiders, elles recelaient aussi de périlleux dangers, dont la simple panne de moteur en plein désert n'était pas le moindre ! Constitués en petites colonnes chargés de harceler les arrières de Rommel, les raiders ont réalisé des exploits marqués au coin de la plus étonnante audace...

**La ruée vers la Seine,** d'Arromanches à Paris, David Mason (GM 12)

Après le débarquement du 6 juin 1944 sur les plages de Normandie, la résistance des Allemands, mal coordonnée mais cependant acharnée, provoque une véritable guerre d'usure qui va s'étendre sur plusieurs semaines. Seule l'arrivée des renforts emportera la décision finale et, tandis que les Allemands éprouvent les pires difficultés à rejoindre le front, les Alliés arrivent sur place à un rythme accéléré. Le 19 août, la bataille de Normandie est perdue pour les Allemands, et la route de Paris s'ouvre enfin...

**SERIE ARMES**

**Les commandos,** opérations amphibies, par P. Young (GM 4)

Après Dunkerque, la Grande-Bretagne se prépare à défendre son territoire contre une éventuelle invasion allemande et met au point un programme de petites unités au moral agressif, chargées de missions offensives nécessitant une formation particulièrement sévère. C'est ainsi que sont nés les Commandos qui, avec l'appui combiné des forces de l'Aviation et de la Marine, sont au centre des opérations menées en Cyrénaïque, aux îles Lofoten, à Vaagsö, à Dieppe et à Saint-Nazaire.

**Le Zero,** chasseur japonais, par M. Caidin (GM 9)

Le Zero fut une surprise pénible pour les Américains. Avec leurs vieux Bœing P. 26 à train fixe, ou même leurs Curtiss P.40, il leur était impossible de suivre les évolutions du chasseur japonais... Bien avant, ce sont des Zero qui escortèrent les bombardiers japonais dans l'attaque de Pearl Harbor... Ce sont encore des Zero que les kamikazes utilisèrent dans leur forme « utilitaire » du hara-kiri, à partir de mai 1944... Bref, le Zero fut pour les Japonais ce qu'était le Spitfire pour les Anglais.

**U-Boot,** loup des mers, par D. Mason (GM 13)

Durant la Seconde Guerre mondiale, une poignée d'hommes a fait trembler l'Angleterre et compromis la victoire des Alliés. Ce sont les sous-mariniers de l'amiral Doenitz, qui ont écumé l'Atlantique, coulé plus de quatorze millions de tonnes et semé la terreur parmi les convois... Il fallut un radar et un asdic sans cesse plus perfectionnés, ainsi qu'une aviation devenue souveraine pour que, de chasseurs qu'ils étaient, les loups des mers deviennent gibier.

**A PARAITRE :**

**Pearl Harbor**, un stupéfiant désastre, par A.J. Barker (BAT).
**Singapour**, foudroyante victoire japonaise, par A. Swinson (CAM).
**SS et Gestapo**, le règne de la terreur, par R. Manvell (ARM).
**Les armes secrètes allemandes**, l'arsenal de la dernière chance, par Br. Ford (ARM).
**La défense de Moscou**, coup d'arrêt à l'Est, par G. Jukes (BAT).
**Raid sur Saint-Nazaire**, héroïque et sanglant exploit, par D. Mason (BAT).
**La bataille d'Arnhem**, les aéroportés au combat, par A.H. Farrar-Hockley (BAT).
**Tarawa**, l'atoll de la mort, par H.I. Shaw (BAT).
**Okinawa**, au seuil de la victoire, par B.M. Frank (BAT).
**Les Parachutistes**, chevaliers du ciel, par Ch. Macdonald (ARM).
Etc.

**HISTOIRE ILLUSTRÉE DE LA SECONDE GUERRE MONDIALE**

sages. Ainsi, peut-on dire qu'une machine lisant le passé le plus lointain est réalisable ? Que l'homme puisse un jour rajeunir et vieillir à sa guise aussi simplement qu'il marche et qu'il mange ? De telles propositions procèdent-elles d'une base scientifique rigoureuse ? Et ne faudrait-il pas non plus admettre que le livre qui les introduirait doit figurer dans la catégorie des ouvrages de science-fiction ?

Cela peut paraître abusif. En fait, dans l'abondance de la production littéraire, il faut selon toute apparence distinguer deux démarches : les fictions scientifiques, ou encore les romans scientifiques qui tendent à vérifier une donnée de la science par le biais d'une narration (Hoyle, Lem...) ; les narrations appuyées par des aspects scientifiques ou pseudo-scientifiques qui, en définitive, ne sont que des angles d'approche, tout au plus des lignes de conduite.

## Une mentalité particulière

Sans doute ces considérations nous conduisent-elles à un net clivage puisqu'elles consacrent deux genres au sein desquels d'ailleurs toute une série de distinctions de second ordre peuvent encore s'établir. De toute manière, elles éclairent un fait très significatif : ce qu'on appelle habituellement littérature de science-fiction ne sollicite le monde scientifique que par intermittence, d'une façon allusive ou médiate et n'y cherche la plupart du temps qu'un décor pour permettre à la narration proprement dite le maximum de liberté. Et c'est pourquoi une thèse nouvelle décrite dans les pages d'un roman sera d'autant plus appréciée si le lieu où elle se situe ne lui offre aucune résistance, ne soulève aucune ambiguïté, si son improbabilité actuelle est compensée par la probabilité de son cadre.

Aussi, dès lors qu'on a mesuré la portée exacte de l'ingrédient scientifique dans les ouvrages de ce type, et pourvu que l'on ait saisi son rôle et son but, on admettra plus aisément la proposition suivante : les récits de science-fiction n'ont pas toujours et nécessairement l'intention de vérifier des postulats de la science, mais plutôt celle de créer, de traduire une mentalité particulière. Et qui sait, le seul propos de cette littérature est-il la formulation d'un état d'esprit — celle qui justement et précisément est conforme à la mythologie des temps modernes.

Jean-Baptiste BARONIAN

à mesure de sa production les questions et les références d'ordre technique, inaugurant néanmoins une catégorie bien spécifique de la science-fiction : l'aventure à la mode des romans de cape et d'épée dans les univers interstellaires.

La *Space Opera* se rapproche assez fort de l'*Heroic Fantasy* mais ici l'argument scientifique est plus poussé, plus développé, à tel point qu'il constitue le plus souvent, comme chez Asimov ou A.C. Clarke, le nœud du récit sinon son seul point de suture. Mais on ne peut pas prétendre que ce genre évite toujours les pièges de l'anecdote communs au roman populaire ni les poncifs de la littérature fantastique — sans doute parce que leurs auteurs n'ont pas tant voulu créer une anticipation qu'opérer une transposition dans le futur de certains phénomènes prévisibles conformes au développement naturel de l'humanité.

## La part des rêves

En réalité, le secteur le plus important de la science-fiction (*Science Fantasy, Gothic, Lyric* — catégories qui ont surtout cours dans les pays anglo-saxons) accuse encore davantage ce déséquilibre. Leurs écrivains se conten-

## Le nœud gordien

A ce point, on peut, semble-t-il, poser la question suivante : y a-t-il une science-fiction pure ? C'est-à-dire une littérature qui ne s'attache pas seulement à construire un environnement scientifique, qui ne se limite pas à déployer une trame logique dans un univers différent, fût-ce une planète connue, mais qui fonde toute sa géométrie autour d'une hypothèse scientifique *raisonnable* ?

On peut, bien sûr, répondre à cette question mais on ne pourra y répondre que si l'on reconnaît la dissimilitude fondamentale qui existe entre les pouvoirs de l'imagination et les pouvoirs de la raison. Que l'imagination puisse capter n'importe quoi, même en dernière instance ce qui est inimaginable, la littérature nous le montre assez : imaginer l'imaginaire est monnaie courante. Mais en est-il de même lorsqu'il s'agit de la raison ? Quel que soit le stade d'avancement de l'humanité, quoi qu'il advienne, quoi qu'il puisse encore advenir dans les siècles futurs, de nombreuses prévisions resteront toujours, immanquablement, au niveau conceptuel : la finitude même de l'homme interdit l'application logique de certains de ses rêves, la concrétisation absolue de la plupart de ses pré-

▼

l'ordre quotidien, les textes d'inspiration scientifique ne tendent pas à marquer une discordance de la réalité et n'envisagent pas nécessairement le monde tel qu'il est : ils ouvrent des brèches sur le monde tel qu'il sera, à partir d'hypothèses et de réflexions qui, si elles ne sont pas immédiatement vérifiables, contiennent néanmoins une dose suffisante de probabilités.

Il s'agit de savoir cependant si les divers types de littérature courante de science-fiction répondent en tous points aux termes de cette définition.

## L'Heroic Fantasy, la Space Opera

Prenons d'abord le secteur de *l'Heroic Fantasy*. Celui-ci évoque des domaines futurs, des mondes utopiques, des « réalités extra-terrestres » mais édifie des situations romanesques que notre époque pourrait connaître, des péripéties échevelées où se confondent l'ordre et le désordre mais qui, tout compte fait, pourraient fort bien se dérouler de nos jours ainsi que l'illustrent du reste les romans écrits par E.R. Burroughs. Bien vite, pour le créateur de Tarzan, les procédés narratifs prennent le dessus : préoccupé avant tout par le désir de « raconter des histoires », il néglige au fur et tent, pour ainsi dire, d'introduire dans le déroulement de leurs récits un nombre considérable de prévisions qu'on pourrait croire savantes ou scientifiques mais qui ressortent pour une grande part du surnaturel, du merveilleux, de l'extraordinaire et de l'épouvante. L'apparition de monstres venus de lointaines galaxies, la faculté d'ubiquité, par exemple, ne sont à proprement parler, que la matérialisation de rêves ou de hantises inhérents à la condition même de l'homme ; ce n'est que très exceptionnellement que leur perception résulte d'une donnée scientifique. D'ordinaire, il ne s'agit là que d'une subtile divagation de l'esprit, d'une observation purement idéale et non pas d'une possibilité issue de faits tangibles et palpables.

Les œuvres que produisent des auteurs aussi prestigieux que Lovecraft, Bradbury, Matheson, empruntent à la fois à l'univers de la science et au domaine fantastique (souvent même à la littérature policière) sans qu'il soit permis de les dissocier, d'évaluer avec exactitude leur apport respectif, ou bien, au risque de détruire la substance même de leurs textes. Pour eux, la fusion des deux alliages est nécessaire : c'est elle qui donne à l'œuvre sa dimension véritable.

# Y a-t-il une science-fiction pure ?

Où se situe au juste la matière propre de la littérature de science-fiction ? Le lecteur n'a-t-il pas tendance à classer sous une seule et même étiquette n'importe quelle œuvre d'imagination pourvu qu'elle crée une anticipation, un décor scientifique audacieux, voire une rétrovision dans les temps les plus reculés de l'existence humaine à partir de procédés modernes inventés ou non ?

## Autour d'une définition

Sans doute, pour résoudre la question, faudra-t-il au préalable s'accorder autour d'une définition, *aussi restrictive soit-elle*. Pour beaucoup, à la base d'une œuvre de cette espèce, il doit exister une hypothèse de nature scientifique, technologique (et même disent certains, philosophique ou politique) orientée vers un futur directement saisissable ou, plus simplement, possible. Et de fait, lorsque l'on examine une nouvelle ou un récit de science-fiction, on voit bien que l'essentiel est de rendre possible, réalisable, ce qui reste chimérique ou théorique dans la mesure où cette projection est fondée sur un phénomène, sur une réalité que la raison humaine peut parfaitement concevoir. (En ce sens voir K. Amis, *L'univers de la science-fiction*, Payot, Paris.)

C'est d'ailleurs cette dernière notion qui distingue principalement la littérature de science-fiction de la littérature fantastique. Alors qu'ici, l'imagination découvre la part mystérieuse de la vie humaine, les incertitudes des expériences psychiques, dévoile en quelque sorte l'autre versant des choses qui nous environnent et des êtres qui nous entourent jusqu'à provoquer une rupture irréversible, une mise en question radicale de

▼